悼む人

天童荒太

文藝春秋

悼む人——目次

カバー彫刻　舟越　桂「スフィンクスの話」
撮影　天童荒太
装丁　関口聖司

悼む人

プロローグ

求めていらっしゃるのは、この人ではないでしょうか。

一年前の六月三十日の夜明け前、わたしは両親に気づかれないよう靴下のまま玄関ドアを開け、外へ出てから靴をはき、深い藍色におおわれた空の下を、早足で駅へ向かっていました。

わたしの生まれた街は、自動車メーカーの関連産業が集まってひらけた都市を中心に、放射線状に延びたベッドタウンの一つです。駅前には、ビルや商店が立ち並び、朝夕は大勢の人で混雑します。二年前の春まで通っていた高校は、電車で二十分ほど先の場所にあり、わたしは親友と駅で待ち合わせて、通学していました。三年前の六月三十日もそうです。

待ち合わせ場所は、駅南口の外壁に沿って設置されたコインロッカーの前で、時間通り着いたとき、親友は同じ高校の制服を着た男子と話していました。親友は目鼻だちのはっきりした可愛い子で、男の子に人気があり、また付き合ってほしいと告白されているのだろうと思いました。

でも彼女の迷惑そうな表情が見えたので、わたしは相手を追い払おうと、彼女に呼びかけました。それと同時に、男子が自分の鞄から金属製の光るものを出しました。彼が親友にぶつかってゆき、腕を二、三度動かすと、彼女は無言のまま地面に崩れ落ちました。

かん高い悲鳴を発して男子が走り去ったあと、わたしはスポンジの上を歩くような感覚で近づき、親友の前にひざまずきました。まばたきもしない彼女の目は、涙でうるんでいました。

犯人はすぐに捕まりました。彼女と「付き合ってる」とクラスで話してしまったので、話を合わせてほしいと彼女に頼み、断られたので刺した、と警察で話したそうです。

駅前に設けられた献花台には多くの花が捧げられ、葬儀には大勢が訪れて、みんな泣いていました。わたしも、親友のお母さんに抱きしめられて泣いたけれど……本物の涙ではない気がしていました。親友を守れず、自分だけ生きていることが、恥ずかしくてならなかったのです。

学校ではしばらく彼女のことが話の中心でした。でも、時間の経過とともに話題にのぼらなくなり、わたしも受験に打ち込みました。ほかに罪の意識から逃れられる方法を思いつかなかったのです。東京の大学に合格したものの、喜びはありませんでした。東京に出て三ヶ月経っても、誰にも心を開けず、友人もできないまま無為に過ごすうち、親友の一周忌が訪れました。

親友の自宅でおこなわれる法要に参加するため、自分をせき立てるようにして帰郷しました。ご両親は喜んでくれましたが、自分の罪を軽くするために訪ねた気がして、胸苦しさを感じていました。ご両親は事件現場へはつらくて行けないと言い、法要のあと、わたしは一人で駅へ向かいました。献花台か慰霊碑のような〈しるし〉の前で、冥福を祈りたいと思ったのです。けれど、彼女が倒れた場所には何も残っておらず、人々がせわしげに行き交っているだけでした。

そのとき、あなたもでしょ、と突き放すように言う声が聞こえたのです。

プロローグ

「あなたも、わたしの死を忘れようとしてきたでしょ。これからもっと忘れていくんでしょ」

違う、と叫ぼうとして、意識が遠のきました。気がつくと、病院のベッドの上でした。退院してからは、家に引きこもりました。死んだほうが楽だと思うのに、両親が涙ながらに説得するので、出された食事を胃へ流し込むようにして、生き延びてきました。親友のご両親も心配して、何度か電話をくれました。でも、自分にも何をどうしたらいいか、わからなかったのです。

そして一年が過ぎ、また親友の命日が訪れました。

夜明け前の風は冷たく、わたしはデニムパンツとTシャツの上に薄手のスタジャンを羽織り、ポケットに忍ばせた果物ナイフの柄をしっかり握っていました。手のナイフが、用心のためか、みずからあの場所で命を断つ願望のあらわれだったか、ほとんど意識していませんでした。

誰にも会わずに駅のコインロッカーが並ぶ場所に着きました。夜が明けてきたらしく、駅舎の背後に、縁《ふち》をオレンジ色に染めた雲が望めます。不意に、親友が倒れた辺りで影が揺れました。

どうやら人間であるらしいその影は、左膝を地面につきました。次に、右手を頭上に挙げ、空中に漂う何かを捕らえるようにして、自分の胸へ運びます。左手を地面すれすれに下ろし、大地の息吹をすくうかのようにして胸へ運び、右手の上に重ねました。横顔が見えるあたりへ回り込むと、その人物は目を閉じて、何かを唱えているらしく、唇が動いています。

「何をしているんですか」

思わず言葉をかけていました。まるで祈りをあげているような相手の姿に、動揺したのです。

影が静かに立ち上がりました。若い男の人でした。前髪が目にかかる程度に髪を伸ばし、やや面長で、柔らかいもの問いたげな目をしていました。洗いざらしのTシャツに、膝に穴のあいたジーンズ、擦り切れたスニーカーをはき、足元に大きなリュックを置いています。

「いたませて、いただいていました」

彼は、瞳の奥まで透かすようにわたしを見つめ、意外に細くて優しげな声で言いました。

「ここで、或る人が亡くなられたので、その人を、いたませていただいています」

彼の答えを聞き、いたむという言葉が、〈悼む〉であることにようやく気づきました。

でも、なぜ……。親友とどんな関係の人なのか。いえ、彼が親友を悼んでいたのかどうかさえまだわからず、尋ねようとすると、彼が先に親友の名前を口にして、

「あなたは、彼女のことを、御存じですか」

と訊《き》きました。わたしは、びっくりして声が出ず、無言でうなずきました。

「でしたら、彼女のことをお聞かせ願えませんか。彼女は、誰に愛されていたでしょうか。誰を愛していたでしょう。どんなことをして、人に感謝されたことがあったでしょうか」

その言葉を聞いたとたん、胸の奥にしまい込んでいた彼女の思い出があふれてきました。

親友は多くの人に愛されていました。大勢の人を愛していました。そしてわたしのこともきっと愛してくれていたはずです。……でも彼女が死ぬまで、わたしはそれに気づいていなかったし、親友もたぶん同じでしょう。当時のわたしたちは、愛ということを、男女の関係か、家族の愛情に限定して考えていたからです。でも、その人の質問で、親友が生きていたことが愛だったのだと思い当たりました。彼女が朝起きて、家族と小さな言い合いをし、わたしと学校へ行き、仲間

とばかな話で笑い合い、将来を不安に思いながら勉強して、塾でため息をつき、帰宅して家族と食事をし、友人とメールを交換して、眠りにつく……そのすべて、何もかもが愛だったと。

ばかげて聞こえますか。でも彼の問いを聞いたときは、そう信じられたのです。わたしは彼に親友のことを話しました。思い出すかぎりのことを伝えました。わたしが話し終えたところで、

「いまのお話を胸に、悼ませていただきます」

と、彼は、先ほどと同じ姿勢で左膝をつき、右手を宙に挙げ、左手を地面すれすれに下ろして、それぞれの場所を流れている風を自分の胸に運ぶようにしてから、目を閉じました。

この人ではないですか。あれきり別れて、どこをどう捜せばいいのかわからないまま、時間ばかりが過ぎていました。わたしは大学へ戻り、勇気を出して自分から話しかけてできた友人と、インターネットについて話していたとき、あの人のことを検索してみようと思いついたのです。ほかにも彼を知る人がいて、情報を発信しているかもしれないと考えたのです。検索をつづけて、とうとうこのサイトに行き当たりました。違いますか。この人ではないですか。

彼の名前は、聞きそびれました。だからわたしは、〈悼む人〉と呼んでいます。

彼のことを知りたいです。あのときもですけど……時間が経つごとにいっそう、彼のことをどう考えればいいのか、わからなくなってきたのです。

彼はいまどこですか。何をしていますか。なぜあんなことをしていたのでしょう。いまもああした行為をつづけていますか。何が目的ですか。

〈悼む人〉は、誰ですか。

第一章　目撃者　（蒔野抗太郎――Ⅰ）

1

　梅雨が明けたばかりの陽の光が真上から、家々の窓に反射して、背後や斜めからも照りつけてくる。電信柱の影も役に立たず、蒔野抗太郎《まきのこうたろう》は、渇きに粘つく口のなかをビールで洗った。

　道路をはさんだ向かいの民家の前では、この春入社した新人が、門に取り付けられたインターホンを押している。何度押しても返事はなく、彼がこちらを振り返る。蒔野は舌打ちを返した。

「もっとがんがん押せよ。相手が根負けして、かんべんしてくれって出てくるまでな」

「でも、本当に留守なんじゃ……」

　成岡《なるおか》という名の若者は、いまにも泣きだしそうに顔をゆがめる。蒔野は鼻で笑い、

「生まれたときから冷暖房完備の部屋で育つと、このくそ暑いのにも鈍感になるんだな」

　訪ねているのは、東京南西部の住宅地にある一軒家で、窓には雨戸が引かれている。だが狭い庭の雑草が、風もないのに揺れており、近くにエアコンの室外機があった。

成岡もようやく気づいたらしく、インターホンをまた押しはじめた。玄関へ向けて、世間的に名の通った週刊誌の名前を上げ、少しだけお話を伺いたいんですと、か細い声で訴える。

蒔野は、不惑《ふわく》の四十とやらにはまだ一年余りあるが、あちこち肉がたるみ、きつく感じるネクタイをゆるめて周囲を見回した。近所は関わりを恐れてか、身を潜めているように人けがない。

「もういいよ。ひとまず近所で話を聞くことにして、現場の写真だけでも撮《と》っとけ」

成岡は、安堵の表情を浮かべてインターホンから離れ、デジタルカメラをその家へ向けた。

「おいおい、ボクちゃんよ。家だけ撮ったら、ハウジング情報だろ。現場は道路だろうが」

新聞報道によれば五日前、この家に暮らす家族は、山へ泊まりがけのキャンプに出かける予定だった。父親が大型乗用車を道路に出し、エンジンをかけたまま、妻と荷物を運ぶために、いったん家へ戻った。その短い時間に、十一歳の長男が運転席に乗り込み、たまたまギアにふれたらしい。急発進した車の前には、兄に向かって手を振っていた六歳の次男がいた。

「でも、一昨日《おととい》の雨で検証の跡も残ってませんし、道路だけ撮っても絵になりませんよ」

住宅前の道路にカメラを向けたあと、成岡が不服そうに言い返した。

「ほう、やっぱり正社員さんは違うね……絵になりませんと来たか。じゃあ、これでどうだ」

蒔野は、道路のまん中へ進み出て、手に持っていた缶を傾けた。飲み口からビールがしたたり、灼《や》けたアスファルトの上で跳ね、すぐに黒い染みとなってゆく。

「この染みを手前に置いて、背景に家全体が入るように撮れよ」

黒い染みは、見方によれば、流れた血が乾いた跡のように見えるはずだった。

成岡がそれに気づいたのだろう、怖《お》じ気《け》づいた顔で、

「あの……こんなことしていいんですか。これ、やらせじゃないんですか」

「何だぁ、難癖つけんのか。おれは、ここで六歳の子が死んだ記事を書くだけだよ。染みをどう見るかは、読者の想像力の問題だろ。ほら、早く撮れ。せっかくの絵が乾いちまうぜ」

成岡が苦痛をこらえるように顔を伏せ、「エグノ」とつぶやくのが聞こえた。

蒔野は、北海道の新聞記者を始まりに、都内の夕刊紙、スポーツ新聞と渡り歩き、七年前からいまの週刊誌に契約制の特派《とくは》記者として籍を置いている。残忍な殺人や男女の愛憎がらみの事件の記事を得意とすることから、エログロの蒔野、「エグノ」と陰で呼ばれていた。警察や暴力団関係者とのコネを活かして裏情報を仕入れ、人間の醜さや虚飾に焦点を当て、性描写もたっぷり加え、読者の煽情的な興味を引く記事を書かせたら抜群と、この世界では重宝がられてきた。

だがここ半年、週刊誌の顔である特集班から外され、新人の指導を兼ねて、主要記事の箸休《はしやす》めとなる話題をまとめるよう求められている。彼の本来の願いは、新聞広告や電車の中吊り広告でトップ記事とされる右端の柱か、次に重要な左の柱で大きく扱われる記事を書くことだった。

「せめてよ、夫婦仲が悪くて離婚も近かったと証言が取れりゃあな。長男は、両親をつなぎ止めるために、弟をわざとはねたような印象を与えてさ、少しは大きな枠も取れるだろうによ」

蒔野は、成岡に向かって愚痴を垂れつつ、近所を回り、日暮れ前に出版社へ戻った。

班デスクへの報告は成岡に任せ、会社近くのカフェでビールを注文し、隅のテーブルでパソコンを開く。社にも机はあるが、夕方以降部屋にいる記者は、使えない奴と嗤《わら》われる。今日の件を

ざっとまとめ、生乾きの汗が不快で、トイレで顔を洗った。鏡には、陰湿そうな目に、厚ぼったい瞼、下劣な欲望がにじみ出ているかのような粗《あら》いにきびあとが残る、脂性《あぶらしょう》の顔が映っていた。テーブルへ戻ると、ウェイターに教わったのか、班デスクの海老原《えびはら》が隣の椅子に掛けていた。六歳年上で、目尻が下がって柔和そうに見えるが、目の奥に底意《そこい》の知れない暗さがある。

「成岡が辞めたいと言ってきました。キノさんの愛情が、なかなか伝わらないようですね」

どんなときも丁寧な言葉を崩さず、長い付き合いでも決して仕事上の関係を越えようとしない彼の姿勢は、苛立たしくもあれば、また気楽で、ときに恐ろしい。

「心理を専門的に勉強した子でしてね。今回の事故では、親を責めるよりも、家族の今後を応援する記事を書きたいと言うんです。ひとまず思うように書いてみろと言っておきました」

「へっ、甘くなったもんですね、エビさんも。尿から糖が出てきてんじゃないですか」

蒔野は新しく来たばかりのビールに口をつけた。

「幼い頃から毎日、残酷な事件のニュースにふれてきた世代が、中核になりつつあるんです」

海老原は、目の前のカプチーノの泡をスプーンで崩し、「時代が、えぐい現実に疲れてきてるんですよ。ねちっこく人間の悪をえぐるキノさんの方向性も、そろそろ限界ってことですかね」

「現実にむごい事件は起きてんだ。小便に蟻《あり》がたかるような記事で、茶は濁せないな」

「右トップ、左トップ、って記事ばかりを狙って、慎重さを欠いちゃあ元も子もないでしょ」

去年の暮れ、二十歳の未婚の母が赤ん坊を二人つづけて死なせたことを、蒔野はなじみの刑事から聞き、児童虐待と狙いをつけ、取材を始めた。女がアイドル並の美形で、養護施設で育ち、父親から虐待を受けた経験があると聞き込み、逮捕に至れば、読者の興味を引くことは間違いなく、周囲を説得して企画を通した。若い記者を連れ、彼女に直接当たり、単刀直入に切り込んだ。あなたでしょ、昔のいやな記憶がよみがえり、ついお子さんに手をかけたんでしょ……。

彼女の怒った顔を、若い記者に盗み撮りさせ、性描写をちりばめた原稿も好評で、編集長から左トップでゆくと言われた。だが掲載直前、別の記者の確認取材で、父親の虐待を受けていたのは同姓の別人と判明し、子ども二人の死因も、乳幼児突然死症候群と結論が出て、警察は立件を見送った。その後、取材対象の女が自殺を図り、命に別状はなかったものの、蒔野と一緒に事件を追った記者が、良心の呵責《かしやく》を理由に退職した。以来、蒔野は冷や飯を食わされている。

「エビさん、子守りはもういいでしょ。特集班でやらせてください。特ダネつかんできますよ」

一年ごとに更新される契約は、これまでの実績から今年もサインにこぎつけたが、現在の状況では、次の契約は危ぶまれる。しかし、海老原は冷静な表情を変えることなく、

「次の契約まで、新人を育てながらキャンペーンを張れるようなネタを発掘すればいいでしょ」

「尿から出てるのは、酸ですかね。ネタがあっても、いまのおれに出張費が出るんですか？」

「読者が喜ぶネタなら、どこへでも行っていただきますよ。じゃあ、成岡の原稿はそちらへ送りますんで、適度な直しでお願いします。奴には明日もピンポン押しの経験を積ませてください」

海老原が伝票を持っていこうとするのを、蒔野はとどめ、ウェイターに三杯目のビールの注文を書き加えさせてから、海老原に戻した。

店を出ると、街は仕事帰りの人々でにぎわっていた。夏日なのに妙に肌寒く、女でも抱くかと

財布を確かめる。取材相手とのコネ作りで借金がかさみ、余裕がなかった。仕方なく主婦売春の取材で知り合った女へ電話し、家族に嘘をついて出てくるように求めた。ホテル代も相手に払わせ、明日は子どものテストだから早く帰してくれと言う女のからだを、執拗にむさぼった。

交通の便のよい学生街にあるマンションの自室に帰ったのは、午前一時過ぎだった。

缶ビールを手に、録画したニュース番組を見る。フリーになって以降つづけているネタ探しが目的の日課だった。片手にカウンターを握り、死者の数が画面に現れるたびに押す。

事故、殺人、自殺で人が死んでいる。今日は白骨遺体も見つかっていた。カウンターの数は八。中東では、市場で自動車に積まれた爆弾が爆発して五十名が死亡していたが、海外における邦人《ほうじん》以外の死は記事にならないため、カウンターは押さない。大きな災害や事故でもないかぎり、報道される死は一日十人前後だった。国内の年間死者はここ数年、百万人を超えている。一日におよそ二千八百人が死に、そのなかで報道される死者は約〇・〇〇三六パーセントの計算だった。

蒔野は、仕事机の前に行き、パソコンを開いた。数年前からサイトを開設し、幅広くメールを求めている。醜悪で、卑猥《ひわい》で、人はかくも非道になれるかという加害・被害の実体験……それを具体的に書き込んでもらう。条件は、あくまで自分が経験した事実ということだけだ。

当初は、ペットの虐待や小児性愛、患者をいたぶる看護師や、入所者をいじめる介護職員など、比較的よく耳にする体験談が多かった。その後、互いの情報を読めるようにして、週刊誌で紹介する可能性も示唆《しさ》すると、メール数は増え、記事になりそうな話も送られるようになってきた。

或る少年は、検出されない毒で、家族を一人ずつ病気に見せかけて殺していると書いてきた。

元恋人の死体と暮らす女は、現在の恋人もいつまた自分だけのモノにするか機会を狙っていると打ち明けた。現職警官を名乗る男は、成績を上げるために障害者を無実を承知で逮捕すると語り、有名女子校の高校生は、部活の半数の生徒が顧問教師から暴行を受けていると訴えた。

一般の人々が眉をひそめるであろうメールが、画面上に羅列《られつ》されてゆく。しかし蒔野は、これらを読むと逆に気分が落ち着いた。むろん作り話も紛れているだろうが、そうした悪感情を吐き出さずにはいられない面も含め、悪意と汚辱にまみれているのが人間だと笑いたくなる。

気分が高揚し、ビールを取りに立った。帰宅したおりには気づかなかったが、キッチン脇に置いた電話の、録音が残されていることを示すランプが点滅している。用件を再生すると、酒と煙草で嗄《か》れたような、中年の女の声が流れはじめた。彼の父親と長く暮らしている女だ。

「どうして来ないの。言ったでしょ、あなたのお父さんは入院してて、会いたいって、きかないのよ。伝えたいことがあるらしいの。いろいろ事情はあるんだろうけど、病気なんだし……」

蒔野は最後まで聞かずに切った。何をいまさら、と思う。いろいろな事情どころか、奴がどれほどひどいことを自分や母にしたか。死ぬなら勝手に死ねばいい、線香を上げることもない。

だが、蒔野も人のことは言えなかった。四年前、浮気がばれて妻と離婚し、息子は小学三年生になるはずだが、別れて以来一度も会っていない。養育費は半年で送らなくなったし、息子にはもう新しい父親がいる。自分が死んでも、やはり誰も線香を上げないだろう。

高揚した気分が冷め、メールで送られていた成岡の原稿に目を通した。残された家族に同情し、今後を励ます内容だった。口先だけで何もしやしねえくせに自分が安心したいだけだろ、と毒づき、不注意な親をとことん責める記事に書き直して、海老原へ送った。

服を着たままベッドに横になる。電話の音で目を覚ました。カーテンの隙間《すきま》から陽の光が漏れている。海老原からの小言だろうと思ったが、北海道警察本部の警部補からだった。


その日の午後五時半、蒔野は北海道に着いた。

夕暮れどきの光が春のように柔らかく、空気も東京より丸みを帯びたものとして感じられる。それが懐かしさよりも、自分の場所はもうここではないという違和感につながった。

函館に生まれ、父親に東京へ連れていかれた十二歳まで育ち、大学卒業後から五年間は記者として札幌で過ごした。函館には母の実家の墓があり、彼女の遺骨も納められている。信仰のため、父を憎みながらも離婚しなかった母が、死後に願いが叶ったかたちで両親のもとで眠っている。

母方の親戚とはもう付き合いがなく、父方にはどんな親戚がいるかすら知らない。自分の最期は、孤独のうちに迎え、小さな寺の納骨堂に無縁として放り込まれるのがオチだろう。

蒔野はタクシーで小樽へ向かった。残照のなか、白骨遺体が出たという小高い山を確認してから、宿泊予定地の札幌へ引き返す。ホテルにチェックインしたあと、道警庁舎からほど近い、かつてはよく利用した寿司屋に入り、奥の座敷で相手を待った。

道内の新聞社に勤めていた頃、昇進試験に懸命な貧しいノンキャリアの警官と親しくなって、酒をおごり、女遊びを経験させた。相手はいま、道警の捜査一課で警部補になっている。面白いネタがあれば教えてくれるよう頼んでいるが、年に一度連絡があればいいほうで、たいていは使えそうもないものばかりだった。今回のネタも望みは薄い。

二十年前というから、蒔野は埼玉の大学にいた頃だ。札幌の隣町に暮らす二十五歳の女子銀行員が失踪した。マンションの部屋は乱れておらず、交際していた上司と別れた直後という事実から、家出もしくは自殺が疑われ、捜査はほとんどおこなわれなかった。

ところが三日前、札幌から北西へ約三十五キロ進んだ、小樽の海を望む標高約五百メートルの山の中腹付近で、白骨死体が発見され、昨日、その女子行員だという鑑定結果が出た。

「この話、ニュースで聞かなかったかい？」

電話で警部補に問われ、蒔野は録画したニュースで白骨遺体の件を見たのを思い出した。

だが、週刊誌の記者として動くなら、殺人と断定されるか、霊能力者が遺体の場所を言い当てたとでもいうような、特殊な事情が必要だった。

「霊能力者か……まんざら遠い話でもないんだわ」と、警部補は苦笑の声を響かせた。

蒔野は、昼前に社へ出て、海老原に出張を願い出た。特ダネの自信はなかったが、甘ったれた新人のお守《も》りをつづけるよりは、北海道でうまい魚でも食ってきたほうがましに思えたのだ。記事にならなかった場合は自腹でもよいと言い切り、さしあたって費用を出す約束を取りつけた。

寿司屋では、自腹が気になりビール一本で一時間近く待った。ようやく相手が現れて、四年ぶりだったが、相手は早く切り上げたいのか、挨拶もそこそこに核心から話しはじめた。

遺体が殺されたものかどうか、時間が経過し過ぎてわからないという。ただし、女の死体が山にあると話した男、つまり殺人を犯した可能性がある男の、懺悔《ざんげ》めいた告白を聞いた者がいる。

「それが遺体の発見者だ。三十二歳、男。職業は元医療機器メーカーの営業職。現在は無職で、住所不定。実家は横浜、両親は一応健在、と。五年前に会社を辞め、旅に明け暮れているそうだ。死体のことは、千葉の海浜公園で野宿の際、名前も知らないホームレス風の男から打ち明けられた。相手は五十から六十代、白髪が多く、青いジャンパーにジーパン姿……てとこだな」

早口で一気に語られた話を、蒔野はほとんど理解できなかった。頭のなかで整理するあいだに、警部補は、払いはもうこっちと決めているのだろう、高価なネタを次々に注文する。

「その、遺体の発見者が、殺して埋めたホンボシってことはないのか……」

蒔野はとりあえず質問のとば口として訊いた。相手は唇をゆがめて笑い、

「女の失踪当時は、小学六年だ。ま、ひとまず裏は取ったがな。北海道へも来ちゃいない」

「しかし、旅先でたまたま白骨遺体を発見したなんて話を、道警は信じるのか」

「たまたまでない、言ったっしょ。公園で野宿した際、ホームレスに、小樽の山に死体が眠ってるから、近くへ行くなら手を合わせてくれと頼まれたんだ。実際に登ると、聞いた通りの場所に白樺があり、幹に目印も残っていて、そばに落ち葉でおおわれた横穴があった……というわけさ。千葉へ捜査員をやって男を捜しちゃいるが、話を聞いたのが二月というから、無理だろうな」

「二月……？　なんで五ヶ月も経って、発見者は北海道へ来て、探すことにしたんだ」

「それが笑わせるんだわ。寒いからだと。暖かくなるまで南にいて、春になって、北へ向かって順番に旅してきたら、この時期になったそうだ。持ち物を調べて、その話の裏も取れた」

「しかし、逮捕したんだろ？　罪があるから、拘束《こうそく》したんじゃないのか」

「二十年前と言ってるっしょ。罪なんてない。ただ人間一人が亡くなってるわけだし、発見者には話をちゃんと聞いておきたい。だが野宿の旅をつづけてる身で、ホテルに泊まる金はないと言う。仕方なく、特別に保護させていただいた。相手も同意の上だったことは、忘れんでくれよ」

注文の品が運ばれ、相手は話を中断した。蒔野は、聞くほどにその話をどう受け止めればよいか判断がつかず、相手に先を促した。つまり、警察はその発見者の男をどう扱うつもりか。

「長く留め置くわけにいかんし、今夜もう一回話を聞いて、何もなきゃ明朝出すと決まり、連絡した。直接話を聞いたほうが早いと思ってな。変な奴だ。実家へも連絡したが、子どもは確かにそういう旅をしておりますと言う。慣れた口調だったな。身元の問い合わせがわりと多いんでないかい。まあ、わからんでもない。奴は、人の死んだ場所ばかりをうろついてるらしいから」

「それだ。電話でも、あんた、人の死んだ場所をうろつく奴がいる、そいつが死体を見つけた、と話した。その言葉にひかれて、ここまで来たようなもんだ。もっと詳しく聞かせてくれ」

「だから、全部、本人に聞けって。ノートも見せてもらえよ、面白いから」

「地元の記者も、興味を持ってんじゃないのか。うちだけのネタじゃないんだろ？」

蒔野はわざと警戒の表情をあらわに尋ねた。相手は肩をすくめ、

「むろん各社にネタは渡ってる。二十年前の失踪者が遺体で発見されたんだ、大ごとさ。けど、殺人は時効だ。遺族へは何社か取材に行ったらしいが、事件にもならんのに、発見者なんて記事にならんっしょ。うちも、千葉での調べが終われば、女子行員の自殺後に落ち葉が積もったとか、山で疲れて眠っとるうちに土砂が落ちた事故だとか……そんな話で、幕を引くんでないかい」

「発見者に、死体があるって話をした男はどうなる。まったく心当たりはないのかい」

「退職した先輩の話じゃ、女子行員の近所に暮らす建設工が、行方をくらまして怪しいって話はあったそうだ。家出の線が強くて捜査には至らなかったらしいが。今回の発見者は、偶然死体を見つけたあと、怖くなり、いもしないホームレスの話をしたってことになるのかな。ところで」

相手は高い酒を頼んで、言葉を継いだ。「旅先であんた、まだ知らんかもしれんが、さっき石狩で発砲があって、死人が出た。記者さんたちは、おおかたそっちへ流れとるはずだよ」

相手と別れて、すぐにホテルでテレビを見た。確かに石狩市の繁華街で発砲事件があり、男が一人死んでいる。白骨遺体の件は記事になりそうになく、この事件は渡りに船だった。東京の海老原からも連絡があり、石狩の件を知っているかと問われた。面白そうなら原稿を送れという。

二十キロほどの距離をタクシーで駆けつけ、なお騒然としている石狩市内の現場を写真に収めた。ネタ元の警部補にもう一度連絡すると、女をめぐってのチンピラのいさかいらしいと知れた。周囲の店などで簡単な聞き込みをしたのち、ひとまずタクシーで札幌へ戻った。

途中、停車しているパトカー数台が目に入った。無残につぶれた乗用車が二台、路肩付近に止まっている。検証中なのか、フラッシュが焚《た》かれ、血のついたエアバッグが浮かび上がった。

蒔野は、ホテルへ戻ると、さっそくパソコンを開き、石狩の発砲事件の草稿を書きはじめた。だが、警部補の口にした「人の死んだ場所をうろつく男」という言葉が妙に頭に残っている。白骨遺体を発見した男の名前を、戯《たわむ》れに指で探し、画面に表れた字を口にしてみた。

「坂築静人《さかつきしずと》……」

2

雲の少ない空が、青い絹布《けんぷ》を広げたように澄み渡り、太陽がまだ低い位置にあるため、目の前の宙をプリズムが横切って、ほこりや塵《ちり》がその周囲を気だるそうに舞っている。

朝の光を紗幕《しやまく》とした小樽警察署の玄関先に、若い男が現れた。紗幕をゆっくりとこちらへ抜けてくる。もとは藍色らしい色落ちしたTシャツと、膝に穴のあいたジーンズ、はきつぶす寸前のスニーカーという軽装で、大型リュックの上に寝袋を組み合わせて背負っている。やや面長で、髪はいまどきの若者らしい長さだが、ところどころ長短のバランスが悪いのは、自分で切っているのかもしれない。蒔野と比べ、身長は十センチは高いものの、体重は半分ほどかと思える。ただし細身のわりに旅慣れているからか、足取りはしっかりしていて、不健康な感じはなかった。

事前にネタ元の警部補から教えられていた格好であり、蒔野は署の門から背中を起こした。

若い男は、自由を得て喜ぶ様子も、警察への不満をあらわす態度も見せず、ほとんど無表情で、蒔野の存在を気にすることもなく通りへ出てゆく。周囲には、ほかに記者らしき者の姿もなく、

「きみ。坂築さん、坂築静人さん」

蒔野はわざと背後から呼びかけた。

若い男が足を止めて振り返る。蒔野に向けられた黒目がちの瞳に警戒の色はなく、大人の言葉を無邪気に待つ幼い子どものように見える一方、肌は風雪にさらされた漁師のごとく粗かった。

「坂築、静人さん……だね」

蒔野はもう一度問いかけた。相手がいきなりこちらへ手を伸ばしてくる。避けるのが遅れ、大きく見える彼の手が蒔野の顔をおおって視界をふさいだ。一瞬、目が永遠の闇に閉ざされたかのような錯覚におちいり、恐れを感じた。だがすぐに手は離れ、相手の柔らかな笑みが現れる。

「風で、飛んできたんですね」

意外なほど声は細かった。彼の手のひらの上に、繊細な造りの蜘蛛《くも》がのっている。蒔野の髪にでも止まっていたらしい。逃がすつもりか、彼が歩道沿いの植え込みに手を差しのべる。

毒気を抜かれた蒔野の心の隙《すき》を、すぐに苛立ちが埋めてゆき、

「坂築静人君だね。遺体を発見した件について、ちょっと聞きたいことがあるんだよ」

年下のホームレス同然の男に、敬語を使うのも癪《しゃく》に思え、やや横柄《おうへい》に呼びかけた。

「署へ戻るのでしょうか」

静人は、おだやかな表情を変えず、素直に足を戻しかける。

「いや。わたしは警察の者じゃないから」

蒔野は名刺を差し出した。受け取る手は、細身の印象からすると、やはり大きいほうだろう。

「話なら、警察でしましたけど。それではだめですか」と、彼が言う。

「警察は具体的な発表はしない。遺族や周囲の人々が詳しい事情を知りたがっているんだよ」

蒔野は適当な嘘をついた。すると、静人のもとから虫の鳴くような音が返ってきた。

すみません、と彼が照れた表情で腹を押さえる。空腹の虫らしい。このまま遺体の発見現場へ

連れていくつもりだったが、ひとまず何か食べさせながら話を聞くことにした。

だが、いざ先へ進もうとすると、相手は腹立たしいほどゆっくりと歩く。具合でも悪いのかと尋ねたが、べつにどこも悪くはないと答えた。一歩ずつ踏みしめるように足を運び、ときおり視線を周囲に振るのも気になって、何か落とし物でも探しているのか、と重ねて尋ねたところ、

「ええ、花を」

と、彼は答えた。植え込みに咲く花のことか。北海道特有の花でも求めているのか。

前方にファーストフードの店が見え、蒔野はともかく静人を誘って店に入り、ハンバーガーとコーラとポテトのセットを二つ注文した。奥の席に彼を座らせ、すぐには逃げられない形にする。静人はよほど空腹だったらしく、即座にハンバーガーを平らげ、蒔野は注文を追加した。

警察で何度も話して、慣れたのか、静人は言いよどむこともなく淡々と話した。千葉の公園で男から、これこれこういう場所に死体があるので手を合わせてやってほしいと頼まれた、という話は、道警の警部補から先に聞いていたものと同じで、目新しい情報はなかった。

道警の元捜査員で、二十年前の女性行員の失踪についてかすかに記憶している人物を、ネタ元の警部補から紹介してもらい、静人が出てくるまでのあいだに、蒔野は電話で話を聞いていた。

その女性は当時、窓口業務を担当し、笑顔が愛らしく、客から誘いの言葉をかけられることもあったという。一方、彼女の失踪直後に行方知れずとなった近所の建設工は、身長の低い醜男《ぶおとこ》で、低賃金の肉体労働に明け暮れていた。たとえばの話、この建設工が、近所でよく見かける女子行員に好意を抱き、モノにしたいと欲したら……と蒔野は元捜査員に尋ねてみた。会社のライトバ

ンでも持ち出して、彼女を待ち伏せして連れ去るしかなかったろう、と相手は答えた。実際この捜査員は、彼女のマンション前に駐車していたライトバンの目撃情報を得ている。

　真実はわからない。だが蒔野なりに想像をつづければ、夜遅くコンビニへ買い物に出ようとした女を、建設工が背後から襲って車へ押し込んだ。口や手の自由を粘着テープで奪い、人けのない場所で、想いを遂《と》げようと口のテープを取ると、女が悲鳴を上げ、男はとっさに首を絞めた。その後、子どもの頃にでも遊んだ山の横穴を思い出し、死体を隠して、確認に戻る可能性も考え、白樺にナイフで傷をつけた。彼は居場所を転々とするうちホームレスとなり、たまたま出会った旅の男に、長年抱えてきた鬱積《うっせき》を吐き出したくなり、死体の隠し場所を告白した……。

「公園で会った男のことだけど、自分が女を殺した、って言ったんだよねぇ」

　蒔野は、あえて鎌をかける言葉で尋ねてみた。

「いえ。或る女性がずっと眠っている場所がある、とおっしゃったんです」と、静人が答えた。

「きみは訊いたんだろ？　殺したのか、事故なのかって。普通、興味が湧くものね」

「訊いていません。どうして亡くなったかについては、興味はありませんでした」

「なぜ。殺人なら、わくわくするところだろ？　いきなりの殺人犯の告白なんだよ」

「でも、もう人は亡くなっているので。自分にはどうにもできないことですから」

　確かに変わった男だった。蒔野は、わざと首を傾《かし》げ、耳の裏をいらいらと掻《か》いてみせた。

「じゃあさ……きみは、千葉の海浜公園で何をしていたの」

「三ヶ月前、ジョギング中だった男性が刺されて亡くなっているんです。犯人は通り魔だったそうですが、その方を悼むために訪ねました。亡くなった正確な場所を知りたくて、テントで生活されていた男性に尋ねたところ、詳しく教えてくれました。悼みをおこない、そのまま公園に泊まる用意をしていると、いま言った男性が、或る女性のことも悼んでもらえないかとおっしゃったんです。銀行勤めだった女性で、彼が仕事で彼女の窓口へ行ったとき、彼の手の汚れに気づいた彼女が、優しくほほえみ、ポケットティッシュを渡してくれたと言います。彼女はきっと家族に愛されて育ったのだろう、自分とはまったく別だから、よくわかる、と彼は話しました。そのあとも近所で何度か彼女を見かけ、はじけるような笑顔に強い憧れを抱いたそうです」

「で、自分だけのモノにしたくなり、誘拐、監禁のあげく、殺したってわけだ」

「そんな素敵な女性のことを、悼んでもらえると嬉しいと、おっしゃったんです」

「……警察は、きみの言う男なんて存在せず、きみの作り話と考えてるみたいだけどね」

蒔野は冷たく突き放すように言ってみた。しかし相手は動揺する素振りもなく、

「事実を話しているだけですので、どう思われようと、ほかにしようがありません」

「……けどさ、死体があることを、他人に打ち明けられたのなら、その時点で警察へ行こうとは思わなかったのかい。それがまっとうな市民の義務ってもんだろう?」

「はい。警察の方にも言われました。でも……信じてもらえたでしょうか」

まず無理だったろう。酔っていた可能性もあるホームレスの男の告白を、野宿の旅をつづけている男がたまたま聞いたという、実にあやふやな話だ。たぶん相手にもされなかったはずだ。

「きみ自身はどうなの。初対面の男から死体の話をされて、だまされてるとは思わなかったの」

「どこまで信じていいのかわからなかったのは事実です。北海道へすぐ行けないことは、その人に言いました。構わないという答えでした。話の内容は、その際メモしました。五ヶ月後、札幌に着き、先に小樽へ足を延ばしました。二十年前のことだそうですが、地域に大きな変化はなかったようで、教えられた場所の近くを探すうち、一本の白樺の幹にうっすらと十字の目印を見つけました。そして、根元近くの落ち葉や枯れ枝を払ってみたところ横穴が見つかったのです」

「怖くなかったのかい。宝物じゃなくて、死体が埋まってるって話なんだ。不気味だろ？」

「もし人が亡くなっているなら、しっかり悼ませていただこうと思っていました。嘘だったほうがいいという想いもありました。二十年も人が埋まっているなんてつらいことですから。ともかく穴をふさいでいた土を除いていきました。しばらくして、白いものが見えてきたんです」

と、ここまで話して、彼は急に首を伸ばし、蒔野の後方へ視線をやった。

「すみません」と、彼が誰かに呼びかける。

蒔野はその方向を見た。会社員風の男が、店を出る手前で振り返ったところだった。

「あの、そちらの新聞、お忘れですけど」

と、静人が言う。男がさっきまで自分がいたらしい席を見た。新聞がたたんで置かれている。

「もし、もうお読みでないなら、いただいてもよろしいでしょうか」

静人の言葉に、男は渋い顔をした。新聞は捨ててゆくつもりだったのだろう。どうぞ、とぶっきらぼうに答えて、店を出ていく。静人は、蒔野に断って新聞を取りにゆき、

「すみません。今日の新聞をどこかで手に入れたいと、ずっと思ってたものですから」

と、満足げな表情で戻ってきた。大事そうに新聞を膝の上に置く態度が気になり、

「何に使うんだい。まさか夜寝るときに、からだに巻くわけじゃないんだろ？」

蒔野は鼻で笑いながら尋ねた。静人は気を悪くした様子もなく、

「悼ませていただく相手のことを知るのに、ラジオで毎晩ニュースを聞きます。図書館で雑誌も閲覧します。でも、一番詳しく情報を得るのは新聞からなので」

「悼む相手を知る……？　具体的にどういうことか、教えてもらえるかな」

静人は、待ってくださいと、食事を先に済ませた。蒔野が捨てかけたポテトも、いただいてもよろしいですかと屈託なく申し出て、リュックにしまい、空いたテーブルの上に新聞を広げた。

蒔野がかつて記者として勤めていた地方紙だった。レイアウトは当時と変わらず、社会面が目の前で広げられる。地元の事件や事故が、全国紙に比べると大きく取り上げられていた。

「石狩で、お一人亡くなってますね。場所についても載っているので、あとで伺います」

と、静人が言う。蒔野も取材した繁華街での発砲事件が、紙面の半分近くを占めていた。

「旭川で、火事でお年寄りが亡くなっています。町名までしか書かれていないので近所で尋ねます。釧路では、川で中学生が溺れています。この場所も近くで訊けばわかると思います。札幌と石狩の間で、交通事故で会社員の方が亡くなっています。現場は……ここから近いですね」

彼が読み上げる場所を聞いて、蒔野は、昨夜石狩からの帰りに遭遇した事故だとわかった。

「それなら確かに近いね。昨日の夜、わたしも現場の前を通ったし」

静人が顔を上げた。

「本当ですか。もしご迷惑でなければ、案内していただけませんか」

「え、ちょっと待ってよ。つまり、きみはそうやって新聞から、またはラジオや雑誌から、事故や事件の情報を得て、人が死んだ場所を訪ねて歩いている……と、こういうわけかい」

「はい。ほかに、旅の途上で知り合った人から教えていただく場合もあります」

「……どうして、そんなことをするんだい。何かルポのようなものでも書く気なの？」

「いえ、ただ悼ませていただくだけです」

蒔野は、まだ話がよく呑み込めず、テーブルを指でこつこつと叩き、

「悼む悼むって、つまり冥福を祈ることだろ？　しかも、新聞や雑誌の記事などで知るってことは、縁もゆかりもない相手だよね。……きみの信じる神様の教えかい、教団の修行なのかな？」

「帰依《きえ》する教えも団体もありません。では、事故現場へ案内していただいてよろしいですか」

蒔野の返事を待たずに、静人は新聞をリュックへしまい、立ち上がった。

「いや、きみ、坂築君。まだ話は終わってないよ」

「この三日間、どこへも回れなかったので、できるだけ多く回りたいんです。お願いします」

相手の勢いに気圧《けお》され、蒔野もつい席を立った。実際の行動を見るほうが少しは理解しやすいかもしれないと考え直し、静人につづいて店を出た。だが彼は駅前のタクシー乗り場へではなく、石狩方面へ歩きだす。慌てて呼び止め、まさか歩いていくつもりじゃないだろうと問うた。

「はい……たぶん三時間もあれば着くんじゃないでしょうか」

からかっているのかと疑ったが、表情が真剣なため、蒔野は黙って彼を手招いた。

3

現場へ向かうタクシーのなかで、蒔野は静人に話のつづきを聞いた。

旅では、主に公園で野宿することが多く、公衆トイレで用を済ませ、公共の水道で顔を洗う。銭湯は週一度、洗濯もその際におこなう。着替えはTシャツや下着など夏物が二着ずつ、冬用にセーターとブルゾン、寒ければ夏用のものを下に重ね着する。食事は、賞味期限切れ間際のパンやおにぎりなどを割引で買い、旬《しゅん》の果物を安く買って、一食分にあてることもあると話した。

「ノートを見せてもらえないかな。秘密のノートがあるんだろう?」

蒔野は、道警の警部補から勧められたことを思い出して言った。

「べつに秘密ではありません。元々おおやけにされているものですから」

静人はリュックから数冊の大学ノートを出した。一番上のノートはとくに分厚く、新聞や雑誌やラジオのニュースで知り得た死者の情報をメモしておくものだという。北海道とか関東とか、死者の出た地域を大まかに分けてメモし、これをもとに訪ねて、実際に悼みをおこなった場合、別のノートに清書するらしい。そうした、いわゆる〈悼みの記録〉のノートは、『九州・沖縄』『四国』『山陰・山陽』『近畿』など、地域ごとに整理されており、蒔野は試しに『関東南部』と表書きされたノートを開いてみた。ほぼ中央に線が引かれ、紙面は二つに分けられている。紙面左は、亡くなった人物の名前と年齢、亡くなった年月日と場所が、角張った几帳面《きちょうめん》な字で記されている。さらにその下に、何丁目交差点横の郵便局の角を曲がるなどと、実際に訪ねた際に知り得たのだろう、細かい場所の情報が書き込まれていた。ただし、どういったことでその人物が死んだのか、いわゆる死因はなぜか記されていなかった。

線をはさんで右側には、『子どもが大好きな少女。愛する両親と同じ保育士が目標。友人全員の誕生日を覚えていて、よく感謝される。』『両親と、ことに妹に愛されていた優しいお兄ちゃん。サッカー部の人気者。落ち込む仲間を励まし、感謝される。』『大勢の母子がお世話になり、感謝されている助産師さん。家ではおっちょこちょいの愛すべき母。』などと書かれていた。

この言葉はいったい何を意味しているのか……。蒔野は読み進めながら、静人に尋ねた。

「悼みに伺った場合、その場にいらっしゃった遺族や友人の方、また近所の方々などから、亡くなった方についてのお話を聞きます。それを、書き留めているのです」

と、彼は答えた。真意がつかめないまま、蒔野はノートをあちこちめくって、

「日本全国を回ってるようだけど……生活はどうしてるの。五年にもなるなら、大変だろ？」

「以前勤めていたときの蓄えがあります。食費などを一日三百円ほどでやりくりすると、海を渡る際の船賃や、山あいの村を訪ねる際のバス代など、最低限の交通機関を利用する費用も含めて、年間二十五万円ほどでやっていけます。大病でもしなければ、十年は大丈夫なんですが……」

蒔野はさすがに呆《あき》れて、変わっているというより、精神を病んでいるのではないかと疑った。

「あの、お客さん、この辺りだと思いますけど」

運転手が二人の話に割り込むように言った。昨夜の事故現場である交差点がすぐ目の前だった。

路肩付近に止まっていた事故車両は撤去され、警察官や鑑識課員の姿だけが見える。

蒔野は、交差点を過ぎたところでタクシーを止め、料金を払って先に降りた。つづいて降りた静人は、道路をはさんだ事故現場を見つめ、キムラなにがしという人物の名前を口にして、

「どういった方を愛し、また愛されていたのでしょうか」

「え、誰のことを言ってんの」

「亡くなられた方です。新聞にお名前が書いてありました」

信号が変わり、静人は現場へ近づいていった。検証はほぼ夜のうちに終え、いまは簡単な確認作業中らしく、ロープで現場を隔離することもせず、若い巡査が一人で交通整理をしている。

蒔野は、静人から少し距離を取り、離れたところから行動を見守ることにした。

「あの、キムラさんは、どこで事故に遭《あ》われたんでしょうか」

静人が若い巡査に尋ねた。巡査は、彼の口調から、親しい知り合いとでも思ったのだろう、

「その方の車は、こちらの歩道に乗り上げていました。車は現在、署のほうにあります」

「誰に愛され、また誰を愛していたか、どんなことで人に感謝されていたか、御存じですか」

「え。自分は、そんなことは何も……。ああ、ただ、先ほど、奥さんという女性が、旦那さんの最期の場所を見たいと、親戚らしい人に支えられて来られ、皆さん泣いておられましたが……」

巡査が困惑気味に話すのを聞いて、

「ありがとうございます。では、ここで悼ませていただいてもよろしいでしょうか」

静人はいきなりその場に左膝をついた。蒔野も巡査もやや呆然と見つめるなか、彼は右手を頭

の上に挙げて、胸の前まで下ろし、次に左手を地面に近づけてから、胸の前へ上げて、右手の上に重ねた。こうべを垂れ、唇を動かすが、何を言っているかは、蒔野には遠くて聞こえない。

巡査が不審に思ってだろう、迷った末に、あの、と手を伸ばしたとき、静人が顔を起こした。実際は二、三分程度のことだったが、蒔野も焦りめいたものを感じる時間だった。

静人は、巡査だけでなく、鑑識課員たちのほうへも会釈をして、こちらへ戻ってくる。

「いまのが、きみの言った、その、悼みってやつなのかい」

蒔野は彼を迎えて訊いた。「目を閉じて、何か唱えていたね。何を祈ってたの？」

「亡くなった方の奥様と親戚の方がここを訪れ、泣いておられたと聞いたので、そうした方々に愛されていた人物が、確かに生きていたことを胸に刻みます、と悼ませていただきました」

「はあ……。で、このあとはどうするの。亡くなった人の自宅へでも行くのかな？」

「いいえ。これで終わりです。じゃあ、わざわざありがとうございました。失礼します」

彼は、丁寧に頭を下げると、そっけないほどの態度で札幌方面へ歩きはじめた。

蒔野は、こちらをまだ気にしている様子の巡査たちの目を避けて、彼のあとを追いかけ、

「ちょっと待ってよ。あれで終わりってさぁ、じゃあ、これからどこへ行く気なの？」

「札幌へ戻ります。悼ませていただく予定でいた場所が、幾つかありますから」

「たとえばさ、この先の石狩で昨夜、暴力団員が死んだのを新聞で見たよね。女を取り合って、街なかで撃ち合ったんだけど、きみはああいう死んで元々みたいな奴のことは悼まないの？」

「死んで元々という意味はわかりませんが、どんな方でも悼ませていただいています」

蒔野は、この男が記事になるかどうか、もう少し見極めたく、タクシーを止めた。

繁華街内の殺人現場は、犯人が逃走中のため、いまも立入禁止のテープが渡されている。

静人に現場を見せ、新聞ではまだ伏せられている死者の名前を教えた。さらに、聞き込みや道警の警部補から得た情報として、撃った犯人はもちろん、被害者も善人ではなかったことを話して聞かせた。死んだ男は、中学時代から非行に走り、少年院でも更生できずに暴力団員となった。闇金の取り立てをおこなう一方、恐喝や性暴力などの犯罪も陰で繰り返していたらしい。

「撃った男は中学時代の不良仲間さ。女一人のことで、昔の仲間が殺し合いとは、獣以下だね」

蒔野は言葉に軽蔑の色をにじませた。静人がこちらを振り返り、

「亡くなった男性のことですが、誰かに愛されていたでしょうか。どういった方を愛していたでしょう。何かをして人に感謝されたことがあったでしょうか。それは御存じではないですか」

人違いでもしているのかと思った。相手の真意がどこにあるのか、よく理解できず、

「いまの話を聞いてなかったの。死んだ男は、誰かに愛されるような人間じゃなかったんだよ。愛なんてわからないし、人に感謝される喜びも知らない。だからこんな目にあったんだろ」

記事の骨子はまとめてある。家族や社会から見放された若者が、力に頼り、性に溺れ、犬死にする顚末《てんまつ》を、血と性の匂いたっぷりに表現し、最後に暴力団追放の一文を添えておけばよい。

「いいかい。世の中には死んだほうがためになる人間ってのが、実際にいるんだよ」

蒔野は嘲笑気味に話しながら、ひそかに反論も期待していた。死んでいい人間なんていませんと、道徳家ぶって言い返してくれれば、その欺瞞《ぎまん》や偽善をやり込める言葉は十分用意してある。

だが静人は、蒔野の前を離れ、人けのない場所でリュックを下ろして、左膝をついた。右手を頭上に挙げ、虫でも捕まえるようにして胸に戻し、左手は地面の塵《ちり》を拾うようにしてから、胸の前で右手と重ねる。唇が動いているのは、やはり何かを唱えているらしい。

蒔野は苛立ちを抑えがたかった。本気でクズの冥福を祈っているのか。彼が立ったところで、

「いまきみは、撃たれた奴に対して、例の、悼むってことをしたのかい。どう悼んだの？」

「中学時代の仲間がいたということなので、友人同士、感謝し合うこともあったでしょうし、女性のことで事件が起きたのなら、その女性を愛してもいたでしょう。そのように悼みました」

「何だいそれ。全部きみの勝手なとり方だろ。いわば想像だ。そんなことをしていいのかい」

「初めから自分勝手にやっていることですし……何か、ご迷惑でしょうか」

「迷惑とかじゃなく、なぜそんなことするの。宗教活動じゃないと言ったよね。じゃあ……」

精神的な病気を抱えている可能性が高いが、さすがに口にしかねたとき、

「ぼくは病気なんですよ」

静人が言った。おだやかな表情で、痩せた頰に笑みさえ浮かべている。彼は、会釈をして蒔野から離れ、リュックから地図帳を出し、何やら確認する様子だった。蒔野はどうにも気になり、

「坂築君。きみ、これからどうする気なの。札幌まで戻るのかい」

「いえ、せっかくこの街に来たので、先にこの近辺を回ることにします」

具体的にどこを回るか、静人が厚いノートを出して説明したところでは、今年三月、いまいる場所の隣町で民家が全焼し、七十四歳の父親と三十八歳の娘が亡くなっていた。父親は脳梗塞《のうこうそく》に

より寝たきりの状態で、母親はすでになく、娘が会社勤めをしながら介護にあたっていたという。蒔野の記憶にないのは、もっと報道性の高い事件や事故が連日のように起きているからだろう。

「きみがわざわざ悼むのは、火災が事故ではなく、放火とか殺人を疑っているからかい」

蒔野は、歩きだした静人の横についいて尋ねた。

「いえ。北関東を旅していたときに、新聞で火事のことを知り、すぐには向かえなかったので、いま伺うというだけです。歩いているときは集中したいので、お話はあとでよろしいですか」

静人は、車の往来の多い大通り沿いを、一足ずつ確認するような足取りで歩いてゆく。その歩みには緊張感があり、邪魔をすることは何となくはばかられ、蒔野は成り行きを見守った。

北の地とはいえ、陽射しは強く、時間とともに気温も上がる。蒔野は途中で缶ビールを買い、喉をうるおすなどして休んだが、少し急げば、歩みの遅い相手にすぐ追いついた。

やがて現場に近づき、静人はクリーニング店の前を通りかかったところで、ごめんくださいと、店の戸を開いた。蒔野は入口の脇から店内をうかがった。静人は、老婦人を相手に焼死した二人の名前を挙げ、家を知らないかと尋ねている。相手は不審そうに、どういう用かと訊き返した。

「悼ませていただきたいのです。もしお二人のことを御存じなら、お話しいただけませんか。お二人はどなたを愛し、また愛され、どんなことで人に感謝されていらっしゃいましたか」

老婦人は、戸惑った様子ながら、亡くなった父親は元気な頃には世話好きの町内会長で、多くの町民が、有形無形の恩恵を受け、敬愛していたと話した。また、娘のほうは親想いの優しい子で、愚痴も洩らさず介護に頑張る姿勢には、町内のみんなが頭の下がる想いだったという。

静人は、礼を言って店を出ると、教えられた方向へ歩きだし、次に開いていた理髪店に入った。同様のことを質問するらしい。蒔野は、彼が出てきたところを捕まえて尋ねた。

「きみは、いつもこんな風に、近所の人たちに死んだ人のことを聞いて回っているのかい」

「機会に恵まれれば、ですけど。近くに誰もいないような場所で亡くなる方もいますから」

静人がまた歩きだし、ほどなく火災があったという現場に着いた。民家は全焼し、すでに更地《さらち》になっている。道の反対側から中年の女性が買い物袋を提げて歩いてきた。静人は、会釈をして歩み寄り、これまでと同じことを質問した。女性は驚きながらも、亡くなった人への同情をあらわし、父と娘が互いを想い合っていたこと、多くの人が彼らの死を惜しんでいることを語った。

女性が去ったあと、静人は更地の前でリュックを下ろし、片膝をつき、両手をそれぞれ上と下にやってから胸の前で重ねるという、例の姿勢をとった。何に使えるかわからなかったが、蒔野は携帯電話に備わるカメラで一応その姿を写した。相手がからだを起こしたところで、

「坂築君さ、どうして隣近所の家を訪ねて回って、もっと詳しく聞こうとはしないの」

と尋ねた。静人はリュックを背負いながら、恥じるように頬をやや赤らめ、

「ぼくには、そんな権利はないですから」

「何を言ってんだよ。店を訪ねて話を聞いたり、歩いている人に質問してたじゃないか」

「お店は外に開いていますし、歩いている人も、誰かと会う心構えのようなものが多少はあると思うんです。でも自宅でやすんでいる人に、あえて外へ出てきてもらうのは別なことですから」

その言葉は、もしかしたら自分のような仕事をしている人間への批判かとも思ったが、彼の表

情を見るかぎり、たんに自分の行為をおこがましく感じているに過ぎないようだった。

「あと、その変な……って言うと失礼だけど、祈るときの姿勢には、どんな意味があるの」

「べつに意味はありません。あの形が、自分の悼みに合っているだけです。どうしてそう感じるのかよくわかりませんが、悼むことを始めたときには、しぜんとこの形をとっていたんです」

次はどこを訪ねるのか訊くと、少し先のアパートで、二ヶ月前、生後半年の赤ん坊が、母親が交際していた若い男によって床に落とされ、頭部を骨折して亡くなっている、と語った。

目標とされる古いアパートに着いたときには、一時間近く経っていた。途中、数人の通行人に話を聞き、アパートの場所はわかったが、亡くなった赤ん坊のことは誰も知らなかった。

アパート周辺に人の姿はなく、周りに営業中の店もない。テレビの音や幼な子の声などは聞こえるが、静人はアパートの住人を訪ねることはせず、そのままアパートの前で片膝をついた。

「きみ、事件の話を尋ねなくていいの。それで、きみの悼みは正しくおこなえるのかい？」

蒔野はつい日陰から出て尋ねた。静人は膝をついた状態で、少しだけこちらを振り向き、

「どなたにも話を聞けないことは、よくあるんです。この場所を心に収めることで、亡くなった赤ちゃんを、ほかの赤ちゃんとは違う、たった一人の特別な存在として胸に刻みます」

「何が起きたか知らなきゃ本当には祈れないだろ。勝手な想像だけで手を合わすのは不遜だよ」

「亡くなった人について想いを巡らすことは、許されないのでしょうか」

「言いたいのは、きみの行為には矛盾があるし、一貫性に欠けてる気がするってことさ」

なぜむきになっているのか、蒔野は言葉を重ねながら自分の言動を不審に感じた。この男自身、

自分は病んでいると告白したではないか。なのに、なぜ放っておけない。

「一貫性はありません。矛盾もしているだろうと思います」

静人は、開き直った感じはなく、冷静な口調で言って会釈をすると、それがもう放っておいてほしいという合図のように、顔を前へ戻した。右手を挙げ、左手を地面近くに下ろそうとする。

そのとき、アパート一階の部屋のドアが開き、六、七歳の女の子二人が駆け出してきた。

彼女たちは、膝をついた静人の姿を見て、びっくりした顔で足を止め、すぐに歩み寄り、

「赤ちゃんのことを、また、おいのりしてるの？」

と、一人が訊いた。赤ん坊が亡くなった当時、祈る人々を何度か目撃したのかもしれない。

「赤ちゃんね、すごくかわいかったよ」

静人に向け、もう一人の子が教えた。「ほっぺが、やわらかくてね、よくわらってた」

「それにね、ゆびがね、こんなちっちゃくてね、かみもふさふさしてたよ」

と、はじめの子もつづけて話した。静人はそれを受けてほほえみ、

「きみたちに、愛されていた赤ちゃんだったんだね」

と、優しい口調で答えて、ふたたび右手を挙げ、左手を下ろし、その両手を胸の前で重ねて、こうべを垂れた。女の子たちは、目を見開いて彼の仕草を見ていたが、一人の子がもう一人を誘い、静人と並んでしゃがみ、胸の前で小さな手を合わせた。

蒔野は、噴き出してくる汗を拭くことも忘れ、記者の習性としてカメラを向けながら、何だこいつは、何なんだこの野郎はと、口のなかで繰り返しつぶやいていた。

4

蛇口の先端に溜まった水が一滴ずつ落ちてくるような響きで、寂しい、寂しい、と聞こえる。母の声に似ている気がして、蒔野は飛び起き、小さな窓にかかるカーテンを開いた。函館の中心街にあるビジネスホテルから見える空は、うっすら白みはじめ、雨の筋が確認できる。

班デスクの海老原から電話があったのは、昨日、坂築静人が赤ん坊を悼み終え、次の場所へ向かおうとするときだった。予定の記事が遅れ、石狩の事件で埋めたいので、殺し合ったチンピラ二人の故郷、函館へ行ってほしいとのことだった。これ以上静人を追う理由もなく、気は楽になったが、遠ざかる彼を見ていて、ふと海老原に相談してみたくなった。こんな男がいるんだが、エビさんどう思う……。眉をひそめた相手の顔が思い浮かび、口をつぐんだ。

函館へ飛行機で飛び、レンタカーを調達して、警察署や新聞社から情報を仕入れたあと、疲れもあり早めにベッドに入った。だが、母の墓がある土地を久しぶりに訪れたせいか妙に落ち着かず、酒の力を借りて、ようやく眠りについたはずが……まだ午前五時を回ったばかりだった。

舌打ちをして、シャワーを浴び、アダルトビデオで時間をつぶすなどしてから、石狩で事件を起こした二人の出た中学を訪ねた。卒業は七年も前であり、学校側の答えは、二人の在校当時の校長も担任も転勤していて、何もわからないという一点に終始した。予想していた通りの内容に、蒔野はしぶしぶ納得した顔を演じて、腰を上げかけ……ふと、ひとつの問いが頭に浮かんだ。

「学校側として、亡くなった卒業生に弔意《ちょうい》を示しますか。朝礼で、黙禱《もくとう》を捧げるとか……」

校長が、同席していた教頭と顔を見合わせ、ともに呆れた表情を浮かべ、そっけなく答えた。

「いいえ。卒業生だからといって関係ありませんし、そうしたことは何も考えておりません」

蒔野もまた、自分がなぜそんな問いを発したのか当惑し、そそくさと学校をあとにした。

チンピラ二人の実家は、古い公営団地内にあった。車で十分ほどで着き、団地の周りを流す。何度も顔を合わせてきた別の週刊誌記者やカメラマンの顔が見え、車を止めた。契約記者同士、時間と金を節約して情報を交換する。蒔野は学校の話を渡し、代わりに近所の話をもらった。

加害者の実家は母親の一人暮らしで、逃亡中の息子から連絡がくる可能性があり、警察が張り込んでいるらしい。被害者の実家は父親が一人で、できそこないの息子はとうに死んだと思ってきたから、いまさら悲しくないが、賠償金が出るならもらう、と酔って話したとのことだった。

加害者も被害者も、少年時代から煙草をふかし酒を飲み、万引きや恐喝は朝飯前、死ねジジイうるせえババアが口癖で、車の盗難での補導歴もあり、まさに地域の鼻つまみ者だったという。

蒔野の用意した草稿に合う素材ばかりが集まり、あとは昔の仲間の証言が取れれば完璧と、ツテをたどって捜すうち、港近くの自動車整備工場に、二人の中学時代の友人がいるとわかった。

蒔野の取材を、短髪の青年は迷惑顔で受けた。二人のことは、早く足を洗うべきなのに、それができなかった弱い人間、と語った。これで帰ればよかった。なのに蒔野はなぜか気になって、

「彼らは、本物の友情や愛を知ってたかな？　人に感謝されたことなんて、あるのかな？」

整備工の青年の顔が強張《こわば》った。険しくとがる目をさまよわせ、抑えた声で話しはじめた。

「奴らは最低の連中で、いま友だちになれるかと言や、無理さ。けど奴らは、小さい頃から親に殴られたり、母親の愛人に蹴られたりして、悪さで自分を守るしかなかったんだ。だから奴ら、仲間は大事にしたよ。そんな二人を仲間も好きだった。おれが中二のとき、優等生連中に無視されて、自殺を考えてたら、仕返ししようぜって、死んだ馬鹿が笑って声をかけてくれた。おれは、あの笑顔に救われた。二人が取り合った女は、中学の一こ下で、やっぱ家の問題で風俗に堕《お》ちた子さ。石狩の店で、殺された馬鹿と再会したらしい。二ヶ月前、結婚するって電話をもらった。マジで惚《ほ》れてたんでないかな。けど彼女、殺した馬鹿の初恋の相手でさ……取り合いになったんだろ。一番の親友だったから、許せなかったのかもしれない。なんか哀れな感じがするよ」

聞いているうちに妙に息苦しくなり、蒔野は簡単な礼だけして、工場を出た。いま聞いた話を記事にすることはないだろう。凶悪犯にも人間的な面があったと報道しても反発を食うだけだ。

あとは犯人逮捕後にまた取材に来ればよい。函館発、東京行きの最終便にはまだ時間がある。昨夜から気になっていた母の墓参りでもするかと、車を走らせた。

母の実家はかつて大きな老舗《しにせ》旅館を営んでいた。子ども時代の母は、お嬢様として裕福な暮しを送っていたらしい。カトリック系の女子高で学び、いずれ幼なじみの料理屋の息子と結婚して、二人で小さい店でも持ち……などと夢見ていたという。その夢を破ったのが、東京から流れてどう立ち回ったのか、女子高の教職に就《つ》いた父だった。自称詩人でジャーナリスト志望という似非《えせ》インテリは、自分の生徒だった母を妊娠させて結婚、旅館の経営にまで口を出し、客と何度も悶着《もんちゃく》を起こした。親族会議の結果、父は小金を渡され、函館を出るように言われた。

母は、信仰のために離婚をせず、十二歳の蒔野を伴い、ひと山当てるとうそぶく父について東京へ出た。だが、父は早々に女を作り、家に帰らなくなった。その後、実家の旅館が大火で焼け、寝込んだ両親の看病のため、母は故郷へ戻った。蒔野は転校を嫌い、東京に残った。母は両親の死後も東京へは出てこず、彼女の兄が旅館の跡地に建てたアパートの管理人をして暮らした。蒔野が北海道の新聞社に就職したのちも、「わたしはこれで十分」と、一人暮らしをつづけ、冬の或る日、急性の心不全だったらしく、寂しく死んでいるのが発見された。四十五歳だった。

高台にある大きな共同墓地の、南向きの日当たりのよい一角に、母の実家の墓はある。かつての旅館の繁盛ぶりを反映して、敷地は広く、墓石も大きい。通常の墓碑の隣に、母のための十字架を刻んだ墓碑も並んでいた。伯父が、母を両親のそばで眠らせてやってほしいと父に申し出て、父は自分の家の墓がないこともあり、了承した。納骨のおり、父は現れなかった。

母の墓参りは、結婚してすぐに妻と報告に来たのが最後だから、もう十年ぶりになる。母の墓の前にしゃがみ、傘を肩に預けて、形だけ手を合わせた。しのつく雨が墓碑を打ち、母の名前を刻んだ窪みに水滴が溜まり、やがてあふれて外へ流れ出す。朝方に聞いた、寂しい、寂しい、という声が耳に戻ってくる。不意にあの男の言葉が思い出された。

「この人は誰に愛され、誰を愛していたでしょうか。どんなことで人に感謝されたでしょうか」

母は、誰に愛されたのか。誰を愛しただろうか。何をして人から感謝されただろう。

静人との別れ際、気になって、今後どこを回るのか尋ねた。彼は隠すこともなく、ノートを広げて答え、蒔野は習慣的にメモを取った。今日は、とある三叉路《さんさろ》で子どもの交通事故を、別の交差点でオートバイ事故を、公務員が飛び込み自殺をした踏切を、屋根から落ちた雪に老人が下敷きとなった家を、実の息子が両親を殺した家を……順に訪ねて回る予定だと話した。

自殺や雪による事故死まで悼むと聞き、全部でたらめではないかと疑った。記事をもとに妄想をふくらませ、たまに事故や事件の現場をのぞいて、楽しんでいるだけではないのか、と……。だがもし本当に悼みの旅をしているのなら……蒔野の母をどう悼むか、聞いてみたい気もした。

函館からの最終便は午後七時過ぎだが、札幌発だと十時近くの便もある。これは自分の道楽だ、職業病的な確認癖だ。そんな言い訳を頭のなかでつぶやき、蒔野は車に戻った。

夕方の便で札幌に戻り、空港で車を借りて、雨のなかを何度か道に迷い、交通事故の現場だという三叉路に着いた。静人の説明では、三年前のことらしいが、左折しようとしたトラックが、内輪に自転車を巻き込み、九歳の野球好きの少年が亡くなっていた。

蒔野は、車を路肩に止め、外に出て静人を捜した。事故の痕跡などどこにも残っておらず、彼の姿も見当たらない。事故の話も嘘なのか……。そう思ったとき、対向車のヘッドライトによって、向かい側のガードレールの下に供えられている花束が浮かび上がった。

雨に濡れた花びらが鮮やかな光沢を放つ大輪のユリは、ごく最近置かれたものに見える。丁寧に巻かれた青いリボンに、亡くなった少年の名前と、バットの絵が描き添えてあった。

そう言えば……と蒔野は思い出す。小樽警察署の前で静人に初めて会ったとき、彼は花を探していると言った。あれは野の花のことではなく、死者に捧げられた花のことだったのか。もしも路上で献花を見つけたら、その場で、例の悼みとやらをおこなうつもりだったのか……。

ひとまず花束をカメラに収め、次に、彼から聞いた交差点に向かった。どこにも献花はなかったが、静人の行動を思い返して、近くのコンビニで尋ねてみる。店員は事故を覚えていた。一年前、オートバイを盗んだ男がパトカーの追跡を逃れる途中、歩道に乗り上げ、信号待ちの若者をはねた。三日後、被害者の友人らしい若者数人が現場で手を合わせ、一人の少女が泣き崩れるのを、店員は見たという。リュックを背負った旅の男が、その話を聞きにこなかったかどうか、蒔野はさらに尋ねた。店員は、三十分前に交替したばかりなので、と首を横に振った。

雨の勢いが増すなか、或る踏切の前に着いた。静人の話した場所かどうかわからない。自殺まで悼むとは信じられず、正確にメモを取らなかったせいだ。屋根から落ちた雪の下敷きとなった老人の家の住所もメモしなかった。毎年、自然の災害で何人が亡くなっているか知れない。身内の者以外、少しも関心を払わないだろう死を訪ねるなど、やはり虚言《きょげん》としか思えない。

三十歳無職の男が、会社員の父と専業主婦の母を鉄アレイで撲殺した事件は、今年の正月のことであり、蒔野もよく記憶している。家族間の殺人は人々の関心が高いため、彼も下書き原稿を書いた。ただし、全国で家族間の事件が続発した時期でもあり、現場へは来ず、新聞とテレビの報道を活用して、ほかの家族間の事件と抱き合わせで、ざっと触れただけだった。

そろそろ空港へ向かわないと最終便に間に合わない。この現場に静人の姿がなければ、やはりでたらめだったということで、空港へ直行しようと思い決め、蒔野は新聞社の元同僚にその家の住所を教わった。近所の大通り沿いに車を止め、住宅地内へ歩いてゆく。

次の角を曲がれば現場、という場所に来たとき、いきなり太い怒声が聞こえた。

「何してんのさ。ばかなことはやめろ。内々の悲しみを、他人がもてあそぶんでないっ」

蒔野が角を曲がると、事件があったらしい家の前で、傘をさした太った男が、ビニール製の合羽を着た細身の男を突き飛ばしているところだった。

「話して聞かすことなど何《なん》もない。死んだ者のことを利用するのはやめれ」

太った男の剣幕に押され、合羽の男は二、三歩後ずさってから、頭を下げた。

「申し訳ありません。お気持ちを乱すつもりはありませんでした」

静人の声だった。彼は、もう一度リュックが落ちそうなほど頭を下げ、蒔野がいるのとは別の方向へ歩きはじめた。

太った男は、相手を見送り、なお憤然とした面持ちでこちらへ歩いてくる。蒔野に気づいて、ばつが悪そうに首を振り、おかしいのが現れて困るよ、と独り言めいた愚痴を言った。

「何か問題がありましたか。わたしは……札幌警察署の者ですが」

記者を名乗るのは逆効果だと思い、蒔野はとっさに嘘をついた。男は、ほっと表情をゆるめ、

「この家のことは御存じっしょ。わたしは亡くなった父親の兄で、近くに住んどるんです。いまも塀に落書きをする連中がおるもんで、ときどき見回るんですが、家の前にひざまずいとる男がおりましてね、追い払おうとしたら、死んだ二人のことを教えろなんて言う。あれ以来、宗教家を名乗る輩《やから》が、前世のたたりだなどと寄進を求めてくるもんで、怒鳴りつけたところです」

蒔野は、適当な相槌《あいづち》を打ち、こちらも注意しときましょうと答えた。

追いかけるふりをして、静人の後ろ姿が見えたところで足を止める。雨のなかでも、彼は一歩

一歩確かめるような歩き方をしていた。まばらに立つ街灯の光で、彼のジーンズの膝から下が、ぐっしょりと濡れているのが見える。

蒔野のなかに、この男は実は悪意に満ちた人間ではないのか、という疑いが湧いた。

外見は清廉《せいれん》な印象で、他人の死を悼む姿勢は偽善だとしても、心根は善良なのだろうと考えそうになる。だが本当にそうか。人が生きてゆくために仕方なく忘れたり、眠らせておいたりするものを、奴は掘り返し、人々の安逸《あんいつ》な暮らしを乱しはしないか……。蒔野の仕事は、死者を訪ねる行為が似ていても、基本的に人々の怒りや悲しみを代弁することが目的だった。だがこの男は、赤ん坊の死もチンピラの死も、事故死も自殺も殺人の被害者も、たぶん蒔野の母の死も、同等に扱う。この世界では、人の死に多少なりと軽重の差をつけることは暗黙の了解だろう。英雄や聖人の死が、悪党の死と同列では許されない。奴の行為は、きっと人々を戸惑わせ、苛立たせる。

あらためて彼を問いつめるために追いかけようとしたとき、バイブ機能に設定した携帯電話が震えた。静人の姿を目で捉えたまま、距離を取って電話に出る。ネタ元の道警の警部補だった。

「石狩の事件、犯人が出頭した。女の取り合いじゃない。結婚祝いの花火だと、冗談でダチに銃を向けたら暴発した……そうメソメソ泣いとる。凶悪事件どころか、間の抜けた友情話だ」

予定の記事を急遽《きゆうきよ》変更せねばならず、蒔野はその場で海老原に連絡をとろうと、吐息をついて目を上げた。静人の姿がなかった。電話を途中で切り、慌てて前方の十字路まで走った。

どの方向にも人影はない。彼が次にどこを回るか聞いておらず、行ったり来たりを繰り返す。

蒔野はついにあきらめて足を止め、消えた男の背中を闇の向こうに見つめた。

第二章　保護者　（坂築巡子──Ⅰ）

1

黒地に真っ赤なバラをプリントしたワンピースに、ピンクのストッキング、ヒールの高い銀色のサンダルをはく。瘦せた胸を隠すために背筋を伸ばして肩を張り、ボブカットの金髪のかつらの毛先を軽く持ち上げて整える。坂築巡子《さかつきじゅんこ》は、正面の鏡で自分の姿を確かめ、

「よっし、完璧……。でなくても、そこそこ及第点でしょう」

鏡のなかの自分に笑いかけ、トイレを出た。廊下では、白いブラウスに紺のスカートという地味な格好をした娘の美汐《みしお》が待っており、巡子の姿を見て、泣きだしそうに顔をゆがめた。

「お母さん……やっぱりおかしいって、やめよう。自分が幾つだと思ってんの」

「五十八よ。そして、五十八のまま、もう年を取らないってことらしいけど」

巡子は、病院まで着てきたふだんの外出着を収めたバッグを美汐に渡し、慣れないサンダルで慎重に歩き、一週間前まで入院していた病室に、美汐を廊下に残して、一人で入っていった。

「皆さーん、こんにちはぁー。こんな格好ですけど、坂築でーす、ご機嫌いかがぁ」

とたんに、長く同室だった三人の女性患者から、きゃあという歓声が上がった。

何よそれ、どうしちゃったの。やだもう、元気いっぱいねぇ。すっごく似合う、モンロー？

「マドンナよぉ。笑うと免疫力も上がるって言うし。元気のおすそ分け。どう、いかす？」

笑える、最高。わたしも金髪のかつらにしようかな。でもそんな服、よく持ってたわね。

「娘のよぉ。無理しなくても入っちゃった。痩せるのも悪いばかりじゃないね。こちらは？」

自分がかつて使っていた窓際のベッドにいる五十代前半と思える患者を見た。相手は、巡子の姿に困惑している様子で、患者仲間たちが五日前に入院した彼女のことを巡子に紹介した。

「こんにちは、坂築です。皆さんとは、ずっとこの部屋で闘病してきた仲間なんですよ」

「あ……じゃあ、よくなられたんですか」と、その女性患者の表情が明るくなった。

「だとよかったけど。二種類の抗がん剤も効果がなくて、今後は在宅で過ごすことにしたものだから、訪問看護師の方も交えて話し合いに来たんです。皆さんにも挨拶しておきたかったし」

「つまり……あきらめた、ということですか」と、相手の表情が苦しげなものに変わった。

巡子は吐息をつき、薄くほほえんだ。ほかの三人も、複雑な笑みを浮かべている。

「別の生き方へ踏み出すことにしたんです。病気と闘う、というのとはまた別の道を選んだということかしら……。じゃあ、ほかの方々のところへも回るから、皆さん、これでごきげんよう」

巡子は、三人と手を握って、別れを告げ合った。初対面の患者は、彼女にふれると縁起が悪いとでも思ったのか、布団の下に手を隠したため、巡子は会釈だけをして、部屋を出た。

入院中、顔見知りになった患者の病室を回ってゆく。一週間のあいだに一人が退院し、二人が亡くなっていた。残っていた患者たちには、やはり巡子の奇抜な格好は驚かれ、笑顔が見られた。がんの専門病棟だからか、短い感謝の言葉を交わすだけでも、心のうちに通じるものがある。

「いい時間を、皆さんとご一緒できたし、本音で話し合えて、嬉しかったです」

八十代の女性に告げると、口もとをマスクでおおった相手は、目をうるませて、うなずいた。

「わっ、坂築さん。本当にやったの。仮装大賞ものねえ。皆さん、びっくりしたでしょ？」

あらためてナースステーションに立ち寄った際、ケアから戻っていた看護師長が、巡子の格好に大きく目を見開いた。若い看護師たちも笑って、音の出ない拍手をする。

在宅でのホスピスケアを選んだため、この日、病院側には在宅医療スタッフへの引き継ぎを頼んだ。病院の看護師たちは、訪問看護師に丁寧な申し送りをし、主治医は往診医に向けて診療情報提供書を書いてくれた。また主治医は、余命を書き込んだ診断書も巡子に渡してくれて、これにより生命保険の生前給付金を受け取ることができ、経済面での心配はなくなるだろう。

「坂築さんらしく過ごしてね。でも、何かあれば、遠慮なく連絡してきてちょうだい」

看護師長の言葉に送られ、巡子は手を振って病棟を出た。エレベーターホールに進むと、灰色のポロシャツに同系色のスラックスという目立たない格好をした男が、隅のほうに立っている。

「どうしたの、鷹彦《たかひこ》。そんなところに隠れるように立って……。何、その車椅子は？」

六歳年上の夫鷹彦が、病院の名前の入った車椅子を、自分のすぐ脇に置いている。

「もし、疲れたらと思って……」と、彼が消え入りそうな声で答えた。

「疲れやしないわよ。今日は断然調子がいいの。でも、せっかくだから座らせてもらおうかな」

鷹彦が車椅子を押してくる。巡子は背中を向けて、座席に腰を下ろした。明るく振る舞おうと気を張っていたぶん、背もたれにからだを沈ませると、つい深々とため息が洩れた。

「ほら見なさい、がくって来たじゃないの。お母さん、どうして無理するのよ」

美汐が目をとがらせて言う。巡子は苦笑し、うるさいのねぇ、とつぶやいて、

「入院中、充実した時間を皆さんにもらえたことへの恩返しなの。喜んでいただけてよかった」

（ここでは、家族にも洩らせない不安や恐怖や後悔を語り合えた。死にたくないという悲痛な言葉さえ、世間話のように口にし合えた。年齢もキャリアも関係なく、存在をゆるし合えた。）

「しょぼくれて出てったら、頑張ってる皆さんに悪いもの。さあ、鷹彦、うちへ帰ろうか」

夫を促し、エレベーターで一階へ下りる。自分なりに覚悟を決めるため、しばらく目を閉じた。

一階の受付付近は行き交う人々で騒がしいはずなのに、ごろごろと車輪の音ばかりが耳に響く。

（もしかしてからだの内側から聞こえるのかな。自分の時間がごろごろと過ぎ去ってゆく音。）

次の瞬間、小さな衝撃が下から突き上げ、頬に生ぬるい風の流れを感じた。

（ここが境だ。治るための医療は、ここであきらめなきゃならない。正直、怖い……。）

巡子は恐る恐る瞼を開いた。多彩な色が目の前に広がる。前庭の花壇に咲く花、繁茂する植え込みの影と日向《ひなた》とのまだら模様、道路を往来する車、すれ違う見舞客、見舞客の手にした花束。

正面に止まったタクシーの窓には、車椅子に乗った黒いワンピース姿の金髪の女が映っている。

かつらは娘の友人の美容師から借りたものだった。半年ほど前に別の病院で化学療法を受けた

おりは、副作用で脱毛が激しかった。今回、他剤での化学療法を受ける際、髪を短くして備えたが、影響はほとんど出なかった。巡子はかつらを脱ぎ、まだ白髪の少ない髪を後ろに払った。

（ほら、外はこんなに明るい。さんざん悩んで決めたことだもの……覚悟を決めましょう。）

車椅子のひじ掛けをとんと叩いて、巡子は立ち上がった。後ろにいた鷹彦が、あっと声を発し、隣を歩いていた美汐は、何してんのよと手を伸ばしてくる。

「重病人みたいに出てったら、みんなに笑顔でお別れしたのが嘘になるでしょ。鷹彦、お願い」

夫が車椅子を玄関の内側へ戻しにいく。巡子を支えるように美汐が寄り添ってきて、

「わたしはさ、お母さんはまだまだ治る可能性があると思ってるんだからね。補完療法とか民間療法とか、きっと方法はあるはずなの。これでおしまいみたいなこと言わないでよ」

（この子は、母親の死が近いことをまだ実感できていない。わたしの母が、かつて肺がんになったとき、わたしもあれやこれや治療法を探しては試させて、結果的に苦しめたように……。）

「お父さんも何か言って。エレベーターの前でおとなしく待ってるなんて変だよ」

美汐が、戻ってきた鷹彦を責めるように言う。彼は困った顔で、目をしばたたいた。

「鷹彦は、わたしがあちこち動き回るのが気が気じゃなくて、見てられなかったのよね」

今回、在宅で過ごすにあたり、もう世間体を気にせず、思いついたことは行動に移すことにした。長男の誕生以来「お父さん」と呼んできた夫を、名前で呼ぶことにしたのもその一つだ。

「それより、静人はまだ帰ってきていない？　もしかして、家で待ってたりして」

巡子は、駐車場のほうへ歩きだしながら二人に訊いた。

「お兄ちゃんが、どうして帰ってくるの。連絡でもあったの？」

美汐が巡子と並んで歩き、万一に備えてか、支えるように腕を組んでくる。

「連絡はなくても、母親が大事なことを決めた日なんだから、虫の知らせとかあるでしょ」

「そんなの無理よ。お兄ちゃん、お母さんが病気だってことも知らないんだから」

「母親のことなのよ、察しなくてどうすんの。人様の死ばっかり追いかけて……」

巡子が愚痴っぽく口にすると、二人の背後で小さな咳払いが聞こえ、

「……北海道の警察が、静人の、身元確認を、してきた……八日前、退院の前日に」

鷹彦が、切れ切れの言葉でつぶやくように言う。巡子たちは驚いて足を止めた。

「お兄ちゃん、また捕まったの？」と、美汐が訊き返す。

「そういう旅をしてるかどうか、いつもの確認だよ……電話をくれるよう、伝言を頼んだけど」

「どうしてそんな大事なことを、いままで話さなかったの」と、巡子はいぶかしんだ。

「確認だけだったし……静人からも、結局、電話はなかったから……」

「鷹彦、静人が電話してきたら、わたしの病気のことを話す気だったんじゃないでしょうね？」

巡子の指摘に、夫は顔を伏せ、落ち着きなく頭を掻いた。

「お母さんだっていま、お兄ちゃんに帰ってきてほしいようなこと言ったじゃないの」

美汐が父親を援護するように言う。「お父さんが、お兄ちゃんにしっかり伝えるべきなのよ」

「だめよ。静人が自分で察しなきゃ。わたしのことを話して、あの子に旅をやめさせるなんて、絶対だめだからね。でも……電話は来なかったんだ。きっと警察が伝言をし忘れたのね」

巡子はしぜんと静人をかばう言い方をした。

（いま北海道だと……関東へは年明けかな。寄ってくれるかな。それまでもつかしら。）

「あらー、坂築さん、すごい格好。いつ着替えたんですかー」

病院の駐車場を出たところのロータリーで、訪問看護師の浦川《うらかわ》はるみがワゴン車の外に立って、手を振っている。病院側との話し合いに参加してくれた上、仕事で使っている車で巡子たちの送り迎えまで申し出てくれた。若く見えるが、四十代前半で、子どもが二人いるという話だった。

浦川の運転で、横浜の保土《ほど》ヶ谷《や》にある、巡子の自宅へ向かって走りだす。

「浦川さん、街へ出てくれます？　せっかくこんな格好したんだし、歩いてみようと思うの」

後部席から浦川に言った。すぐに助手席の美汐が険しい顔で振り返り、

「ばか言わないで。早く帰って、からだを休めなきゃだめでしょ」

心配の余りとはいえ何かと反対する娘を、つい挑発気味にからかってやりたい衝動に駆られ、

「そうだ。大人のオモチャを売ってる店にもこの際入ってみようかな。浦川さん、経験ある？」

「え。いいえ……見て、欲しくなったら困っちゃうから」

浦川が、わずかにこちらに顔を向け、ちろりと舌を出してみせる。

（この人は、信用できるかもしれないな……。）

「浦川さん、うちの夫とまだ直接言葉を交わしてないでしょ。変だと思ってない？」

「家や職場以外で人と話すのを好まれない殿方は、わりといらっしゃいますよ」

「わたしの病気のことや、在宅での要望ばかりを話して、これまで彼のことを説明する余裕がな

かったけど、少しハンデがあるの。幼い頃からのもので、対人恐怖の、症まではいかないけど、面と向かっては他人と話せないのよ。電話は大丈夫。ただ、顔を見てだとしんどいのね」

「わかりました。問題が生じたときに電話はいただけるとわかって、逆に安心しました」

浦川がミラー越しに鷹彦にほほえみかける。彼は下を向いて視線をかわした。

「大人のオモチャ屋にはさ、すごい下着もあるんでしょ？　そういうのでわたしが夫に迫ってたら、娘ももうちょっと色気のある子になったかもしれないな、なんて思ってるのよ」

さらに娘をからかう意図で、浦川に言う。隣で鷹彦が居心地悪そうに身じろいだ。

「お嬢さん、とても女性らしいじゃないですか。本当はもうお相手がいらっしゃるんでしょ？」

浦川が取りなすように言う。美汐は怒っているのか、答えようともしない。

「それが全然。二十七なのに、誰も連れてこないの。あーあ、とうとう孫が抱けなかったよぉ。息子は、どこをほっつき歩いてんのかわかんないし、ほんと、うちの子は親不孝者ばっかりだ」

「息子さん、本当にやりたいことを見つける旅に出てらっしゃるんでしょ、羨《うらや》ましいですよ」

浦川にかぎらず、家族以外の者に静人の行動を説明するのは難しいため、長男は若い人がときおりおこなう〈自分探しの旅〉というものに出ているのだと、あいまいに話していた。

巡子の求めに応えて、浦川は駅前の商店街で巡子たちを降ろした。長くは停車できないので、三十分ほど近くを回ったあと、またここで待っているからと、彼女は車を出した。

「ねえ、そんな格好で街なかを歩いたら笑い物だよ。やめよう、恥ずかしいって」

美汐が止めるが、大勢の人の姿に巡子はかえって勇気を得て、かつらまでかぶり直した。

「これで街を歩くなんて一生の思い出よ。鷹彦、このままラブホテルへでも入ってみようか？」

目をしばたたく鷹彦の腕に、巡子は痩せた腕をからませ、人込みに向かって歩きはじめた。

駅前の商店街は、平日の昼間でも若者を中心ににぎわっている。最新のファッションに身を包んだ人々に囲まれると、巡子もさほど変わっては見られないのか、目をとめる者はいない。病院にいたときの心象も一変し、自分も周りと同様、健康な人間として闊歩《かっぽ》している気がした。じきに厳しい現実と向き合わねばならないなら、いまだけでもそうした錯覚に酔っていたい。

ふと、歩道沿いに並んだ街路樹の一本の根元に、黄色いトルコギキョウの花束が置かれているのが目に入った。缶ビールも数本、供え物のように置かれている。小さな時計店の前だった。

巡子は、美汐を置いて、鷹彦を促すようにして店に入り、花束と缶ビールのことを尋ねた。

店主は、巡子の格好も含めてだろう、戸惑いの表情を浮かべた。彼女が、自分たちは通りすがりの者であり、他意はなく、ちょっと気になっただけだと、言い訳気味に話したところ、

「実は五日前の深夜に喧嘩がありましてね、若いのが一人、打ち所が悪くて死んだんですよ」

巡子はその事件を知らず、ニュースにはならなかったのかと、重ねて尋ねたところ、

「事故みたいなもんだから。うちも商売があるし、知られないほうがいいくらいでね。花束を置いてったのは、恋人かな。ビールは友だちだと思うけど、後始末がね……。警察を通じて遺族へ送るか、捨てちゃうか……商店街で話してんですよ。置いてくほうも考えてくんなきゃね」

巡子は、店主に礼を言って、鷹彦と店を出た。どうかしたのと美汐が尋ねるが、言葉が見つからず、自分よりも先に亡くなった若者に想いを馳《は》せ、街路樹の根元の花束に手を合わせた。

2

自宅に着き、後刻あらためて往診医と訪れると言い残した浦川を見送って、巡子は家の周囲を見回しつつ玄関前へ進んだ。期待を込めてドアノブを回す。鍵が掛かっていた。

「あーあ、やっぱり帰ってきてないか……。美汐、鍵はちゃんと置いていってる？」

「動かしてないよ。お兄ちゃんが帰るより、泥棒に気づかれるほうが先だと思うけど」

美汐が玄関脇に置いたジャスミンの鉢を浮かせる。いつでもこの下に置いておくから、留守でも家に入って休むのよ……と、静人に言って、巡子自身が彼に置くところを見せた玄関の鍵が、鉢からこぼれた土に汚れながらも、玄関タイルの上で光っている。

「虫は何度も知らせてるのに、聞く耳がないんじゃないの。……あら」

ジャスミンの葉に、ほこりと見間違えるくらいの脚の細い蜘蛛が止まっていた。巡子が手を伸ばすと、蜘蛛は彼女の手のひらに移り、一歩一歩確かめるようにして動いてゆく。

（きみ、静人に知らせてくれない？　おまえの母親、じきにいなくなっちゃうよって。他人《ひと》さまの死ばかりを追いかけてて、母親のことを放っといていいのかって。）

巡子は、手のひらを空に向けて傾け、ふっと息を吹きかけた。蜘蛛は宙へ舞い上がり、見えない場所に落ちたのか、あるいは本当に飛び去ったのか、巡子の視界から消えた。

この家は、戦後間もない頃に鷹彦の両親が建てた家を、静人が生まれる直前、一階を鷹彦の両親が、二階を巡子たち夫婦が使えばよいと、鷹彦の父が建て替えたものだった。玄関を入ってすぐ右の壁に、鷹彦の絵が飾られている。彼は昔から絵が趣味で、巡子ともその縁で知り合った。この絵は、彼の生まれ故郷である四国今治《いまばり》の海が、鮮やかな青で描かれている。

靴を脱いで上がると正面に階段、階段下にトイレ、まっすぐ進むと和室に通じる襖《ふすま》にぶつかり、階段前で右に曲がると、ダイニング・キッチンに出る。その奥に洗面所と浴室。ダイニングのつづきに居間、居間の窓は南に開けた庭に面している。居間の左隣に、八畳の和室があった。

和室には昨日届いた介護用のベッドが置かれている。元々和室は鷹彦の両親の居室で、二人が亡くなったあとも巡子たちは二階で寝起きしていたが、在宅でのホスピスケアを望むなら、寝室を一階にして、ベッドで過ごすのがよいと、浦川たち専門家に勧められ、リースで頼んだ。

（わたしはここで生活する……だけでなく、この部屋で最期を迎える、ということだろう。）

和室の隅には仏壇が二つ並んでいる。坂築家と、巡子の実家の和木《わき》家のものだ。鎌倉にあった巡子の実家は、二十九年前に母が死んで住む者もなくなり、処分して、仏壇も引き取った。だから供養すべき位牌《いはい》はここにすべてそろっており、毎朝欠かさずお茶とお水をお祀《まつ》りしてきた。

（なのに守ってくれなかったね、って恨み言の一つも言いたいけど……この年まで生きられたのもおかげさまかしら。もうすぐそちらへ行くことになるので、温かく迎えてください。）

部屋の鴨居《かもい》には、鷹彦の両親と兄、巡子の両親、そして彼女の兄継郎《つぎお》の写真が飾られている。両親はそれぞれ五十歳を過ぎての死だが、鷹彦の兄は五歳で亡くなり、当時の家族写真から遺影が選ばれていた。継郎は十六歳のときに病死し、直前に巡子が写した笑顔が遺影になっている。

（ツギちゃんにゆずってもらった時間が、とうとう終わっちゃうみたい……ごめんね。）

胃の痛みを意識したのは、五年前、静人が仕事を辞める少し前だった。静人が何やら深く悩んでいるらしいことが気になって、巡子も胃が痛み、わが子への心配が常態化するにつれ、胃の痛みも慢性化し、きりきりと鋭いものから、鈍くて重いものへ変わった。

幼い頃は病弱だったが中学の頃から健康となり、以後は病気らしい病気もしなかったため、市販の胃薬を飲む程度で、医者には診《み》せなかった。デパートの食品売り場でレジ打ちのパートをしつつ、婦人会の中心的存在として活動し、高齢者ホームでの食事介助のボランティアにも週三回通うなど、やるべきことが多く、検査へ行くよう鷹彦に勧められても、先延ばしにしていた。

内心では恐れていた。母が肺がんで亡くなっている。治療法がいまほど進んでおらず、様々な治療の副作用で、ひどく苦しんでの死だった。遺伝的に同じ病に侵される可能性が高いことを知りながら、母が苦しんだ記憶が彼女をさいなみ、現実と向き合うことを避けていた。

昨秋から腹痛は毎日つづき、貧血を何度か起こした。黒い便も出るようになり、そろそろ新年を迎える準備を、と考えていた日の朝、我慢できない腹痛に襲われた。寝ていれば治ると言い張ったが、からだをくの字に曲げてうなる彼女を見て、鷹彦が強引に近くの医院へ連れていった。

風邪で年に一、二度診てもらう程度の内科医院では、胃潰瘍の薬が処方され、専門病院での検査を勧められた。鷹彦がしつこく求めるため、渋々近くの消化器専門のクリニックでエコー検査を受けた。胃の下部に大きな影があると言われ、さらに大きな病院で精密検査を受けるべきだと、紹介状をもらった。さすがに巡子もただならない状況にあると察し、年明けにようやく地域の拠点病院である公立の総合病院で、内視鏡検査をはじめ多くの検査を受けた。

隠し事が嫌いだったし、鷹彦が精神的に嘘をつくことには耐えられないだろうと思い、巡子は初めから告知を希望した。鷹彦が美汐を呼び、三人で主治医の説明を聞いた。胃の下部に大きながん病巣があり、たぶん腹腔《ふくくう》内にもがん細胞が散らばっているだろうと言われた。肝臓への転移も見られ、すでに手術の適応はなく、抗がん剤による治療を勧められた。

呆然とする巡子と美汐に比べ、鷹彦は意味なく椅子から立ったり座ったりしていた。その姿を見ているうちに巡子は落ち着きを取り戻し、いまできる治療を積極的に受けることにした。

肝臓の転移にも効果があるとされる組み合わせの抗がん剤を、二週間に一回、一泊入院で受けた。一ヶ月二回を1クール、三ヶ月六回3クールの治療は、副作用でひどく苦しんだ。嘔吐が最もつらく、制吐剤《せいとざい》も効果がなく、洗面器をつねに抱えて生活するような状態だった。食事が怖くなり、どんどん痩せた。それも恐ろしく、懸命に食べようとするが、やはり吐いてしまう。

2クール目の治療中には、口内炎がひどくなり、髪の毛をブラシですくと、目立って抜けた。禿《は》げるほどではなかったが、髪の量が元々豊かだっただけに、激しく動揺した。一日中寝ていることが増え、パートはやめざるを得ず、婦人会も欠席し、高齢者ホームへのボランティアも休むなど、周囲の人々の期待に応えられないこともつらかった。なのに治療の効果は上がらず、主治医からは、これ以上うちでできることはないので、転院するなら紹介状は書くと言われた。

この病院はがんの専門病棟がなく、抗がん剤を受けている隣のベッドで、食中毒の患者が点滴を受けているような環境だった。処方された鎮痛薬では痛みを取りきれないこともあり、闘病の意欲を失って、どこかの施設で死を待つだけかと捨て鉢に考えていたところ、美汐の知り合いの紹介で、がんに対する治療成績がよいと評判の民間病院で診てもらえることになった。

検査の結果は前の病院と同じで、やはり化学療法を勧められた。巡子は迷ったが、新しい主治医に、「もうモルヒネを使ってもいいでしょう」と処方された鎮痛薬が効果が出て、久しぶりに痛みを感じずに生活できることで、この病院への信頼が生まれた。巡子が吐き気などの副作用を怖がっていることも考慮され、入院して、抗がん剤の少量分割投与という方法が採用された。

前回とは別の薬を、四週間つづけて投与し、二週間休むというローテーションを1クールとして、2クールの治療を受けることになった。脱毛はなく、吐き気はわずかで、少しずつなら食事もできた。ただし、全身のだるさはあり、手が少ししびれ、膝の関節が痛んだ。

一方で、がん専門病棟であったため、患者同士に連帯感があり、多くの人と心置きなく病気の話ができ、精神的な救いとなった。病気や治療方法の知識のほか、日常生活における雑事や、下《しも》の話など、医療スタッフには聞きづらいことも、患者仲間から教えてもらえた。死についても率直に話し合え、自分の死をどのように迎えるかについて、具体的に考えるきっかけを得た。

巡子の母は、死ぬとわかっていたなら妻として母として女として、いろいろ準備もしたかっただろうに、告知を受けぬまま、自分の病気と家族を疑いながら生涯を終えた。せめて自分はこれまで生きてきた人生の整理をつけてから死にたいという想いが、入院中に強まった。

1クール目の治療を終えて、外泊許可を得て自宅に戻ったおり、試しにホスピス病棟を開設している病院に連絡してみた。満床で、待機患者が二ケタにのぼると聞いた。ほかにもホスピスケアをおこなっている施設に当たってみたが、自宅から遠く離れた場所でも空きがなかった。

翌日、高齢者ホームのボランティアで知り合ったお年寄りの死を知り、弔問《ちょうもん》に出かけた。近所の在宅診療所と訪問看護センターが連携し、在宅での看取《みと》りをおこなったという話だった。巡子はその在宅診療所に連絡して、末期がん患者の緩和《かんわ》ケアもおこなっていることを聞いた。

2クール目の治療後、外泊で自宅に戻ったおり、在宅診療所と訪問看護センターを訪ねてみた。明るい雰囲気で、往診医も訪問看護師も話しやすい人たちだった。丸二日考え、鷹彦に相談した。もしも今回、治療の効果が上がっていなければ、自宅で残りの時間を大切にしながら過ごせないだろうか、と。彼は返事に困っていたが、だめとは言わなかった。

検査結果は、よくなかった。むしろがんは進行しているらしい。主治医からは、試していない薬があるにはあるが、どうするかと問われた。巡子のがんにはこれまで用いてきた薬が有効とされ、別の薬はデータ上の成績はかんばしくなく、副作用も強く出る可能性があるとの話だった。

もし何もしなければ……と巡子は尋ねた。胃の出口が閉塞《へいそく》して、栄養を摂取できなくなると言われた。その際の余命を訊くと、簡単に言えるものではないと主治医は渋ったが、生命保険の生前給付に余命を記した診断書が必要なことを話すと、「たぶん、三ヶ月前後かと」と答えた。

巡子は、考える猶予をもらうため、いったん退院した。抗がん剤が抜けてゆくと、だるさや手のしびれは引く。家事を十分にこなせるし、身の回りの整理もできる。以前よりひどい副作用に襲われたなら、きっと何も手をつけられないだろう。母のように悔いを残すかたちではなく、動けるうちに好きなことをし、会うべき人にも会って、納得のゆく最期を迎えたい。

巡子の決心を、きみが決めたのなら、と鷹彦は受け入れてくれた。美汐は予想していた通り、猛反対した。彼女なりに調べた治療法をあれこれと挙げたが、巡子の意志は固く、ついには美汐のほうが折れ、在宅で過ごす場合には協力すると答えてくれた。

「まさか、静人……庭にいたりはしないよね」

巡子は、和室の掃き出し窓を開け、南に面した庭に目をやった。季節ごとに花を愛《め》でられるように彼女が手を尽くし、いまもダリアが鮮やかな色で心を弾ませてくれる。だが、毎年この時期に庭を飾るマリーゴールドは、治療を受けていたために苗が植えられず、姿がない。

「よし、わが家を一斉捜索だ。二階にもいないか、見てみよう」

階段のほうへ戻り、慎重に足を掛ける。鷹彦が心配してついてきているのが気配でわかった。二階に上がると、一番手前に夫婦の部屋がある。鷹彦の描いた絵を、巡子が壁に飾っているが、人と向き合うことが苦手な彼は、描くのは風景ばかりで、人間を描いたものは一枚もない。

鷹彦の小学校時代、やはり人見知りの強い少年がいて、一人でいることの多かった鷹彦と少年は、磁石のように引き寄せ合い、いつしか常に一緒に過ごすようになった。その少年の実家が、パイプをつなげるジョイント部品や、ハンガーレールの部品を製造、研磨する工場を経営していた。鷹彦は、中学の頃から工場へアルバイトに通い、高校卒業後そのまま就職して、手先の器用さと勤勉さを認められ、定年後も請《こ》われて仕事をつづけていた。先年、その友人が亡くなったこともあり、巡子の病気を機に、鷹彦は今年の一月に退職したばかりだった。

夫婦の部屋の隣は、美汐の部屋だった。彼女は三年前から勤め先の旅行代理店に近い東京にマンションを借り、一人暮らしをしていた。だが巡子が在宅で過ごすと決めたため、この家に帰ってきてくれることになった。机の上には彼女の仕事用のものらしい、四季折々の自然に彩られた観光地のパンフレットが山のように積まれている。

（静人……あなたはパンフレットにあるような場所を歩いたりする？　できたら満開の桜の下や、紅葉の彩りのなかを、のんびり歩いていてほしいけれど……きっと無理なんでしょうね。）

美汐の部屋のドアを閉め、廊下をはさんで向かいの静人の部屋のドアを、

「本当は帰ってきてたりしてっ」

と、おどけた口調で言いながら開いた。誰もいないのはわかっていたのに、やはり落胆する。

ベランダへ出られる窓に掛かったカーテンを開き、窓も開け、外の風を招き入れる。

正面に、静人が小学校に上がるときに買った机がある。買い換えなくてもよいと彼が言ったため、古いまま、机の上には幼い頃の落書きが残されていた。机の横には、オーディオやCDを収めたラック。その向こう側にベッド、ベッドの脇にロッキングチェアが置かれている。ロッキングチェアは、静人の中学時代の親友のもので、親友の死後、ご両親からゆずられた。

巡子は、静人が旅に出たあと、ときおりこのロッキングチェアに腰掛け、息子の選んだ音楽を聴きながら、彼の心をくみ取ろうとした。いまも巡子は、そっとチェアに腰を下ろしてみた。

（静人……わたし、あと三ヶ月くらいだって。こんなに元気なのに。実感を持てないのは美汐だけじゃない。わたしもまだ、本当は信じられずにいる。覚悟なんて少しもできていない……。）

今後の見通しとして、痛みのほか、腹水《ふくすい》の貯留、消化管の閉塞、排泄障害、肝転移による黄疸《おうだん》、

などの可能性があり、胃からの出血も考えておかねばならないリスクとして注意されている。

(わたしは、いまもまだ心の隅で、奇跡が起きないかと願ってる。その奇跡をもたらしてくれるのが、静人、あなたじゃないかとも思ってるの……。どう、旅から帰ってきてくれる?)

窓の向こうで、返事のように音がした。立って、窓辺に歩み寄ってゆく。庭木の繁茂した葉が風に吹かれ、こすれ合っていた。そういえば、昔……と思い出す。

もう二十五年以上前、庭の木にヒヨドリが巣を作ったことがあった。二階のベランダから巣の奥まで見通せて、当時六歳だった静人は、買ってもらった双眼鏡で、四羽の雛《ひな》が卵から孵《かえ》って成長する姿を夢中で観察しつづけた。だが或る夜、台風が町を直撃し、翌朝、巣から落ちた一羽の雛が木の根元で死んでいた。早朝のため、鷹彦や一歳だった美汐、当時存命だった義父も寝ており、巡子が一人で庭の被害を確認していたところ、静人がパジャマ姿のまま庭へ下りてきた。

(あのとき、静人は、どうしたんだったろうか……。)

不意にまた風が伝えてくるかのように、葉がこすれ合う。彼女の耳の奥に、ドウシタライイノ、という声が聞こえた。ドウシタライイノ、ドウシタラ……イラレルノ。

巡子はドアのほうを振り向いた。後ろからついてきていた鷹彦が、不安そうに見つめ返す。

「静人、帰ってきた?　声がした気がしたんだけど……」

鷹彦は、黙って首を傾げた。

巡子の背後で、庭木がまたこすれ合い、人のささやくような声がした。

ドウシタライイノ、ドウシタラ……イラレルノ。

3

明けて土曜日は、朝からよく晴れ、太陽がまだ低いうちから蟬が鳴きはじめた。短い生を燃焼し尽くそうと懸命なのだと思うと、巡子にはうるさいより、けなげさをおぼえる。

朝七時に服用したモルヒネ徐放剤《じょほうざい》で痛みを鎮め、制吐剤や漢方の胃薬によって吐くことを怖がらずに、温めた牛乳にパンをひたして食べることができた。食後、先々のことを考えて台所で不用品の整理をしていると、流しの上の開いた窓から、車の止まる音が聞こえた。

「ちわーっす。伯母《おば》さん、よくなったんだってー？　おめでとうー、怜司《れいじ》でーす」

甥っ子の福埜《ふくの》怜司は、鷹彦の妹みのりの子で、美汐と同い年だった。みのりは夫の故郷滋賀県で家庭を築き、毎年お盆と正月には怜司を伴って横浜へ里帰りをしていた。静人や美汐ときょうだい同然に仲良くなった怜司は、中学高校に進んで以降も、長い休みの時期には一人で遊びにきた。東京の大学に進んだ動機は、静人たちと頻繁《ひんぱん》に会えるからだという。いまは都内の通信事業会社に就職し、インターネットでの様々な情報を管理運営していると話していた。

怜司は、真夏の陽気さを全身にまとったような真っ赤なアロハ姿で顔を出し、

「やったね、伯母さん。奇跡の復活ってやつ？　お、髪は短くなったけど、元気そうじゃん」

昨日の午後、往診医が訪れ、モルヒネなど薬で痛みをコントロールすることと、がんの進行による諸症状に対しては、体調を考慮しながら緩和してゆく治療をとることが確認された。一方で、

チューブだらけになってまで延命を望む気持ちがないことも、巡子はあらためて伝えていた。

「新しい病院のほうへ見舞いに行かず、ごめんね。つーか、来なくていいって伯母さんが言ってるって、ミシから聞いてさ。どんな具合かはらはらしてたんだよ。結局手術しなかったの？」

「うん。いまはいい薬ができてるからね。その人に合う薬が見つかれば効果が上がるのよ」

(怜司やみのりにも、いつかは本当のことを打ち明けなきゃいけないんだろうけど……。)

怜司が、台所の冷蔵庫を勝手に開け、いろいろ物色したあと栄養ドリンクを見つけ、

「あれ、こんなの飲んでんだ。各種ビタミンに、葉酸《ようさん》入り？」

「わたしは知らないな。美汐のじゃない」

「じゃあ飲んでもいいね。お袋が電話で、よろしくって。見舞いも行けずに申し訳ないってさ」

みのりは、夫の家業だった小さな運送会社を、いまは社長となって切り盛りしている。彼女と巡子は、大学の同級生だった。巡子は演劇部に属し、前衛家気取りの先輩が、シェークスピアの公演なのに、背景にベトナム戦争を想起させるおどろおどろしい絵を飾りたいと言いだし、みのりに相談したところ、うちの兄貴が暗い絵を描くよ、と鷹彦を紹介されたのだった。

「親父が糖尿病だから、負担が全部お袋にかかってんだよね。あれ、伯父《おじ》さんは？」

「庭で布団を干してる」

怜司は居間に進み、窓を叩いて、日向に物干しを出して布団を広げている鷹彦に合図を送った。

振り返った鷹彦は、驚いたように目を見開き、次にほっとした印象の笑みを浮かべた。

(あ、静人が帰ってきたかと思ったんだ……。あの子も旅に出る前は、よく怜司みたいな明るい

服を着ていたものね。黙ってはいるけど、あの人も、静人の帰りを待っているんだ……。)

「静人兄ちゃんは？　まだ自分探しの旅に出たままなの？」

怜司が、巡子の想いを察したかのように尋ねる。自分探しの旅……静人の旅をどう説明してよいかわからず、親戚や友人にまでそう説明してきた。

「なんか羨ましいよな。気ままな旅暮らしか……おれも会社やめて、どっか行きたいよ」

「仕事のほうはどうなの。それに彼女は？　なかなか連れてこないじゃない」

「仕事は、そつなくこなして、わりのいい給料をいただいてるし……いろいろと付き合っちゃみるけど、これって女にも出会えないし……最近ちょっと虚《むな》しいんだよねぇ」

「ばかなこと言ってないの。あなたに傷つけられて、泣いてる子だっているでしょ」

「傷つけるほど付き合ってないんだよ。その前に、するっとかわす癖ばかりついちゃってさ」

昔から勉強にしろ運動にしろそこそこ器用にこなせる子だった。それを自慢する性格を、静人が厳しくさとし、彼も静人を兄同然に慕っていたことが、昨日のように思い出される。

「新しい病院、がんの治療じゃ有名なんだよね。いいとこ紹介してもらえたんじゃないの？」

怜司が台所へ戻ってくる。代わりに巡子が居間へ入り、疲れないようソファに腰を下ろした。

「うん。同じ病気の人たちといろいろ話せたし、とってもよかった。美汐のおかげよ」

怜司は栄養ドリンクの瓶《びん》を捨て、こちらを振り返って、へへと含み笑いをした。

「何……その笑い？　何かあるの。あの病院、美汐の仕事先の紹介だって言ってたけど……」

「仕事先かぁ……ミシのやつ、何も話してないんだ」

どういうことか聞き出そうとしたとき、階段を降りてくる足音がした。美汐が顔を出し、

「なんだ。うるさい声がすると思ったら、やっぱり怜司か。なんであんたが来るのよ」

「伯母さんに呼ばれたんだよ。鎌倉へ墓参りに行くから、車を出せって。ミシもいろいろご苦労さんだったけど、退院できてよかったじゃないか。やっぱりあの病院のおかげなんだろ？」

美汐は、一瞬厳しい顔で怜司を睨んだが、感情を押さえ込むように巡子に首を振り向け、

「お母さん、今朝はこれを飲んでよ。往診の先生も問題ないっておっしゃったんだから」

彼女が、ガラス瓶から粉薬の入っている袋の一つを取り出す。数種のキノコに米ぬかやら海藻類やらを混ぜたもので、がんによく効くと噂になっているらしく、彼女がインターネットで取り寄せたのだという。昨夜も渡されたが、巡子は気乗りがせずに飲まなかった。

「わかった。まあ、考えとくから……それより怜司も来たし、出かける用意はできてるの？」

美汐は不満そうだったが、怜司の手前、巡子の病状に関して、はっきりは言えないと思ったのだろう、自分の部屋へ戻っていった。怜司が、テーブルの上に残されたガラス瓶を見やり、

「退院しても、まだいろんな薬を飲まなきゃいけないんだ？」

「病み上がりだからね。ただ美汐は、一週間も有給休暇をもらってきたり、何事にも大げさなの。ところでさっきの話、あの病院を紹介してくれたの……もしかして、美汐の彼氏？」

「のはずだよ。高久保《たかくぼ》の叔父さんは県会議員だから顔が広いし……。美汐、話してないんだ」

高久保というのは怜司の大学時代の友人で、都内の銀行に勤めている。三年前のクリスマスパーティーの席で、怜司が美汐と高久保を引き合せ、二人が付き合うようになったというのは、前

に怜司から聞いていた。そろそろ結婚の話が出てもと思うのに、一向にその気配がない。

「彼氏のことなんて、全然よぉ。昨日もちょっと挑発してみたんだけど、乗ってこないの」

「おれも高久保と最近会ってないし……どうなってんのか、ミシに聞こうかと思ってんだよ」

「お願いよ。わたしも一度はこの手に孫を抱いてから、逝《い》きたいもの……」

あ、と気づいたがもう遅く、どう言いつくろおうかと迷っていると、

「ハハハ、よしてよ。昨日退院したばかりで、その台詞はシャレになんないって」

怜司がはじけるように笑い、巡子も一緒に笑った。

一時間後には全員の用意が整い、怜司の隣に巡子、後部席に鷹彦と美汐が乗り、車椅子はたたんでトランクに収めた。往診医と訪問看護師の浦川には事前に出かけることを話し、レスキュー用のモルヒネを受け取り、緊急の場合の対処法や連絡先も教えてもらっている。

近所で花を買い、高速道路に上がると、海へ向かう方角と重なっていたため、ひどく混んでいた。渋滞時に巡子が体調を崩すとどうしようもないため、一般道へ下り、怜司がカーナビを頼りに走るうち、周囲に緑が増え、空も大きく開けて、遠くない場所に海がある気配が感じられた。

やがて鎌倉市へ入り、北鎌倉方面へ高台を上って、巡子の実家の菩提《ぼだい》寺に着いた。

墓所は寺の裏手にある。坂を少し登るが、巡子はせっかく退院したのだから自分の足で歩くと言い張った。鷹彦が彼女に寄り添い、日傘を差しかけてくれた。幸い痛みもなかった。

お盆には早く、観光ルートからも外れているためか、ほかに人の姿はなく、そのぶん蝉の声が盛んで、自分の声さえ聞きづらい。美汐と怜司は墓所の入口にある水道から水を汲《く》む役目を引き

受け、巡子が坂の途中で振り向くと、水の入った桶を提げた美汐がつらそうにしていたため、怜司が彼女の桶も引き受けるところだった。その際、何かからかったのか、美汐が怜司をぶつ仕草をし、彼がよけて笑う姿が、まるで兄妹のようで、一瞬静人が帰ってきたのかと錯覚した。

　和木家の墓は小さい。心臓病で亡くなった父、がんで亡くなった母、そして兄の継郎の遺骨のほかは、青森にあったらしい本家から分骨してもらったという『御先祖様』と書かれたやや小ぶりの骨壺が一つ納められているだけである。運ばれてきた水で、巡子と鷹彦が墓を丁寧に拭き清めた。怜司も周囲をほうきで掃いていたが、美汐は疲れた様子で木陰で休んでいた。

　花を供え、線香に火をつけ、家族全員で墓前に手を合わせる。蟬の声が遠のいてゆく。

（来年の夏は、わたしもそっちだね……。ツギちゃん、あなたのことを思うと、わたしは幸せだ。結婚して子どもも二人。欲を言えばキリがないけど……感謝感謝で終わるのが本当だよね。）

「どういう人だったの、継郎さんて」

　怜司の声を聞き、巡子は目を開けた。ほかの三人はもう祈りを終えていた。

「小さい頃に聞いたかもしれないけど、覚えてなくてさ。久しぶりにここへ来てみて、やっぱり十六歳って若いなあと思うし、どんな子どもだったのかなあって」

「そうか……静人には話したけど、二人にはまだちゃんと話してないかもしれないね」

　巡子が、その場で継郎のことを話しだそうとしたとき、

「店へでも、入ってからにしたら、どうかな」

　鷹彦が、巡子の体調を気づかってだろう、あらためて日傘を彼女に差しかけて言った。

巡子たちは車に戻り、高台を下りたところにある老舗の豆腐会席の店へ向かった。

子ども時代からよく通い、継郎も気に入りの店だった。結婚してしばらく疎遠になったが、墓参りのためにこの地を訪れるようになってから、静人や美汐が気に入り、誕生日やクリスマスなどのおりもこの店へ来たがった。いまの巡子も豆腐料理ならば問題なく食べられる。

巡子は、車が走りだしてから、美汐と怜司に兄の話を始め、店に入ってからもつづけた。

巡子は子ども時代は虚弱体質で、少し動くだけで疲れてしまい、よく熱を出した。人込みに出れば、ほどなく風邪を引いて寝込んだし、少しの刺激で発疹《ほっしん》が出たり下痢をしたり、子どもがかかりやすいと言われる病気はほとんど経験した。そのため性格もいまと正反対と言ってよいほど臆病で、引っ込み思案で、外へ出るのも人と話すのも大の苦手、という子どもだった。

その巡子をいつも慰め、励ましてくれたのが、兄の継郎だった。

継郎は、健康に恵まれ、運動が得意な上、陽気で優しい性格が多くの人に好かれて、同世代の子どものなかではつねにリーダー的存在だった。彼は病弱な妹を思いやり、家や入院先のベッドで寝ている彼女の枕元に寄り添っては、冗談を言って笑わせてくれたり、絵本や漫画を読んでくれたり、勉強を教えてくれたりした。それでも巡子の心が沈んだままのときには、

「かわいそうにね。ぼくが、ジュンジュンと代わってあげられるといいのにね」

と、頭を撫でてくれた。嬉しかったが、入院が度重なったある日、巡子もついすねて、

「ツギちゃんは、本当は代われないのを知ってて、そんなこと言うだけだもん」

と言い返した。このときの継郎の泣きだしそうな顔が、いまも巡子の目に焼きついている。

この日は、そんなことないよと継郎はつぶやくだけだったが、翌日、彼は決心した表情で、

「神様にお願いしたよ。ぼくを身代わりにしてくださいって。ぼくがジュンジュンの代わりに病気になりますから、ジュンジュンを元気にしてくださいって、お願いしたよ」

彼は手を合わせて、祈る仕草をした。それ以後も、巡子が病気になるたび、

「ぼくの元気を、ジュンジュンに分けてあげるように、神様にお願いしといたよ。ぼくの持ってる命の時間を、ジュンジュンのために使ってくださいって、頼んどいたからね」

と、巡子の手を握ったり、頬を軽くつついたりした。

陸上部のエースとして活躍していた彼が、トレーニング中に倒れたのが、十六歳のときだった。一時的な過労と判断されたが、からだがだるい、重いと言って、次第に元気をなくしていった。近くの医院では疲労の蓄積と言われながら、ある朝登校途中に歩けなくなり、あらためて大きな病院で検査を受けたところ、白血病と診断された。

入院したあと、継郎の衰弱は急に早まった様子で、食事も十分とれずに痩せ細っていった。

本当に代わってくれた、神様が願いを聞き入れちゃったんだ……と、十二歳の巡子は思った。お兄ちゃんといっぱい話しときなさい、と両親から言われた日があった。なんとなく言葉の意味するところがわかり、いやだいやだと一日中泣いた。翌日、兄の見舞いに行って、

「ツギちゃん、代わってもらわなくていい。病気ばっかりして性格も暗いわたしより、明るくてみんなに好かれてるツギちゃんが生きたほうが絶対いいもの。神様に、そう言って」

と、継郎に訴えた。すると彼は、弱々しいながらも笑みを浮かべて答えた。

「神様なんていないよ。いても、ぼくの願いなんて聞いてくれない。これは代わったわけじゃないよ。でも……どっちかと言えば、ジュンジュンが生きたほうがいいよ。子どもを生めるからね。ジュンジュンと、ジュンジュンの子どもに、ぼくの時間が行くなら……それもいいかなぁ」

このあと数日して、継郎は長い眠りに落ち、目を覚まさぬまま息を引き取った。

巡子は、継郎に時間をゆずってもらったのだからと考え、少しも無駄にはできないと、自分に言い聞かせた。彼の分も生きるのだから、彼のように活発に行動し、人とも積極的に関わっていこうと決心した。初めは無理をしている感もあったが、次第に元々の性格はこれだったのかもしれないと思うほど、前向きに生きられるようになり、友人も増えた。同時にあれほど病弱だったのに、精神状態が影響してか、風邪さえ引かない健康なからだになっていた。

「……なのに、この年になって急に大病をしたってわけよ」

巡子は話の締めくくりとして言った。

「……素敵な人だったんだね、継郎さんて」

怜司が、彼にしては珍しくまじめな口調で言った。

「うん。いまでも、わたしより彼が生きたほうがよかったのにって、思うことがある」

「静人兄ちゃんに、継郎さんのことを話したのは、いつ頃なの」

「あの子が八歳のときかな……坂築の家のおじいちゃんが亡くなって、がっくり来てたから、あなたも、おじいちゃんの分をしっかり生きなさいってつもりで」

(お義父《とう》さんは、故郷の海で亡くなった。遺体の確認に鷹彦だけを行かせられず、八歳の静人と三歳の美汐を連れ、四人で出かけた。確認のあと、みんなでお義父さんが亡くなった海を見た。鮮やかな青をしていた。その海を見た帰りに、わたしは静人に兄の話をしたのだった。）

注文した料理が運ばれてきた。新鮮な湯葉と豆腐を濃いつゆで食するらしく、和風だしの香りが立ちのぼる。皆さっそく手をつけた。美汐が顔をゆがめて箸を置いたのに、巡子は気づき、

「どうしたの、美汐。あなたの一番の好物じゃない」

「ごめんなさい。ちょっと変な匂いがして……怜司、よかったらわたしのも食べて」

巡子は、それを聞き、自分にも同様のことが過去二度あったことを思い出した。醬油系の匂いに胸がむかついて、好物だった和食が急に食べられなくなった……。

（そういえばこの子、葉酸入りの栄養ドリンクなんて飲みだしたし、桶を運ぶのをつらがって、坂をのぼる程度のことでひどく疲れていた……そして、匂いへの急な嫌悪……。）

「ねえ、美汐、あなた、まさか……」

巡子は娘の顔をのぞき込んだ。あとの言葉がつづかない。それでも女なら、何を言おうとしているか察して、違うよと否定するだろうと思った。だが美汐は表情を硬くして、黙っている。

（まさか……本当に……そうなの？　子どもなの？）

「……お兄ちゃんのせいよ」

美汐はかろうじてそれだけ言うと、席を立って、店を出た。巡子は追いかけようとしたが、鷹彦に肩を押さえられた。鷹彦は怜司も制し、美汐を追いかけていく。

巡子は、怜司が話しかけてくる言葉も耳に入らず、茫然と椅子に腰を落としたままでいた。

4

庭に面した掃き出し窓にかかるカーテンはまだ暗い色に沈んでいる。

それでも巡子は、もう眠るのをあきらめ、身を起こした。鷹彦は、ベッド脇の畳の上に布団を敷いて横になっており、静かな寝息をたてている。巡子は背後を振り返った。用心のために天井の小さな灯《あかり》がつけたままにしてあり、その灯に継郎の遺影が浮かんでいる。

継郎が入院して小康状態にあった頃、父がカメラを持っていき、家族写真を撮った。そのおり継郎が、自分の写真を撮るようにと巡子に言った。ジュンジュンに撮ってほしいんだよ、と。

当時のカメラは、小学生の彼女には重く感じられ、ぶれないよう構えるのが精一杯で、ピントは父が合わせてくれた。継郎は病前と同じ陽気さで、カメラに向かってというより、巡子に向かって笑いかけた。元気だった頃の笑顔に比べ、頬がこけて、痛々しい印象がないではない。だが両親は、遺《のこ》される者への継郎の温かい想いが込められていると言い、遺影に選んだ。

(ツギちゃん、教えて。わたしどうしたらいいの。思いもかけないことが起きちゃったよ。半分は願っていたことだけど、あとの半分は……かわいそうで、つらくて、胸が痛くなる。)

美汐は昨日、車のなかで泣き通した。のしかかる重荷を一人で耐えていたことを感じさせる泣き方だった。巡子の退院に際して険しく振る舞うように見えたのも、複雑な状況に心が乱れそうになるのを懸命に押さえ込む余り、苛立ちが表にあらわれたのかもしれない。

墓参りから自宅へ戻り、巡子も怜司もどう質問しようかと迷ううち、鷹彦が居間に座って、

「美汐」

と、優しく呼びかけた。美汐は素直に居間に入り、鷹彦の前に正座をして話した。

妊娠はもう十六週目に入っていた。相手は、怜司が紹介し、二年半付き合っていた高久保英剛《ひでゆき》だった。だが、高久保は妊娠のことを知らない。その前に別れたからだという。

美汐は、今年に入って友人や同僚が次々結婚し、自分もそろそろと思い、デートのたびにそれとなく高久保と将来のことを話していた。巡子ががんを告知されたこともあり、つい先延ばしになったが、巡子がよくなれば、高久保を両親に紹介するつもりでもいた。

三月を過ぎた頃から、以前なら家庭を持つことに積極的だった高久保の反応が、変化してきたのに気がついた。だが、五月の美汐の誕生日に、二人で小旅行をすることになっており、そこでプロポーズがあるかもしれないと、ほのかに期待もしていた。

旅行は中止となった。マンションの部屋を訪ねてきた彼から、別れ話を切り出された。きみとの結婚を願っていたけれど……といった言い訳がしばらくつづいたあと、結婚は当人同士だけの問題ではなく、家族や親戚にも影響があるものだからと語り、実は親戚の一人が、人を使って美汐の家を調べさせたと打ち明けた。そして問題となったのが、静人の存在だった。

美汐の家を調べた人物は、警察関係者とコネがあるらしく、静人が地元周辺の警察署で、挙動不審者として保護、もしくは任意同行を求められ、身元照会等がなされた事実があることを調べていた。また、各地の警察署でも似たようなことがあるらしいと聞き込んできたという。

美汐は、高久保に対して静人の旅のことを、自分探しのため、としか話していなかった。実際は、殺人事件など、人が死んだ場所ばかりを訪ね歩いており、しかもそんな旅をもう五年もつづけている。彼の家族や親戚の者が不信感を抱くのも当然だろう。どういう理由で、おまえが付き合っている相手の兄は、そんな恐ろしいことをしているのか、なぜ両親は認めているのか……。詳しい説明を家族や親戚から求められても、高久保も初めて聞く話ばかりで答えることができなかった。静人の警察沙汰を美汐が隠していたことを挙げ、だまされているのではないか、と疑う者もいたという。親戚のなかには風聞《ふうぶん》でさえ慎重に対応せねばならない立場の人間がおり、奇行を重ねる人物と縁ができるのを不安がる者も多く、結局、家族と親戚数人が集まった話し合いの席で、今回の結婚を許すわけにはいかないとの結論が出された。

美汐はそれらの言葉を受けて、言い返すことができなかった。彼女自身、静人がなぜそんな旅をするのか、いまなお本当の理由がわからない。さらには両親はなぜ兄を止めないのか、いまも不審に感じている。もちろん両親が静人の旅に反対したことは知っているが、もっと強引に、引きずってでも止めるべきではなかったか、何か方法があったのではないかと思いつづけてきた。

高久保から、このまま付き合っても先がないから……と最後に言われたとき、美汐は、別れることを決めたのはもっと前ではないのか、なぜいま頃になって、と責めた。そのくらいしか返す言葉がなかった。彼は、きみのお母さんの病気のことがあるから、つい……と答えた。

美汐は、恋人との別れと母の病気が頭を占め、ほかには何も考えられない日々を送った。やがて巡子が公立病院での化学療法がうまくいかず、転院を求められる事態にいたったとき、美汐はほかにツテもなく、怜司に連絡をとった。

怜司には、巡子のがんは早期発見で、治る状態だと話していた。いまの病院には専門病棟がなく、居づらそうなので、いい病院を知っていれば教えてもらえないか、と美汐は話した。怜司は、高久保ならきっと親戚を通じて、よいところを紹介してくれるはずだと答えた。

正直、高久保への未練もあり、思い切って電話を掛けた。だが、相手の沈んだ声を聞いたとたん、もう以前の状態には戻れないことを察し、かえって意地のようになって、母のためにぜひ病院を紹介してほしいと求めた。言葉にこそしなかったが、お互いそれが〈手切れ金〉のようなものになる感覚があったという。二度と電話しないからと彼女は言い、三日後、高久保は、一般の人はなかなか診てもらえないと噂のある私立病院での診察の段取りをつけてくれた。

六月に入って、美汐は生理が二ヶ月来ていないことに気づいた。ストレスのかかる状態がつづいたことで、不順になることはあり得ると考えながらも、恐る恐る妊娠検査薬で調べた。反応は陽性だった。喜びはなかった。検査薬は絶対とは言えず、自分の体調不良が影響しているのかもしれないと思い、通常なら二週間後に来るはずの生理を待った。だが何も訪れず、ようやく病院で診察を受けた。十一週に入っており、予定日は来年の一月十一日と言われた。

（かわいそうな子……。おなかの子の父親と二度と会わない代わりに紹介してもらった病院なのに、わたしが治らないまま退院するなんて、きっとつらく感じていたに違いない。）

「きみが、話したら、どうだろう……」

美汐がひとまず話し終えたあと、鷹彦が巡子を見つめて言った。

「静人のこと……きみが話して、わかってもらったら、どうだろうか……」

美汐と高久保の結婚の障害になっているのが、静人のことなら、なぜあのような旅をしているのか、きちんと説明し、誤解を解いてもらうのが、やはり一番だろう。

怜司が、それを聞いて、自分も静人兄ちゃんのことを知りたいと言った。自分探しの旅なんてずっと変だと思っていた、と。坂築の家を調べさせた親戚とは、議員である高久保の叔父か、その秘書をしている彼の兄だろうとも言い、自分が高久保と話して、きっとこの家へ連れてくるから、と約束した。日時は早いほうがよいだろうと、来週中にも、ということになった。

美汐にそれでよいかと確認すると、だったらいま話してほしい、と彼女は言った。

「まず、わたしたちにわかるように説明してみてよ。お兄ちゃんは、どうしてあんなことをしてるの、しなきゃいけないの？　お母さんたちはどうして止めないの？」

巡子は答えに窮し、話をまとめるのには時間がいるから、とかわした。

（本当のところ、わたしも静人の旅を理解できているとは、とても言えない……。）

一昨日、巡子は時計店の前で献花を見つけ、店の人に事情を聞き、若者が死んだという現場で手を合わせた。なかば衝動的にとった行為は、すべて静人がおこなっていたものだ。人の死を知って冥福を祈るのは、悪いことではない。なのに度重なると、責められることになる……。

もうよして、静人。何の意味があるの、静人。と、繰り返し訴えかけていた日々が、いまも虚しく思い出される。初めて警察から連絡があったのは、静人が本格的に旅に出る前だった。殺人事件の起きたアパートで、被害者について質問して回り、近所から不審者として通報されたのだ。

その後もたびたび警察関係者から問い合わせがあったが、巡子たちはただ謝るしかなかった。

（だって、あの子自身が説明できなかったことだもの。真意を尋ねるたび、そうしなくちゃいられないんだと、もどかしげに答えるだけだった。ついには、病気だと思ってほしいと言った。）

静人を止められなかったのは、成人した男子を、鎖で縛りつけておくわけにもいかないということに尽きる。それを他人に話したところで、理解してもらえるとも思えない。

（それでも、わかってもらおう……だって、せっかく新しい命に恵まれたんだもの……。）

巡子は着替えを持ち、居間へ移った。襖を閉め、カーテンを開く。白んできているとはいえ、庭はまだ暗く感じられる。着替えてから窓を開け、庭へ出るためのサンダルをはいた。

建て替える以前から、庭には梅の木があった。春以降の彩りが淋しいため、巡子が提案して、和室の前に、夏に咲く百日紅《さるすべり》を植え……奥の一画に、秋咲くキンモクセイを……道路との境の柵《さく》に、椿の生け垣を設けた。ほかにも、春に咲くボケ、初夏のアジサイ、夏のムクゲ、赤い実が秋に楽しめるマンリョウなどを植え、寄せ植えのプランターも季節ごとに作った。

華やかな色に囲まれた家を、家族も近所の人もほめてくれたが、いま思えば、植物の強靭《きょうじん》な生命力によって、両親や兄など、亡くなった人たちへの喪失の想いを癒そうとしたのかもしれない。

静人が旅に出てからは、さらに庭に出る回数が増え、プランターも派手になっていった。

（静人、帰ってきてくれない？　以前のように、普通の仕事に就いて、落ち着いた日々を送ってほしいの。そうすれば、すべてが解決するように思う。どう、帰ってきてくれないかしら？）

ふと、からだの芯から痛みがにじみ出てくるような気がした。なんとか押さえ込もうと、その場にうずくまる。経口《けいこう》モルヒネが効かなくなれば、腹部の皮下《ひか》に針を刺して持続的に薬剤を送る方法がとられるらしい。たぶん動けなくなるのも遠い先のことではないだろう。

（間に合うだろうか……子どもの、孫の、誕生に。静人がわが家に帰ってくるときに……。）

涙がこみ上げ、庭の風景が揺らいだ。手のひらで目もとをぬぐい、指を離したとき、百日紅の根元近くの地面に、七、八センチほど小さな板が突き出しているのが、二重にぼやけて見えた。

ヒヨドリの雛の墓として、板切れを利用して作ったものだ。もう二十六年も前のものなのに、しっかりと埋め、そのあとも抜けないよう注意をしていたから残っている。

まだ涙で揺らいでいる風景のなかに、六歳の静人が見えてくる気がした。

前夜の台風に襲われ、地上に落ちて冷たくなったヒヨドリの雛を、静人は手のひらですくうようにして、どうすべきか困った顔で、じっと見つめている。

巡子は、わが子に対して、巣から落ちて死んじゃったのよ、と語りかけた。

もどしてあげなくていいの……と、静人は顔を上げずに訊いた。

もう戻れないのよ、死んじゃったら、もう巣には戻れないの、だから放しなさい、と巡子は言った。木の上では、親鳥がしきりに鳴いていた。悲しんでいるというより、雛を人間がもてあそぶのを嫌っているかのように聞こえた。お墓を作って埋めてあげよう、と巡子は勧めた。

静人は素直にうなずき、園芸用のスコップを巡子が渡すと、百日紅の根元に穴を掘り、穴の底に雛をいたわるように置いた。土をきれいにかけ終えたとき、木の上の親鳥が鳴きやんだ。

静人は墓の前で手を合わせて祈った。そのあと顔を起こし、墓を見つめながら言った。

ぼく、この子がうまれたときのこと、しってるよ、ベランダからずっと見てたから……この子、おとうさんとおかあさんのほうに、くびをのばして、ないてた……けど、いまは、ここにねむってる……しってるの、ぼくと、おかあさんと、この子のおとうさんとおかあさんだけだね……ぼくたちがわすれたら、この子のおとうさんとおかあさんしか、おぼえてないね。

巡子は、深く考えず、鳥さんは人間ほど長生きじゃないのよ、と答えた。

じゃあ、ぼくたちがおぼえてないと、この子のこと、わかんなくなっちゃうの？　だんだん大きくなって、もうすぐ、とべるとこだったのに……そういうの、わかんなくなっちゃうの？

そうね……静人がしっかり覚えておいてあげないとね。

すると静人は、墓に目を戻し、しばらく考え込んでいたが、やがて泣きだした。

どうしたの、静人、何を泣いているの。そう訊くと、彼はしゃくり上げながら言った。

どうしたらいいの……どうしたら、ずっとおぼえて、いられるの。

巡子には言葉がなかった。何を言ってもその場かぎりの嘘になる気がした。

すると静人は、パジャマの袖で涙をぬぐったあと、木の上を見上げた。

この子は、あそこで、いきてたよ……。彼はそう言って、右手を巣のあった木のほうへ挙げた。

でも、ここに、おちちゃった……。そう言って、左手を雛の落ちていた地面すれすれに下ろした。

次には、その両手を自分の胸の前へ戻し、心臓へ強く押し込むように重ねた。

ここに、いれる……わすれないように、この子のこと、ここに、いれとくね。この子がうまれて、ちゃんと、いきてたこと……ぼくのなかに、いれとくからね。

第三章　随伴者　（奈義倖世―Ⅰ）

1

仏様の生まれ変わり、と呼ばれていた人間を殺した。

夫だった。だから、夫殺しの罪となった。

奈義《なぎ》倖世《ゆきよ》は弁解するつもりはなく、死刑で構わなかった。

最初の結婚相手から暴力を受け、偶然訪れた寺が家庭内暴力《DV》の被害者を支えるシェルターであると知り、かくまってもらった。その寺の長男が、甲水朔也《こうみずさくや》と言った。彼の尽力で、倖世は離婚することができ、その後、彼の求婚を受けて再婚した。そして一年後、彼を殺した。

警察は殺人容疑で捜査したが、朔也が倖世に対して殺意を持っていたことが、様々な証拠から明るみに出て、検察官は過剰防衛による傷害致死の罪で起訴した。

官選の弁護士は正当防衛を主張した。凶器の刺身包丁が、金物店店員の証言で、元々は朔也が購入したものだとわかった上、理由は不明ながら、朔也は自分自身を撮影したビデオ映像を残しており、「倖世を殺す。あれを生かしてはおけない」と語っていたからだ。

裁判中、朔也の父と弟が意見を述べる席に着いた。二人は僧侶なので、感情は抑えていたが、自分の息子あるいは兄が、どれだけ世間のため人のために尽くしてきた人物であるかを語った。

朔也は、僧侶とならず、利用者本位の葬祭《そうさい》センターを寺に隣接した場所に建て、ＤＶ被害者のシェルターのほか、身寄りのない高齢者のためのグループホームなども作って、運営していた。

父親は、「あの女は魔物です。頼りなげな風情《ふぜい》で男を引き込み、破滅させるのです」と吐き捨てるように言い、弟は、「自分以上の人徳者が、罪なき人を殺そうと図るはずがなく、きっと兄はあの女の隠された罪を知り、罰せねばならないと思ったのでしょう」と語った。

倖世の感情は動かなかった。現実のあらゆることが、自分から遠く離れている心持ちでいた。

夫を殺そうと思っていたか、と検察官に問われたおりは、「はい」と率直に答えた。

この答えと、倖世が彼を一度包丁で刺したあと、さらにもう一度深く刺して致命傷を負わせたことで、有罪判決が下された。ただし裁判長は、倖世自身も事件当日に朔也から暴力を受けていたことを認め、懲役六年の求刑に対し、懲役四年の刑を宣した。厳罰を望んでいた朔也の家族や寺の檀家衆《だんか》は不満の声を上げたが、マスコミの度重なる取材に耐えがたい想いもしていたらしく、控訴までは求めなかった。倖世も、死刑でなかったことに失望しながら、上級審では刑が軽くなる可能性があるからと弁護士に控訴を勧められたため、それを断り、判決に従った。

刑務所では、命じられたことを黙々と処理するだけの日々だった。寡黙《かもく》な態度が不気味に思われてか、いじめに類する仕打ちを受けることはなかった。ある意味で模範的な服役囚と映ったらしく、刑期の四年よりもわずかに早く出所が決まった。倖世は二十八歳になっていた。

服役中、朔也の遺族の代理人を通じて離婚を求められ、素直に応じた。戸籍謄本《とうほん》などを取るための委任状にも署名した。出所の日が遺族側に伝えられたのだろう、刑務所を出ると代理人が外で待っていた。百万円の入った封筒を渡され、町に二度と現れないという念書に、求められるまま拇印《ぼいん》を押した。さらに、町に戻らせないためだろう、彼女の私物を乱雑につめ込んだボストンバッグ二つと、新しい住まいを得るのに必要な戸籍謄本と住民票の写しも渡された。

行くあてはなかった。ひとまず刑務所から近い東北有数の繁華街へ向かい、バスから色彩に富んだ街を目にして空腹をおぼえ、何も考えずに延々食べつづけて下痢を起こした。安ホテルに部屋をとり、食事以外では外出をせず、テレビを見るだけで数日を送った。

刑務所内の自由を縛られた生活では考えなくとも済んだことが、徐々に頭をもたげ、五日目、生に対する倦怠《けんたい》が生じた。なぜまだ生きてるの？　生きている意味なんて、どこにあるの？

だが、死を準備するためのわずかな行動さえおっくうだった。夫がかえって羨ましく思え、

「朔也っ、朔也っ」

彼の名前を壁に向かって叫んだ。どのくらいつづけたろう、

《倖世、どうしたんだい。ひどく憐《あわ》れな姿をさらしているじゃないか。》

朔也の声が返ってきた。幻聴だと思った。

《幻聴じゃないさ。ずっとそばにいたよ。きみはいわばわたしの命を飲み込んだんだからね。》

朔也の存在を、空気の揺らぎとして背後に感じた。恐怖や不安はなく、むしろ気持ちが落ち着

いた。彼の存在感によって、孤独から逃れられ、ようやく精神のバランスを保てる感覚だった。

「あのとき、あなたに、殺してもらっていればよかった」

正面の壁に掛けられた鏡のなかの自分を見つめながら、彼に語りかける。

《わたしの立場が羨ましい？　だったら、誰かに殺してもらえばいいだろう。》

鏡に映った倖世の右肩の後ろから、待ち望んだ太陽が山の端《は》から昇るように、朔也の顔が現れた。冷やかな笑みを浮かべた表情が、彼女の肩の上にすとんと乗る。

髪を短く刈り、顎がとがり気味の小顔で、目鼻が中央に集まっているため、さらに引き締まった印象を受ける。濃い眉の下に、彫りの深い二重瞼《ふたえまぶた》の目が開き、瞳の中心は昏《くら》い輝きをたたえ、向かい合った者は、心の動きまで見透かされている気がして萎縮する。

比べて、倖世は鼻も口も小さく、二重か一重かわからない中途半端な瞼に、人と目を合わせるのを恐れて瞳の焦点が常にあいまいに揺れている感じがあり、何事においても自信なさげに見えた。そこがよいと、かつて朔也は言ったが、ほめ言葉ではなかったのだと、のちにわかった。

《生きることにうんざりしながら自分で死ねないなら、殺してくれる相手を見つければいい。》

頭の回転の速さ、流暢《りゅうちょう》なしゃべり、何もかも知っていると言いたげな自信に満ちた態度……顔の造りだけでなく、朔也は様々な面で、向き合う相手に恥ずかしい想いをさせた。

「無理なこと言わないで。どこでそんな人を見つけられるの」

部屋の電話が鳴り、朔也が消えた。フロントからだった。予約が入っているので部屋を空けてほしいという。ずっと閉じこもったままの彼女が、自殺しはしないかと心配になったようだ。

倖世は、ホテルを出て、街をさまよい、自分を殺してくれそうな〈相手〉を捜した。南へ下る電車に乗り、飽きたところで降りる。とりすました街に居心地の悪さを感じて、また電車に乗る。そんなことを何度かつづけた。北関東の聞いたこともない駅で降り、自分の育った町と似た雰囲気があったため、もしかしたら〈相手〉が見つかるかもしれない気がして、古びた不動産屋を訪ねた。六畳一間に台所付きで、月二万三千円。保証人なしの即日入居は嫌われるかと思ったが、不動産屋の老いた主人はどうでもよさそうに、ひと月分前払いでよいと答えた。

四日後、小さな商店街で従業員募集の貼り紙を見た。所持金が減ってゆくのを待つだけの暮らしはみじめに思え、前科を隠した履歴書を書き、面接を受けた。一軒目のコンビニで電話番号がないと指摘され、適当な番号を書いて訪ねた次の店では後日連絡すると言われた。三軒目のファミリーレストランで、午後十時から朝五時までの深夜帯でならと、その場で雇《やと》ってもらえた。

これまでの生活とは昼夜逆転だったが、一週間もするとリズムがつかめた。トイレやゴミ置場の掃除などを嫌わないことで、四十代の男性店長からは重宝がられた。一ヶ月がすぐに過ぎ、結婚前からの口座に給料が振り込まれた。なじみのスーパーができ、隣室のスナック勤めの中年女性と挨拶を交わすようになって、いまが夏の盛りという季節感も戻ってきた。一方で、仏様の生まれ変わりを殺した女が、社会へすんなりと溶け込んでゆく現実に、違和感もおぼえた。

部屋の柱に掛かる前の住人が残した鏡に向けて、それを言うと、鏡のなかで朔也が笑った。

《周囲は、きみという人間を受け入れているわけじゃないよ。世間にとって、きみは取り替えのきく単純な記号の一つだ。過去も未来もない、現在使用可能な状態にある女、それだけさ。》

翌日、倖世は勤め先の店長の誘いに乗った。酒を飲んでホテルに入り、短い時間で平凡に終わったあと、店長はどうだったと訊いた。倖世は、朔也をやり込めた想いでいたため、よかったと答えた。翌週も店長に誘われ、二度目となる夜、彼は荒っぽい行為に出た。彼女の髪をつかみ、おれが無理して雇ってやったんだぞ、言うことをきけと求め、倖世が睨み返すと、何だよその目は、と彼女の頬を打った。ベッドの向かいの大きな鏡のなかで、朔也が笑った。

《倖世、またいつもの繰り返しだね。幸《さち》薄げな外見で、男を引き寄せながら、ゆがんだ心根が相手を苛立たせ、ついには暴力を振るわれる……。いっそ、そいつに頼んだらどうだい？》

何を見てる、と店長が彼女の腕をつかんだ。倖世はその手を振り払い、

「ねえ、わたしを殺してくれませんか」

と告げた。相手の手が宙で止まった。

「夫を殺したんです。懲役四年で、こないだ出てきたばかりです。そこを雇ってもらったんです。生きてても仕方がない気がするんで、殴るなら、いっそ殺してくれませんか」

相手は呆気に取られた様子だったが、突然ベッドを下りると服を持ってトイレに入り、身支度を整えて出てきた。責任を取れってことなの、と財布まで出すのを見て、倖世は苦笑した。

「どうして、あの日、その場で雇ったんです。わたしの何を気に入ったんですか」

彼は口ごもったあと、あなたが捨てられた仔猫みたいに見え、おれが何とかしてやらないといけないと思ったんです、と答えた。そして三万円を机に置き、逃げるように部屋を出た。

《かわいそうな倖世……きみの求めに応じられる相手は、なかなか現れそうもないね。》

鏡のなかで朔也が偽善的な悲しみの表情をあらわし、倖世は手元の枕を投げつけた。

翌日はどこへも出ず、餓死ならできるかもしれないと、部屋の隅に寝転がった。一日は我慢できたものの、次の日の夜にはこらえきれなくなり、買い置きのパンに手を伸ばした。柱に掛かった鏡のなかで朔也が笑った。鏡を割り、パンを窓の外へ投げ捨てた。なおしばらく我慢したが、喉がひどく渇き、水道の蛇口に口をつけて水を飲んだ。胃が刺激されたせいか、かえっておかしくなりそうなほど腹が空き、台所を探した。何も見つからず、ついには裸足のまま外へ飛び出し、路地に落ちていたパンを拾って、自分への絶望で涙をこぼしながら口に入れた。

仕事帰りらしい隣室の女が通りかかり、倖世の姿に驚いて、どうしたのかと尋ねた。

「殺して」

と、倖世は言った。女が部屋へ連れ帰ってくれた。

鏡のなかに死んだはずの夫が現れ、誰かに殺してもらえとそそのかす、と倖世は話した。

女は或る新興宗教の信者だった。倖世のために祈ってくれたあと、あなたは悪い霊にとりつかれているようだから、お墓など縁のある場所でしっかり祈ってきたほうがよいと勧められた。

倖世は、人と話せたことで、ようやく落ち着きを取り戻し、女に礼を言った。

朔也にとりつかれているのか、幻覚が高じたのか……よくはわからないが、彼を刺した場所は、あらためて訪ねてもよいかもしれない。彼のからだに包丁の刃を突き入れた感触はいまも生々しく手に残る。なのに彼が死んだという実感は薄い。遺体を確認したわけではないからだ。

いま一度あの場所に立てば、確かに一人の人間を滅ぼしたという感覚を得られるかもしれない。

大勢の人に愛され、また感謝されていた命を、この手で奪った……さあ、そんな女がどうなるか、どうすべきか……亡霊めいた存在は消えるのか、逆に強まるのか……また、生きるにしろ、死ぬにしろ、その場に立てば、自分の進路に対する何らかの答えが得られるのではと期待した。

元々少ない身の回りのものをさらに処分し、小ぶりのボストンバッグ一つに納まるだけのものを持って、シャツにジーンズ、サンダルという軽装で町を出た。駅前で帽子を買って目深《まぶか》にかぶり、電車を乗り継ぎ、その日の昼過ぎには、戻らないはずだった東北の町に着いた。

人目を避けてバスに乗り、周囲に人家のないバス停からは歩いて、朔也と暮らした寺とはちょうど町の反対側にあたる、小高い山へ登った。

山の五合目付近には、大きい公園がある。かつては産業廃棄物処理場が設けられ、他県からも廃棄物が集まっていた。地下水に有害物質が流れ出ていたことが判明して問題となり、産廃業者が倒産したこともあって、税金で埋め立てるほかはなくなり、跡地に名目だけの展望公園が設けられた。地面のところどころにガス抜きの管が立ち、異臭も漂いつづけ、降雨のあとには緑色や黒い液体が滲《し》み出てくる。この公園で遊ぶ住民は、開設当初からほとんどいなかった。

九月上旬の平日、日はまだ高いが、やはり登る途中で人や車とすれ違うことはなかった。

倖世は、サンダルばきで来たことを後悔しつつ、息を切らして公園まで登り、あの日、朔也に連れてこられた場所に立った。草も木も生えておらず、乾いた黄褐色の土が広がるだけの空間は、いまも当時と変わらない。事件を想起させる何かが残っている様子もない。

ただ、公園とは名ばかりの空き地の中央付近に、ぽつんと一つ、影が揺れていた。

2

展望公園はサッカー場が二つ入るほどの広さがあり、南に向けて大きく開け、南端に立つと町を一望できる。その先は急な崖となり、手前にガードレールが設けられていた。

倖世は、かつてそのガードレールに思い切り顔をぶつけられ、額を切った。雨が降りしきるなか、地面に仰向けに倒れた彼女に、朔也が怒りにたぎる顔を近づけてきた……。

痛みをともなう記憶が胸を焼く地点から、少し離れた位置に、男が立っている。

身長は朔也と同じくらいに見えるから、百七十余りか。細身で胸が薄く、白いTシャツに色落ちしたようなジーンズ、斜め後ろからで顔は見えないが、日焼けしているらしく肌が浅黒い。

男は、こちらに気づかず、足元に置いてある大きなリュックの脇に左膝をつき、右手を宙へ挙げ、左手は地表すれすれに伸ばして、次にその両手を胸の上で重ね、こうべを垂れた。

倖世は動悸《どうき》がするのを感じた。男の姿勢が、死者に対する祈りのように見えたからだ。

男は朔也の冥福を祈っているのだろうか。場所からして、そうとしか思えない。男は何か唱えているらしく、唇が動いている。相手に見られる前にここから逃げ出す、ということも考えながら、好奇心のほうがまさって、倖世は彼のほうへ歩みを進めた。

足音に気づいたのだろう、男が顔を上げた。倖世を見ても表情ひとつ変えず、静かに立ち上がる。やや面長で、髪は長めだが、目が隠れるほどではない。シャツには皺が寄り、ジーンズはところどころ裂けている。なのに不潔な感じはせず、怖くも思わないのは、目に警戒や媚《こ》びの色がなく、友人を迎えるようなしぜんな親しみが、からだ全体からにじみ出ているからだろうか。

「こんにちは」

彼が丁寧な会釈をして言った。

思いがけない言葉に、倖世は帽子をかぶったまま会釈を返した。

「……あの、こんなところで、何をしてらっしゃるんですか」

と、喉の奥から声をしぼり出すようにして尋ねる。

「或る方を、いたませていただいていました」

男の声は細く、おだやかな声音《こわね》だった。

「どういう意味ですか」

倖世は、それが〈悼む〉だろうとは、彼の姿勢から察しながらも重ねて尋ねた。朔也と同年代にも見えるため、学校時代の同級生だろうか、と想像を巡らせる。

「ここで人が亡くなられたものですから。それで、悼ませていただいていたんです」

「なんという方が、亡くなったんですか。その方のお名前は……」

「甲水朔也さんとおっしゃる方です」

倖世は、声に動揺があらわれないよう気をつけて、

「その方の、ご家族ですか。それとも、親しいご友人だったとか」

「いいえ。一度もお会いしたことはありません」

「え……では、お仕事上のつながりか何か」

「それが、どんな関係もないと申しますか……いわゆる一般的なつながりは何もないのです」

倖世は相手を凝視した。男はなお平静な表情を崩さない。

「あの、どういうことでしょう。関係もつながりもなく、なのに悼まれるって……」

すると相手は、青い空の下でこそ映《は》えるような明るい笑みを浮かべ、

「失礼ですが、甲水朔也さんのお知り合いの方なのですか」

と、逆に尋ねてきた。倖世は、否定しかけたが、いまさら遅いのにも気づき、

「ほんのちょっとした関わりがあるだけです」

「でしたら、少しでも結構ですので、甲水朔也さんのことを教えていただけませんか」

真意がわからず黙っていると、相手はこちらの不審を解こうとするように言葉を継いだ。

「甲水さんが四年前に亡くなられたのは、当時の新聞で知りました。三年前にここを訪れ、ふもとの商店で、亡くなった場所と、甲水さんのことを教えていただきました。博愛的な方で、実家のお寺の隣に、家庭内暴力を受けている女性のためのシェルターを作ったり、身寄りのないお年寄りのためのグループホームを作ったりして、多くの方に感謝されていたそうですね」

「三年前にって……？　いったいどういうことですか。もしかして、あなた、警察の方？」

「ただの旅行者です。ずっと旅をしています。甲水さんが亡くなった四年前は、北陸にいました。翌年、この町を通るルートを選んだため、伺えたんです。ここ二年間は、別のルートを行き来していたので、来られず、今年はこの町を通って南下する道を選んだので、また伺えました」

「……何をおっしゃっているのか、わたしにはまったく」

「すみません。よく言われるんです、説明が下手だって。新聞や雑誌やラジオ、また人に教えていただいて知ることのできた、亡くなった方々のことを、訪ねて、悼んでいます」

ますますもって理解できない。何か宗教めいた旅のようには聞こえ、

「つまりあなたは、僧侶か修道士のような方で、修行の旅をなさっているということですか」

「とんでもない。どういった資格も権利もない、何者でもない人間です」

「……では、どういった目的で、亡くなった人を訪ねるなんて旅をなさってるんです」

「目的はべつにありません。ただ、人が亡くなられたことが、残念なものですから」

次第にからかわれているような気がしてきた。質問を探しあぐねていると、男が先に尋ねた。

「あの、甲水さんは、どういった方だったでしょうか」

「どう、と言われても、ひと口には……」

「彼は、どういった方に愛されていたでしょう。どんな方を愛していたでしょう。どんなことで人に感謝されたことがあったでしょうか。具体的に教えていただけると、有り難いのですが」

その問いには、ある種の悪意のようなものさえ感じた。意図が理解できないのはもちろん、愛だとか、感謝だとか、朔也が妻に殺された事実を、この男はどう考えているのだろう。

「あの、あなたは、甲水さんがどんな亡くなられ方をしたか、御存じではないのですか」

「新聞を読みましたから、記事に書かれていたことは、知っています」

新聞に自分の顔写真は掲載されただろうか……。倖世は帽子を取る誘惑に駆られた。この現場

から病院へ搬送され、そのまま逮捕された彼女には、新聞を見る余裕はなかった。

「でも記事には、甲水さんがどんな方だったか、詳しくは書かれていませんでしたから」

男の表情にも声にも、倖世が夫を殺した犯人だと疑っている気配はない。

朔也の隠された行状《ぎょうじょう》をすべて話したい欲求がこみ上げてくる。なぜ人徳者と思われていた彼が、妻に暴力を振るい、殺そうとしたのか。なぜ、妻を殺すと語った映像を残したのか。

「幼い頃から、神童と言われていたそうです」

倖世は、欲求を無理に押さえ込み、人々に信じられている通りの朔也の人物像を口にした。

「頭の回転が速く、責任感もあって、誰にでも優しく、子どもたちはもちろん、先生や保護者たちまでが、憧れと期待の目で彼を見ていたと言います。小中高と生徒会長に選ばれ、トイレ掃除など人の嫌がる仕事も率先しておこない、いじめがあると聞くと、いじめる側を注意するだけでなく、彼らのなかの善良な心を掘り起こし、いじめられた側の苦しみも癒して、双方のわだかまりを解きほぐしたそうです。大人にもできないことを、彼は上級生にまでおこなっていました。お寺の講堂で開かれていた少林寺拳法の教室で鍛えていたせいか、内から発する圧力のようなものが身に備わって、彼に見つめられるだけで、どんな不良も静かに話を聞いたと言います。そんな彼に、女子生徒はみんな恋をし、男子全員が友人になることを熱望したという話です」

自分はなぜこんな表面的なことばかりを話すのか。真実はあまりに奇怪で複雑で、きっと誰にも信じてもらえない。それがわかっているから、裁判では黙っていたし、いまも同じだった。

「地方の小さな寺を継ぐことで終わるのを、周囲は残念がり、彼の東大進学の希望を後押ししました。彼に弟がいたことも影響したようです。弟は腹違いで、朔也さんの実の母親は、彼が五歳の頃に事故で亡くなったそうです。再婚で来られた女性との仲はうまくゆき、のちに生まれた弟を、彼は非常に可愛がって、自分が進学する代わりに、彼に寺を継がせてやってほしいと父親に申し出たそうです。義理の母親は、泣いて彼に御礼を言ったと聞いています。彼は、大学で政治学を勉強し、政治家の事務所でアルバイトをして気に入られ、順調に進めば、政治家か官僚かと、周囲は大いに期待したそうです。でも彼は卒業寸前、町へ戻ってきました。寺がさびれかけていたのを知り、父や弟を支える仕事に専心するようになったのです。地主から裏山をゆずり受け、地域の人々のために美しい霊園を開発したのが手始めです。宿泊施設を備えた葬祭センターを寺の隣に建て、遺族の意向に沿った葬儀をおこなう方針で運営しました。また、葬祭センターの従業員宿舎の一部を、DV被害者の女性たちのシェルターにして、女性たちはセンターで働いてお給料をいただき、自立の準備ができるようになっていました。古い講堂を改築してグループホームにし、身寄りのない高齢者を受け入れ、亡くなった場合は、手厚いお弔《とむら》いも出していました。彼のおかげでお寺は再興し、町の人々の新たな心の拠《よ》り所となって、人々はしぜんと彼のことを、仏様の生まれ変わりかもしれないと、口にするようになったのです」

　表面的にしろ、朔也の生涯について語ることになって、あれもこれもと思い出され、倖世はついしゃべり過ぎているのを意識した。慌てて言い訳気味に、

「実は、わたしの祖先の菩提寺が、朔也さんのお寺だったんです。母と祖母の遺骨を持って訪ねたおり、たまたま失職中だったわたしも葬祭センターで雇っていただけて、周囲から朔也さんの

話を聞きました。わたしも直接、彼の言動を見聞きしました。ですから、先ほどのあなたの問いへの答えですけど……彼は、出会った人すべてに、愛されたと言っていいと思います。そして、彼の行動は、地域の人ほぼ全員から感謝されていたと言えるはずです」

倖世は、自分が彼の妻で、殺害者でもある事実については隠したまま、ひとまず朔也のことを話し終え、大きく息をついた。背後から、くすくすと笑う声が聞こえてくる気がした。

《どうして、本当のことを話してやらないんだい。》

耳もとでささやかれた声を無視し、これで話は終わりです、と目の前の男に告げる。

「ありがとうございます。参考になりました。では、あらためて悼ませていただきます」

男は、晴れやかな顔で答えると、今度は右側の膝を地面についた。ジーンズの両膝ともすり切れているが、このような姿勢をよくとるのだろうか。彼は右手を頭上へ挙げ、左手を地面近くへ下ろし、それぞれの場に浮遊する花の種子でも集めるように、両手を胸の前で重ねた。

男がいま膝をついている辺りが、朔也を刺した場所だったように、倖世には思えてくる。

あのとき、園内は街灯がまばらで、水たまりの色などわかるはずがないのに、記憶のなかでは真っ赤に染まっている。廃棄物の悪臭と、雨と泥と人間の汗が混じった臭いを、いまも鼻の奥に感じる。朔也の背後から脇腹を刺した。さらに、倒れ込んだ彼の、心臓へ向け、鋭い刃先を突き入れた。朔也は、息が絶える直前、倖世に向かって何かをささやいた。

そうだ……。あのとき口にされた言葉の意味が、いまだに倖世はわからない。なぜ彼があんなことを言ったのか。真意は何か。謎のままだ。

公園は、初秋の昼下がりの陽射しに凡庸に照らされて、男が膝をついて何やら祈っているほかは、動くものもない。倖世は漠然とした不安を抱えたまま立っているうち、自分はここで夫を刺しはしたけれど……実は彼は死んでいないのではないかという疑いが湧いてきた。

彼女は、意識のない朔也とともに病院へ運ばれ、そのまま逮捕されて、結局彼の遺体は見ていない。自分は罠《わな》のようなものに落ちたのではないか。すべては策略で、朔也はいまも生きており、だから背後に感じる彼の存在も、錯覚に過ぎないのではないか。そんな期待が生じた。

いま朔也のことを祈っているらしい男が、真実を知っている予感がした。

倖世は、相手の隣にしゃがみ、耳を澄まして、彼が何をつぶやいているのかを聞いた。

「あなたは、可愛がっておられた弟さんにお寺を任せ、ご自分は裏方としてお寺や家族を支える仕事をされていたそうです。多くの人に美しい弔いの場を提供され、遺族の意向に沿った葬儀をおこなう葬祭センターを運営し、また家庭内暴力の被害者のためのシェルターや、身寄りのないお年寄りのためのグループホームを作り、人々にとても喜ばれたそうです。多くの人が、あなたを大切に思い、また会った人すべてがあなたを愛したと言います」

彼が口にしているのは、倖世がついさっき話した内容の要約らしい。わざわざ言い直す理由はわからないが、べつに反発するほどのことでもない。と、男はつづけて言った。

「何よりあなたには、このことを伝えてくれる女性がいます。いまもあなたを想っておられます。あなたは、この女性のなかに、いまなお生きる力を持っていらっしゃるんです」

彼の言葉が、耳から入って、胸の奥へ届いたとたん、倖世は悲鳴を上げた。

3

公園の端のガードレールにもたれ、空嘔《からえずき》を繰り返した。苦しさに涙がこぼれそうになる。

「大丈夫ですか。水を持っていますけど、必要ありませんか」

背後からの声に、腋《わき》の下から振り返る。先ほどの男のスニーカーが見えた。

何だろう、この男は……あんなことを言っておいて……。不審と怒りがこみ上げてくる。

いらないと答えかけ、口のなかが粘ついた。円形の水筒が倖世の斜め後ろから差し出される。

錯覚だろうが、清浄な水の匂いを感じ、渇きがつのった。礼を言うのも忘れ、水筒を受け取る。

手のひらに水を受ける。全身に清い冷たさが行き渡る。濡れた手で、額と頬のほてりを冷ました。

帽子を落としていたことに気づいたが、ともかくいまは澄んだ水の心地よさに浸《ひた》りたくて、さらに首筋を冷やし、喉へも流し込んだ。またたくまに水筒は軽くなり、

「あ、こんなに使ってしまって……」

男のほうを振り仰いだ。彼は少し離れた場所で、彼女の帽子を手に立っている。

「平気ですよ、全部使っても。またどこかで汲みますから。それより気分はいかがです」

「ええ、もう……」

倖世は、水筒の蓋《ふた》を戻し、ガードレールを支えにして立ち上がった。男が帽子を差し出す。彼女は礼を言って受け取り、水筒を返した。そのとき初めて目に留まったが、男はからだが細身な

のに比べ、手がやや大きかった。指が長いだけでなく、手のひらも厚みがある。

《この男は何者なんだ。》

朔也の声がした。これまでより強い気配を、右肩のところに感じる。振り向くと、朔也の首があった。いままでは鏡を通してしか見えなかったのに、背後からひょいと顎を肩に掛けるかたちで、朔也の美しい顔がある。色の白さはかつてのまま、細い眉を心持ちしかめて男を見ている。

《わたしが、きみのなかにいまなお生きる力を持っていることを、言い当てるなんてね。もしかしたら、きみが誰で、わたしに何をしたか、すべて知っているのかもしれないよ。》

これまでささやくようだった彼の声も、いまは通常の人が話す大きさに聞こえる。

倖世は目の前の男に視線を向けた。彼に朔也は見えているのか。声は聞こえているだろうか。

「聞こえましたか、いまの言葉……。ここに、この肩のところに、見えますか？」

右肩を少し前に出すようにして、相手に尋ねてみる。

男の視線は、倖世の顔の上にとどまり、朔也に向けられることはなく、

「……聞こえたか、とは何のことですか。何が見えるとおっしゃってるんです」

《うちの寺の誰かが雇った、探偵の可能性もあるね。》

確かにそういうこともあるかもしれないと思い、倖世は自分の言葉で尋ね直した。

「あなたは、甲水家の人が雇われた方ですか。わたしに何か御用なのでしょうか」

《出所後ずっと見張っていて、ここへ来るとわかり、先回りして、注意する気だったのかな。》

「お寺に戻るつもりはありません。ここへ来ただけでも約束違反と言うなら、お金は返します」

「何か誤解されていらっしゃるようですけど、甲水さんとは本当に何のつながりもないんです」

謝りでもするように、男が少し頭を下げながら言う。朔也が鼻で笑い、

《見ず知らずの人間が、どうしてわたしのことを祈るんだ？　理由がないじゃないか。》

何が望みかはっきり言ってくれと、倖世が相手につめ寄ろうとしたとき、山側から突風が吹き、彼女の持っていた帽子をさらった。帽子はガードレールをやすやすと越え、崖の下へ落ちてゆく。目で追いかけるうち、帽子の運命をつい自分と重ね、いっそこのまま自分も帽子を追っていければ、抱えている悩みや迷いから解放され、どれだけ楽だろうかと思った。

《ほう、本気かい。その気なら、べつに難しいことじゃないだろう？》

朔也がさめた声で言う。かえってそそのかされる想いで、ガードレールに手を掛けた。朔也のいない左肩の上に手を置かれた。ぐっと地上に押しつける重みを感じる。

「帽子は、残念でしょうけれど……あきらめるより仕方がありません。ここに、まだしばらくいらっしゃいますか。それとも、もう下りられますか」

男のこれまでと違った低く響く声の調子から、身投げを心配されているのを感じた。

「……あなたは、このあと、どうするつもり？」

倖世はガードレールから手を離して尋ねた。男も彼女の左肩から手を離し、

「ぼくは、急ぐ旅ではありませんから、あなたの気分がよくなるまで、ここにいます。もし下りられるなら、ご一緒します」

それを聞いて、朔也が愉快そうに口もとをほころばせた。

《きみが山を下りるまで目を離さないつもりらしいね。下で、寺の連中が待っているのかな。》

倖世は、あの夜、朔也を刺したと思われる場所へ視線を送った。ところどころガス抜きの管が突き出ている黄褐色の土が広がる地面と、雨のなかで朔也と絡《から》まり合ったときの情景とは重ならない。自分が握った包丁の刃が、朔也の鍛えられた肉を裂き、静かに内部へ呑まれていったときの感触が、手に強く残っていながら、彼の死の実感へつながらないのと同じように。

しかもいま、肩の上には朔也の首が乗っている。これは亡霊なのか。それとも別次元の、はかりしれない存在か。目の前の男が口にした言葉……朔也は彼女のなかにいまなお生きる力を持っている……という言葉によって、彼女の内に閉じ込められていた朔也が、解放の呪文を聞いたかのごとく、外へ出てきたのだろうか。朔也が存在しているのは、いまや彼女の内側ではなく、外側だ。たとえ彼の肉体が滅んでいたとしても、真の意味で死んでいないのではないか……。

「もう下ります」

これ以上ここにいても意味はない気がする。朔也が死んだのはここではない。死んでさえいないのかもしれないのだから。倖世は、地面に放り出していたバッグのほうへ歩み寄った。朔也のいる右肩がやや重く感じる。バッグのショルダーストラップを左肩に掛けてみた。朔也の首と重さの釣り合いが取れたように感じて、なんとなく落ち着く。

例の男は、重そうなリュックも慣れた仕草で簡単に背負った。リュックの上には、大きめの寝袋が丸めてくくり付けられている。彼の視線に促され、倖世は後ろからついて歩いた。

外見がひ弱な印象のわりに、男は重心の低いしっかりとした歩き方をする。山道を下っていく途中、何度かこちらを振り返り、彼女を確認すると、柔らかな笑みを送ってよこした。

《ほら、手でも振ってやればどうだい。》

そのつど朔也がからかうが、倖世は黙って歩いた。

ふもとに下り、町の中心部へとつづく道の端で、男は倖世を待っていた。ほかに人の姿はない。

倖世は注意深く周囲を確認してみたが、やはり人が潜んでいる気配はなかった。

「大丈夫ですか。もう気分は悪くないですか」

男の気づかいに対し、倖世はなお辺りをうかがいながらうなずいた。

「このあと、どこへ行かれますか。よければ、そこまでお送りしますけど」

男が言う。どこといって、倖世にはもう行くあてはない。

「……あなたはどこへ行くんですか。甲水さんのお寺へ、報告へ戻られるの？」

鎌をかけてみたところ、男はひたむきな目でこちらを見つめ返した。

「お寺へは一度も行っていません。いまから、町の中央を流れている川に架《か》かった橋の一つに向かうつもりです。その橋の下で生活されていた男性が、四ヶ月前に亡くなったものですから」

倖世は、言葉の意味がよく理解できず、

「どういうことですか……朔也さんと、その人とが、何か関係があるんですか」

「甲水さんに関しては、あなたにお話が聞けたおかげで、とてもよい悼みができました」

「できたから、何だと言うんです……」

「次に伺うのは、また三年後か、あるいは旅の行程の都合によっては、もう少し先になるかもしれませんが、そのおりにまた、あの場所で悼ませていただくつもりです」

「次にまた三年後？　朔也さんを悼んだのは、今日で二度目とおっしゃいましたよね。なのにまたって……。あなた、本当に何者なんです。何が目的なんですか。正直に話してください」

「正直にと言われても……。何者と言えるほどの人間ではありませんし、亡くなった人を悼んで歩いているだけです。目的は……ただそうしたいから、ということになるでしょうか」

「嘘ばかり言わないで。そんなのおかしいでしょっ」

苛立ちの余り、声が裏返りそうになった。朔也もさすがに呆れた顔つきで、

《なかなか口を割らないね。じゃあさっきの祈りの言葉はどういう意味で言ったんだろう。》

彼の言葉を受けて、倖世は胸がひりつくように痛むのをこらえ、

「では、どうしてさっき、わたしのことを引き合いにして祈ったんですか」

「何のことでしょう」

「とぼけないで。あなたが朔也さんのことを祈っているとき、気になって耳を澄ましたんです。わたしのなかに、彼がいまなお生きる力を持っているって、そう祈ったでしょ？」

「ああ……あなたのお話を伺っていて、そう感じたんです。あなたという人がいることで、甲水朔也さんは、ほかの人とは違う存在として際立《きわだ》つと思ったものですから」

朔也が首を揺するようにして笑った。

《きみによって、わたしが違う存在になったのは間違いない。殺されたのだからね。》

倖世はそれを無視して、男に強い語調で、

「彼がほかの人と違う存在だからって、それがあなたに何だと言うんです」

「悼みやすくなるんです。誰にも代わることのできない、ただ一人の人物ということで。ぼくがしているのは、それだけなんです。亡くなった人を悼むこと、覚えておくということ」

彼は、こうした問いに慣れているのか、取って付けた印象はなく、しぜんな口調で答えた。

「でも、あなたにとって、その亡くなった人って、見ず知らずの相手なんでしょう？」

「ええ。ですから、近しい方にお話を伺って、どんな人物だったか、詳しく知りたいんです」

《なんだか宗教くさい匂いもするね。もしかしてどこかの教団の一員じゃないだろうな。》

倖世は、男の持ち物に、属している集団の目印のようなものがないか、目で探しつつ、

「あなたがどんな信仰を持っていようと自由ですけど、朔也さんのことからもう離れて、別の人のもとへ行くというのはなぜです。橋の下で生活してたって、その人、ホームレスなんですか」

「だろうと思います。亡くなったのを新聞で知ったので、いまから伺うというだけです」

《彼はきみをからかっているのさ。わたしとホームレスが同じ扱いとなるわけがないだろう。》

「わかりました。あなたは、わたしをからかってるんですね」

「とんでもない。人をからかったりなどしません」

《とすれば……この男は、精神を病んでいる可能性がある。》

「あなたは、失礼だけど……ご病気なんですか」

するとと男は、ようやく理解されたとでも思ったのか、ほっとした表情でうなずいた。

「ええ、ぼくもそう思っていただければよいと考えていたところです」

4

男が何者であろうと倖世には関係ないことだった。まして病人であると彼自身が言っているのだから、放っておけばよい。だがここで別れれば、朔也と自分との結びつきを誤って覚えられたままになる。朔也とホームレスとを同等に扱うのも理解できないし、死者に対する彼の行動にどんな意味があるのか、本当に口にしたような旅をしているのか、確かめたくもあった。

「わたしもその、ホームレスの人が亡くなったという場所へ、ご一緒してもいいですか」

倖世は男に求めた。彼は少し驚いた様子ながら、

「ええ、それは構いませんが……まっすぐ橋へ向かうわけでもないんです」

亡くなった人物のことを知るために、途中で店などを訪ねて歩くという。ともかく何もわからないなりについていくことに決め、好きにしてもらってよい、と倖世は答えた。

男の歩みは、一歩一歩が慎重で、何か探しているのか、ときおり顔を道の両側へ振る。

倖世は、サンダルばきで山を上り下りした疲れもあり、彼の遅い歩みは都合がよかった。

《寺からは遠いが、もしも知り合いに会ったら、しっかり挨拶するんだよ。》

朔也は、彼女の肩の上から離れず、周囲を眺めながら皮肉を含んで言う。

倖世はかつてこの町に二年間暮らした。寺の近くで過ごすばかりで、この地区はほとんど訪れたことがないが、檀家の者の家が何軒かあるはずだし、ニュースで見て倖世の顔を記憶している

人物がいる可能性もある。帽子をなくしたため、人の気配がしたときは、深く顔を伏せた。

「こんにちはー」

前を行く男が明るい声を発した。視線の先には、家の前の路上で車を洗っている初老の男性がいる。倖世は距離を置いて見守った。男は初老の男性に歩み寄り、水をわけてもらえませんか、と頼んだ。控えめに水筒を出す彼の態度に、初老の男性も警戒を解いてか、水を注いでやった。

「四ヶ月前、橋のところで亡くなった人物のことを、御存じありませんか」

男が尋ねた。初老の男性は、何のことかと首を傾げたあと、思い出したのか、顔をしかめて、

「ああ、悪ガキどもに殺されたホームレスのことかい？」

事件当時は大きな騒ぎになったのかもしれない。初老の男性は、事件を起こした地元の少年たちの家庭環境や日頃の行動についてまで、洗車の手を止めず細かく話す様子だった。

倖世に話のすべては聞き取れなかったが、ひととおり相手が話し終えたところで、

「ありがとうございます。それで……亡くなった人のことですけど、何か御存じでしょうか」

男がふたたび訊いた。初老の男性は不満げな表情で、いや何も、と首を横に振った。

男が礼を言って歩きだす。倖世は顔を伏せて追った。朔也が彼女の肩の上から初老の男性に向けて、この女はわたしを殺した女ですよ、と訴えかけた。相手は振り向きもしなかった。

次に男は、開いている新聞販売店へ入っていった。倖世が店をのぞくと、彼は経営者らしい中年夫婦と話している。彼が外へ出てくるのを待って、何かわかったのかと尋ねてみた。

「いいえ。あの人たちの記憶では、全国紙にも地方紙にも、逮捕された少年たちのことはいろい

ろと書いてあったけれど、亡くなった方のことはほとんど載っていなかったそうです」

このあとも彼は、小さな洋品店、米穀店、そば屋、薬局、ガソリンスタンド、古びたスーパーマーケットなどを訪ねて、亡くなったホームレスの男性のことを尋ねた。

古びたスーパーでは、男は割引の値札がついた食パンとバナナを買い、トイレを借りた。倖世も空腹を覚えて、サンドイッチとジュースを買い、同じくトイレを借りた。男は駐車場の隅の日陰に座って食事を始め、ほかに適当な場所がないので、倖世は彼の隣に腰を下ろした。

町の中央を流れる川にたどり着いたとき、太陽は西の方角に連なる山々のすぐ上に傾いていた。川は遠く奥羽《おうう》山脈を水源として、川岸を含めて幅が百メートル近くある。倖世がこの町に暮らしていた頃は、坂の上にある寺から、朝な夕なこの流れを眺めたものだった。

男は、橋をしばらく進んだ辺りで足を止め、下の流れに目をやった。

倖世がよく使っていたのは、これより上流に二本のぼった橋だ。川沿いの土手には、桜並木がつづいている。かつて満開の桜の下を、朔也と並んで歩いたことを思い出す。

彼に求婚されたとき、からかわれていると思った。夫の暴力から逃れてきた何の取り柄《とえ》もない彼女が選ばれるなど、周囲も信じられない様子で、冗談だろうと受け流していた。朔也が本気だとわかって、皆そろって反対し、代わりの縁談が幾つも持ち込まれた。なかには県内の有力者や名士の娘もいたと聞く。なのに、朔也は倖世との結婚を貫いた。倖世自身は状況がわからないまま、朔也と周囲とのあいだで翻弄《ほんろう》され、彼の申し入れについて落ち着いて考える余裕もなかった。

それでも、倖世が寺を初めて訪れたときと同様、朔也が優しく接しつづけてくれたため、本当に自分でよいのかという恐れを抱きながらも受け入れた。彼の腕のなかで、これが本物の愛だと何度も思い、一生この人を愛していくと心に誓いもした。それがなぜ、あんなことに……。

《きみが一生の愛を誓った？　それは初めて知ったなぁ。》

倖世の心が読めるのか、朔也が肩の上で当てつけがましいため息をつく。ついかっとして、

「あなたは違うでしょ。わたしのことを、何とも思っていなかったでしょ」

《いや。きみがいいと思ったのは本当だよ。》

「自分の願いを叶える人形として、必要だっただけよ。決して愛していたわけじゃない」

涙がこぼれそうになり、橋の欄干《らんかん》をつかんで、感情の乱れをこらえた。

あかね色に染まってきらめく川面が、公園の街灯に照らされた朔也の裸身を思い起こさせる。

つらくなって顔をそらすと、橋の上にいた例の男の姿がなかった。周囲を見回し、橋のたもとまで戻り、橋の下を見られる位置に立った。がらんと何もない空間で、男はちょうど石ころだらけの地面に片膝をつき、右手を宙に挙げ、左手を地面すれすれに下ろすところだった。

倖世は土手を下って、男のそばへ進んだ。ホームレスの男性が暮らしていた場所だというが、テントなどは撤去されたのか見当たらず、慰霊碑めいたものも、当然だろうが、どこにもない。

やがて男が、胸に当てていた両手を下ろして、立ち上がった。

いろいろな人を悼んで回っているというのは、やはり本当のことなのだろうか。

《どうかな。きみの手前、ふりをしているだけかもしれないよ。》

朔也が冷静に言う。《現実的に、彼の祈りは中身がないものだからね。》

どういうこと。倖世は口に出さずに訊いた。

《彼はわたしのことを祈るとき……彼の言葉では、悼むと言ったかな……まあどちらでもいいが、わたしが誰に愛され、誰を愛し、何によって人に感謝されたことがあったかを、きみに尋ねたね。しかしホームレスの場合、孤独な暮らしにおいて、誰が彼を愛する？　彼は誰を愛せた？　感謝に値するどんな行為をなし得るだろう。祈るにせよ、悼むにせよ、内容は何もないはずだ。》

倖世は、下ろしていたリュックを背負おうとしている男に歩み寄り、

「いま、ホームレスの方の冥福を祈っていたようですけど、その方、名前もわからないんでしょ。実際のところ、どういった風にも、祈れないんじゃないですか？」

いきなりで多少ぶしつけかとは思いながら、朔也のそのかしもあって、尋ねてみた。

男は、すぐに答えようとはせず、橋脚《きょうきゃく》の根元あたりを振り返った。鉄骨を支えるコンクリートの台座の上に、黒や白黒ぶちの毛をした、首輪のない猫が三匹、ちょこんと座っている。

「町の方々に伺った話では、男性はヤマネと名乗っていたそうです。こう見えてもまだ五十三歳だと笑ったこともあったらしいです。彼が、川べりのごみや空き缶を拾ってまとめたものを、自治会の人が受け取り、そのつど千円ほど渡していたという話も聞きました。行政は動かないし、業者に頼むと費用がかさむので、おおやけには言えないけれど、地域住民には感謝されていたということです。川べりを散歩する人たちも、ごみを拾った人物を知らなくても、周囲がきれいになったのを喜んでいたろうと思います。また、ヤマネさんは捨て猫を可愛がっていたそうです。猫のほうでも彼を慕っていたようです。ですから、そのように悼ませていただきました」

倖世は、予想もしなかった答えに、即座に言葉を返せなかった。代わりに朔也が笑いだし、

《空き缶を拾って感謝された？　ばかばかしい。ただの飲み代《しろ》を稼ぐための行為じゃないか。名前だって偽名に決まってる。あと、猫がどうのこうのと、まったくくだらない妄想だ。》

朔也の言葉はもっともに聞こえた。倖世は、そのまま男に告げてみることにした。

「空き缶やごみを集めたのは、お金のためだろうし、名前も年齢も本当とはかぎらないでしょ。猫のことなんて、あなたの勝手な思い込みじゃないんですか？」

「思い込みでもいいと思っているんです。大切なのは、亡くなった方を自分のなかにどう刻んでいくかなので、何かしら、その人らしさを表すものを見いだせればよいと、考えています」

相手は動じる様子もなかった。倖世はますます話が見えてこず、

「冥福を祈るのに、どうして、らしさなんてものを見いだす必要があるんです？」

「冥福は祈っていません」

「え……じゃあ、何をしているんですか」

「自分流の解釈ですが、安らかにお眠りくださいとか成仏してくださいという想いが、冥福を祈ることだと考えると、家族やゆかりのあった人は、死者の生前の姿を思い浮かべながら、祈るでしょう。でも見ず知らずだと、死者の姿を思い浮かべられないので、宗教施設などで神仏に祈るのと似た、やや抽象的な行為になるだろうと思うんです。ぼくは、亡くなった人を、ほかの人とは代えられない唯一の存在として覚えておきたいんです。それを〈悼む〉と呼んでいます」

「その、悼むという行為をして、何になるんです。あなたにはどんな得があるんですか？」

倖世の問いに、相手は複雑な笑みを浮かべた。何度となく似た質問を受けてきたのかもしれない。苦笑とも照れ笑いとも違う笑い方が、どことなく慣れたものに見えた。

「何にもならないと思います。得なんて考えたこともありません」

《いやはや、何ともつまらない男にかかわり合ったものだね。倖世、もういいだろう。》

朔也が伏せた顔を横に振った。だが倖世は、なぜかまだ彼のことが気にかかり、

「これから、どこへ行くんですか。また誰かを悼みにいくんですか」

「ええ。道路工事の誘導をしていた女性警備員の方が、酒酔い運転の車にはねられて亡くなった現場が、橋を渡った少し先にあるはずなので、その方を悼みに伺います」

「え……殺人事件の被害者だけじゃないんですか。事故による死者まで悼むんですか」

「はい。亡くなった方はどなたでも、悼ませていただければと思っています」

「じゃあ、その次はどこへ……」

「隣町で、遺産をめぐるトラブルがあったらしくて、三十歳の男性が、五歳年上の兄と、二つ年下の妹から暴行を受け、亡くなっています。この方を悼みに伺う予定でいます」

《兄や妹に殺された？　では家族同士の愛はとても語れないね。どう悼むというのかな。》

朔也が少し興味を抱いたのか、ふたたび顔を起こした。直接言えばいいのにと思うが、相手には聞こえないのだから仕方がなく、倖世は彼の言葉を男に伝えた。

「その人は、家族に憎まれていたということですよね？　どのように悼むつもりなんですか」

「現場で話を聞いてみないとわかりませんが、友人や、職場の同僚とのあいだに、親しい交流が

あった可能性はあります。兄妹のあいだでも、幼い子どもの頃には、仲良く遊んで、互いに愛情を感じていた時代があるかもしれません。そうしたことを見いだせればと思っています」

「ちょっと待って。子どもの頃にまでさかのぼる……。そんなことして許されるんですか？」

男はまた、苦笑とも照れ笑いともつかぬ複雑な笑みを浮かべた。

「あくまでこれは、ぼくの心のなかのことなので」

《まったく笑わせるね。きみも、この男の前で死ねば、過去をひっくり返したり、妄想を駆使したりしたあげく、愛と感謝に包まれていた女として、まつり上げてもらえるんじゃないかな。》

朔也の嫌みを受けて、倖世は反発心から、思い切り反対方向へ走りだしたい衝動をおぼえた。

「確かめさせてもらっていいですか。本当におっしゃったようなことをされているのか」

「え。はい、べつに構いませんけど」

ここまで来るのを受け入れたのと同様、男はあっさり承諾した。拍子抜けの感もあり、

「お邪魔じゃないんですか。あなたの悼みというのは、神聖なものではないんですか」

「亡くなった方の神聖さを侵していないか、常に怖く思っています。訪ねるのは、おおやけの場所ですし、あなたが行かれるのは自由です。でも、ご自分の用はよろしいんですか」

倖世の用は、朔也を殺した実感を得て、人ひとり殺した自分の進路をあらためて見つけることだった。だが朔也はいま彼女の肩の上で存在感を強めている。目の前の男の言動は、死や愛や罪について、倖世の考え方に違和感をもたらすが、それは朔也も同じらしく、男を嘲笑しつつも戸惑っている様子が伝わる。ならば男の行動を追うことで、肩の上の朔也が何者であるかが鮮明に

ならないか、それによって自分の命をどう処すべきかが見えてこないものか、と思った。

《ばかなことはよしたほうがいい。死者をもてあそぶ病人と歩いても、何もわかりはしない。》

朔也が険しい顔で止める。彼女はかえって意地になり、目の前の男に告げた。

「わたしの用は、あなたの行かれる場所と、重なっているみたいです」

「でも、ぼくは野宿の予定です。それに、サンダルでは長く歩けないかもしれないですよ」

倖世は、橋の下からでも見える位置に落ちた夕日に目をやった。夏でもあり、べつに野宿でも構わないし、宿を取る金も十分にある。足のほうは、かかとと小指がこすれて痛くなっていた。試しにサンダルを脱ぎ、裸足で地面を踏む。ひんやりとして心地よい。

「靴を買えるまで、裸足で歩きます。宿泊は、そのときに考えます」

男は、心配そうに倖世の足元を見ていたが、仕方なく思ったのか、黙って歩きはじめた。

倖世も素足で土手へ上がる。バッグがずり落ちそうになり、リュックに買い換えようかと思いつつ肩を揺すり上げた。朔也の首が肩の上で小さく弾み、合わせて冷たく笑う声が響いた。

《本気かい。名前も知らない男に、殺されて埋められたりしないように気をつけることだ。》

倖世は、橋を渡ってゆく男の背中に声をかけた。

「あの、お名前を教えていただけますか。わたしは奈義倖世と言います」

振り返った男が名乗り、倖世は聞き慣れない名前に、それはどんな字なのか尋ねた。

「静かな人と書きます。自分には不似合いで、名前負けしている人間です」

はにかんで答える彼の表情に特別なものはなく、ごく平凡な青年を思わせた。

第四章　偽善者　（蒔野抗太郎――Ⅱ）

1

編集部へ入ってすぐのテーブルに、徹夜作業に備えて数種類のスナック菓子やコーヒーなどの飲み物が常備されている。蒔野《まきの》抗太郎《こうたろう》は朝早くに呼び出されて朝食抜きだったため、コーヒーを紙コップで二杯飲み、クッキーやポテトチップスなどの菓子類をひととおり口に入れた。

「もっとましな食いもんを置いとけねえのかよ。大手出版社の名が泣くぜ」

蒔野は、塩にまみれた指を音を立てて舐《な》めながら、編集部内に響く声で言った。

「偉そうなこと言うなら、あんたも共済金払いなさいよ。月千円ばかしをけちって」

見えないところから中年女性の声がする。グラビア担当のベテランで、彼女が編集部の各人から集めた金をやりくりして、菓子類などを買いそろえていた。

「ガキのお誕生会じゃあるまいし。アイドルの下ネタで事務所を脅して、いくらか出させろよ」

蒔野は、誰にともなく言い放ち、さらにドーナツを口に入れた。

声で気づいたのだろう、「キノさん」と、海老原《えびはら》が席から手招きする。彼の前に人が集まっていた。新人の成岡《なるおか》と、海老原の隣の班のデスクである川場《かわば》、あと見慣れない若い女がいる。

「野平《のひら》と申します。本来ジャーナリスト志望でしたので、よろしく勉強させてください」

川場の班の女性記者が二週間前に産休を取り、去年入社の営業部にいた彼女が異動してきたという。きびきびした物言いが、蒔野の別れた妻を思い起こさせた。別れた妻も別の週刊誌の記者だった。蒔野は夕刊紙の記者をしつつ、その週刊誌の風俗記事の下調べを請け負い、担当の彼女と知り合った。いま彼に挨拶した相手とは、顔も体型も似ていないが、わずかに胸がざわつく。

「キノやん。下谷《したや》の老夫婦殺しさぁ、彼女も連れてって、取材のイロハを教えてやってよ」

川場が言う。成岡の場合もだが、新人にまず蒔野という編集部で一番の毒をぶつけ、事件にも人にも免疫をつけさせようというのが、デスク陣の肚《はら》らしい。

「彼女も、キノさんの仕事ぶりを見たいそうですよ」

海老原が言う。声がいつもより柔らかい。つづけて川場が補足するように、

「評判がよかったからな、北海道三部作。社内にもファンができたみたいだぜ」

蒔野は、北海道出張から帰京したあと、石狩でのチンピラの発砲事件を記事にした。

中学時代の同級生二人が、社会から除け者《のけもの》にされるなか友情を深め、不良なりに互いを支え合って生き延び、やがて一人が風俗に堕《お》ちた初恋の女と再会……これまでの素行《そこう》を改め、女とまじめに暮らそうとした矢先、親友がふざけて試みたロシアン・ルーレットで、あっけなく死んだ。

その一生を青春物語風の悲劇に仕上げたのが、「エグノらしくない」と社内で好評で、海老原

にも、「こういうのを求めていたんです」と言われた。読者の反響もあった。懸賞応募の際に面白かった記事をアンケートで求め、集計してランクを付けているが、蒔野の記事が四位に入った。通常は特集記事がランクの上位を占め、企画枠の一記事が五位以内に入るのは異例だった。

ほかにも北海道ネタはないかと海老原に求められるまま、野球好きだった少年が交通事故で亡くなり、三年経ったいまも両親は事故現場に花束を供えつづけているという話を、雨の降りしきる北国の短い夏を背景に書いた。カメラ付き携帯電話でひとまず撮影しておいた、雨に打たれるユリの花と、花束のリボンに描かれたバットの絵の写真が、まさに花を添えた形で、編集長からも、「感動したよ。この路線でもう一丁ない？　枠は取るよ」と言葉をかけられた。

蒔野は、迷った末、母親の愛人から虐待を受けて死んだ赤ん坊のことを書いた。同じアパートに暮らす六歳の女の子二人が、いまも赤ん坊をいとしく思い出し、「ほっぺがやわらかかったよ、かみもふさふさしてたよ」と、泣きながら記者に語ったと記事にして、『祈る二人の天使』と題し、やはり当時撮っておいた、胸の前で手を合わせる女の子二人の写真を添えた。社内の評価は高く、幼児虐待への批判を別の視点から描いていると、同誌にコラム枠を持つ高名な評論家からも感想が寄せられた。海老原はにこりともせず、「契約更新は問題ないでしょう」と言った。

蒔野は少しも嬉しくなかった。石狩の記事は無意識だったが、つづいての二本は、明らかに或る男の行動を意識して書いた。原稿に起こす際、蒔野自身も、人間が内面に抱えている繊細な部分にふれてみようとしたことを否定できない。そんなことは自分に似つかわしくないと思うのに、ついその方向へ筆が走った。できれば、原稿を提出した段階でボツにしてもらいたかった。なんだこの甘い記事は、と突き返されることで、あの男に対する蒔野の否定的な感情を、確かなものにできたかもしれない。しかし、一本目、二本目と好意的に受け入れられ、今度こそボツだろうと、さらに甘く書いたものが、ファンまでできたなどと言われる始末だ。

「おれの場合、仕事ぶりより、腰の振りを経験したほうが、勉強になるんですがね」

蒔野は、ぼやくように言い捨てて、出口へ向かった。すぐに成岡たちが追ってくる。

会社の前でタクシーを拾おうとしたとき、ずっと何か言いたそうにしていた成岡が、

「あの、言い遅れましたけど、ぼくも今回の蒔野さんの記事、とても面白く読みました」

声が少し上ずっているのも気分が悪く、うるさいと言い返すのも面倒で、蒔野はタクシーを止めると奥の席に陣取り、目的地まで眠ったふりをした。

上野から下谷へ出て、鬼子母神《きしもじん》の前で車を降りる。曇っているが蒸し暑い。神社と商店が点在する道を奥へ入ってゆく。各家の壁に這《は》わせた朝顔のつるが伸び、さらに路地を狭くしている。

古くからあるこうした家の一軒で、ひと月前に六十三歳の男性と、同い年の妻が殺害された。強盗殺人事件として警察は捜査を進めていたが、三日前、万引きで逮捕された五十六歳無職の男が、二人の殺しを告白した。男は被害者宅の近所のアパートで暮らし、被害者とは以前飲み屋で顔なじみになったという。借金を申し込んだところ、断られたのでかっとした、と話した。

被害者宅に着くと、玄関にはまだ警察の立入禁止のテープが張られていた。マスコミも野次馬もおらず、警官の姿もない。犯人の逮捕は三日前とはいえ、事件そのものは一ヶ月も前であり、人々の関心は薄く、町ぐるみで早く忘れ去ろうとしている雰囲気さえ感じる。

蒔野は、新人二人に、記事になりそうなことを聞き込んで、ネタが十分に拾えたら連絡するようにと言い残し、みずからは、歩く途中で見つけていた古い中華食堂へ戻った。

カウンターとテーブル席が二つだけの店で、テーブルの一つでは中年女性三人が菓子を広げて世間話をしている様子だった。昼食どきにはまだ一時間以上ある。たぶんここを溜まり場にしている近所の主婦だろう、店の者と一緒に彼女たちも、いらっしゃいと蒔野に声をかけた。

カウンターに席をとり、ビールと餃子を注文して、店の新聞を広げる。社会面を開き、死者の出ている記事を見つけて、場所を確かめる。あの男は、ここへ行くだろうか……。

坂築静人《さかつきしずと》の行方は、札幌の路上で見失って以降、いまもわからなかった。道警に勤める旧知の警部補に、彼について情報が入れば教えてくれるように頼んでいるが、まったく連絡はない。

蒔野は、石狩の発砲事件の記事を、週刊誌に掲載のあと、いつものように自分のホームページにも載せた。読者からときおり感想が寄せられるが、今回そのなかにチンピラたちを知っているという者からのメールがあった。学生時代に二人にカツアゲを食った経験があるらしい。

このメールをきっかけに、静人のことを目撃した者もいるのではないかと思いつき、『死者を訪ね歩く男』というタイトルでサイトを設け、以下の文章を掲載した。

『事件、事故、自殺、災害……理由を問わず、人の死んだ場所を訪ねては、死者の話を聞いて回る男がいる。倒錯《とうさく》した性的趣味か、遺族や関係者をだまして金を得ているのか。この不審人物を見かけた者はいないか。事情を知る者はいないか。どんなことでもよい、情報を求める。』

しかし、願っていた情報はまだ来ていない。幾つか寄せられたメールは、つまらない企画だ、大した悪でもなさそうなのに、などというサイトを設けた蒔野への批判だった。

テーブル席にいる女性たちの、はじけるような笑い声が耳を打ち、蒔野は現実に戻された。

よしなさいよ、死んだ人に悪いわよ……と彼女たちは、まさに蒔野が取材中だった被害者夫婦の名前を口にした。蒔野は少し考えてから、こんにちはー、と彼女たちに話しかけた。下町や田舎では、雑誌よりテレビのほうが何倍も好感を持って迎えられるのを経験しており、

「私、テレビの者です。いまワイドショーの取材をしてるんですが、少しよろしいですか」

と、昔作ったTVプロデューサー名義の偽名刺を出し、夫婦が殺された事件について聞かせてほしいと頼んだ。彼女たちが、平凡な生活者である一方、好奇心旺盛《おうせい》であるのも察し、

「皆さん、記者の真似事をしてみませんか。ちょっと動いてくださるだけで、五千円ですよ」

と持ちかけた。彼女たちはあっさり承諾して店を出ていった。蒔野は、パチンコなどで時間をつぶして、二時過ぎにまた食堂に戻った。三人の女性も戻っており、蒔野に話を伝えた。

彼女たちに約束の金を渡し、店の主人からは金額を書き込んでいない領収書をもらった。

ほどなく、成岡たちから連絡があり、大通り沿いの喫茶店で待ち合わせた。成岡と野平は先に来て待っていた。彼らの取材結果をひとまず聞く。被害者夫婦がいかに善良な人たちだったかということと、近所の者たちが犯人に怒っているという話ばかりを、彼らは集めていた。

「よしてくれ。そんなもんを記事にして、誰がわざわざ金を出して読むんだよ」

蒔野は吐き捨てた。「高齢の夫婦が殺されたんだ。誰もがふびんに思って、いい人でしたと話すに決まってんだろ。おねーちゃんも、自分が女ってことを活かした記事を拾ってこいよ」

「わたしは、野平と言います。ちゃんと名前があります。名前で呼んでいただけますか」

容姿は似ていない。だがこうした物言いは、京都で再婚した元妻のことを思い出させる。

「名前を覚えてほしけりゃ仕事をしろ。死体も社会的には名前がねえんだ。ただの死者二名さ。おれたちが記事にして、初めてどこの誰それと名前が知られる。いい人、惜しい人なんて、通り一遍のことを並べて、名前が付くかよ。おねーちゃんも週末には彼氏になめてもらうんだろ」

「何ですか、それ……セクハラじゃないですか」

「パパとママが何をして自分ができたか、よく考えて取材しろって話だよ。被害者のおやじは、若い頃から女好きで夫婦喧嘩が絶えなかったし、なまけ者で、親から継いだ型枠《かたわく》工場も倒産しかけてた。運よく工場の上を道路が走って、食ってこられたんだ。ここ最近も週一でフィリピンパブに通って、マリアって子に入れ揚げてた。そのせいか、女房のほうは怪しい宗教にはまり、近所の連中を勧誘しては嫌われてた。犯人はよくあんな家へ金を借りにいったと、みんな不思議がってんだ。つまり……犯人が被害者のおやじと知り合った飲み屋というのが、マリアって子がいる風俗の店だったから、その弱みにつけ込んで、金も借りられると思ったんじゃないのか」

これらはみな近所の主婦から仕入れた話だった。下町でよそ者の自分が動いたところで、短時間ではとても聞き出せない、深くて容赦《ようしゃ》のない情報を得ることができた。成岡が驚いた顔で、

「それを……どんな記事にするんです」

と訊く。北海道三部作と言われているような記事にならないのは明らかだし、する気もなく、

「さあな。風俗嬢のお股に顔を突っ込んでるおっさんと、エセ宗教の勧誘に走るおばはんの日常

をちまちま書いて、最後におまえら二人が、いい人たちでした、と結べばいいんじゃねえの」

するると、侮辱された悔しさか、蒔野への期待を裏切られた落胆か、野平が涙をこぼした。

蒔野は、わざと大きくあくびをして、ため息もつき、伝票を成岡へ押しやった。

「先に帰るぞ。泣いてるのを慰めてて、そのままデキちまった、なんてのはよしてくれよ」

彼は会社へは戻らず、電話で海老原に、いい記事にはなりそうもないと報告した。海老原は、ともかく一応まとめてください、成岡たちにも書かせて勉強させたいので、と言う。

「二人なら、いま頃どっかへしけこんでますよ。じゃあ例のほうへ回るんで、経費は頼んます」

蒔野は、新大久保へ向かい、サウナで時間をつぶしてから、なじみの雀荘《ジャンそう》に入った。

夕刊紙の記者をしていた頃に知り合った暴力団員の打つ卓へ進み、次の回から若い衆と交替する。副編集長の企画で、ノンフィクション賞を受けた作家に、最近の暴力団の思惑《おもわく》や動向を描いてもらうことになっている。ついては蒔野が下取材を兼ね、関係者に話を聞いて回っていた。

「よお、どうしたマキノちゃん。肌がぱさついてるよ。若い女を抱いてないんじゃないの」

三人を殺して、死体がいまも発見されていないというのが自慢の、同い年の暴力団員が言う。

彼は、先ほど蒔野と交替した若者にピンクの名刺を出させて、蒔野に渡し、

「ここへ連絡すりゃあ、現役の中学生とでもやれっから。青い果実から元気をもらいなよ」

蒔野はこのあと三時間打って、ほどよく相手に振り込み、作家と会うことを承知させた。

マンションの部屋に戻ると、留守番電話に用件が入っていた。父親の愛人からだった。いまは三日置きくらいに連絡があり、父親の容態が悪い、病院に会いにいってほしい、と繰り返す。

蒔野も、途中で切って最後まで聞かないことを繰り返し、缶ビールを開けた。

仕事机の前に腰掛け、ホームページを開く。やはり静人に関する情報は寄せられていない。

もしかしたら奴は、雨にけぶる十字路の先で消えたあの日、旅をやめたのかもしれなかった。

そう思えれば気も楽だが、まずあり得ないことだとわかっている。だが、どうしてここまであの男が気になるのか……自分でもよく理解できないだけに、いっそう苛立ちがつのる。

いったん閉じて、他人のホームページへアクセスした。別れた妻のものだ。

あれほどの美人とよく結婚できた、といまでも不思議に思う。タイミングがよかったのは間違いない。夕刊紙での仕事が充実し、いまの週刊誌で書かせてもらった記事も好評で、契約の話が進んでいた頃だ。一方彼女は、恋人と別れて間もない時期で、弟が暴力団員の車と事故を起こすトラブルに巻き込まれた。それを蒔野がコネを利用して丸くおさめ、彼女の信頼を得た。

離婚は結婚六年目、理由は彼の浮気だった。あれから四年。ふとした機会に彼女のいまの姓を知り、インターネットで検索するうち、彼女のホームページに行き当たった。そして三週間ほど前、そのなかに九歳になる息子のブログを見つけた。夏休みに入って、母親に勧められたらしい。宿題のことや友だちと遊んだことなど、たわいのない話ばかりだが、一日の終わりに読むのが習慣になった。息子はこの日、サッカースクールの練習でへとへとに疲れたと書いていた。

ビールを一気にあおる。生ぬるい。そう感じるのは、精神状態の反映だろうか。

キッチンのほうで電話が鳴った。留守番録音に切り替わる。なんで会ってやらないの、親子なのに……と、父親の愛人の酔っているらしい声が狭い室内に陰鬱に響いた。

2

蒸気でむされたような曇り空の下、蒔野は一人で風俗の店が並ぶ上野の繁華街を歩いた。

被害者がフィリピンパブのマリアという子に入れ揚げ、犯人とはその店で知り合った可能性が高い、と示唆した蒔野のメモ書きに近い記事の草稿に、海老原と川場が食いついたためだ。

海老原たちが求めているのは、今回のような派手さに欠けるネタでも、成岡と野平が書いてきたような単なる事実報告に終わらず、視点次第で読者の興味を引く記事になることを、最近の勢いに乗せ、蒔野に見せてほしいということだった。だが彼は新人の世話を嫌い、二人には犯人の履歴を洗わせて、経費をふところに一人でマリアと会った。二十歳と答えたが、十七か八だろう。デートもＯＫと言われ、店に一万円を払い、外のホテルで彼女に二万円を払って、抱いた。

マリアは、事件のことを店から聞いて知っていたが、犯人は見たことがないと答えた。被害者のことを尋ねると、彼女は目を閉じ、裸の胸の前で十字を切った。その仕草が気になり、彼のことを好きだったのかと訊いた。彼女は肩をすくめ、首を横に振った。助平だし、金離れは悪いし、いい客ではなかったが、天国へ行ってほしいから、と答えた。何かよいことをしてくれたか、と尋ねたところ、彼女は思い出したように笑い、今年二月、福を招くという豆の袋をくれた、それが唯一のプレゼントで、けちなおじさんと言い、ふたたび十字を切った。

あの男なら……と、蒔野は考えた。この程度の話でも、亡くなったのは、異国の少女からも祈ってもらえた人物だったと、偽善めいて悼むのかもしれない……。そう思うと急に腹が立ち、服を着はじめたマリアに、あと一万円いらないかと持ちかけ、奉仕を求めた。

深夜に部屋へ戻り、ホームページを開く。『死者を訪ね歩く男』の情報は、相変わらず寄せられていない。息子はブログで、今日プールで十五メートル泳げた、と報告していた。

未明に雨が降りはじめ、窓越しに聞こえる雨音の影響だろうか、雨のなかを歩き去る静人の夢を見た。彼は十字路の中央で、蒔野を振り返り、「ぼく、十五メートル泳げたよ」と言った。

明けて昼過ぎから、マリアたち外国人ホステスの生活を取材して、いまなお搾取が横行している現実を聞き込んだ。それをもとに、被害者はマリアの境遇に同情し、故郷へ帰してやろうと店に通って相談に乗っていた、と記事の方向性を決めた。彼の妻も同じ想いで、自分の信仰する神に少女の無事を祈っていたし、犯人はそんな善人二人を殺したばかりか、異国の少女の早い帰郷の夢までも砕いたとまとめることにした。次の日、マリアを誘い、通常のデート代のほか顔を隠して五千円という条件で、彼女が胸の前で手を合わせて祈る写真を撮った。

月曜の午後、蒔野は原稿と、『少女は涙を流して夫妻の冥福を祈った。』と題した写真を、海老原と川場に見せた。原稿の最後は、「少女は〈福が来るよ〉ともらった節分の豆を胸に、帰郷の日を待っている。」と結んだ。海老原たちは、写真が演出されたものだとわかったろうが、何も言わず、原稿も認めた。客観報道の原則に基づく原稿をボツにされ、不満を口にしていた成岡と野平も、蒔野の写真と原稿を見て、読者への効果を想像したのか、口をつぐんだ。

この線で掲載用に仕上げることを求められた蒔野は、自分本来の記事のあり方とは違っている感覚をぬぐえず、編集部内で書くのも気づまりで、なじみのカフェへ逃げた。

八月はまだ数日残っているが、道行く者の服装には秋の気配が感じられる。習慣的にビールを注文し、プリントアウトしたマリアの写真を見ながら、ノートパソコンのキーを打った。

次第に幻想的な物語でも書いている気がしてきて馬鹿らしくなり、ビールをもう一杯注文した。店の外を見覚えのある人間が歩いてゆく。三年ぶりだが、会いたくない相手だった。その想いが逆に伝わったのか、相手が振り返り、店内の蒔野と目を合わせた。髭面《ひげづら》のごつい顔をほころばせ、よおと手を挙げる。かつて北海道の新聞社に同期入社した、矢須亮士《やすりょうじ》が店に入ってきた。

「ほう、昼間からビールか。豪勢だな。大手に勤めてると、やっぱり違うもんだ」

彼は、肩から重そうなバッグを下ろし、蒔野の正面の椅子に腰を下ろした。

「勤めちゃいない。知ってるだろ。いつ切られるかわからないから、いま飲んどくのさ」

蒔野は言い訳気味に答えた。「久しぶりだな。日本にいたのか」

「三日前、グルジアから帰ってきた。まだこっちと日常の感覚がずれてる。一杯おごらないか」

見返りを期待できない相手に酒をおごることなどまずしない蒔野だが、矢須には妙に気圧《けお》されるものを感じる。入社当時から彼とはよく飲んだ。二人とも、上下関係を蔑視し、自分の能力を過大に評価して傲慢《ごうまん》に振る舞う。しぜんと話す相手がお互いしかいなくなったというのも、付き合いがつづいた理由だろう。二人のあいだに差が生じたのは新聞社を辞めるときだ。蒔野が、与えられた仕事の軽さに苛立ち、酒や女へ逃げて辞めざるを得なかったのに対し、矢須は世界の紛争地を取材したいと上に申し入れ、認められなかったためフリーに転身した。初めのうちどこで何をしているか知れなかったが、次第に社会派の雑誌で署名記事を目にする機会が増え、やがて戦時下のアジアや中東から現地報告をする彼の姿が、テレビで見られるようになった。

「いま、おまえはどんなものを書いてるんだ。前と変わらないのか」

矢須が言う。三年前に彼と会ったのは、いまの社の編集部でだ。スーダンにおける大虐殺の記事を持ち込み、大衆雑誌に掲載することで、多くの人にこの現実を知ってほしいのだと訴えた。当時の蒔野は、盗撮容疑で逮捕された有名スポーツ選手を追いかけていた。矢須の記事は、結局週刊誌向きではないとされ、月刊のオピニオン誌で、空いたページの穴埋めに使われた。いまもくだらない事件を追っているのか、と矢須の目が笑っている気がして、さすがに癪《しゃく》にさわり、

「ちょっと面白い男がいてな。ふだんの仕事とは別に、そいつを追ってる」

ビールが運ばれ、矢須は髭をひたすようにして飲んだ。その様子を見ながら、彼に静人のことを話し、どう評価するか聞くのもよいと思った。ともかく世界中で多くの死体を見てきた男だ。

「その男はな、矢須、おまえと似ていなくもない。人が死んだ場所をうろついているんだ」

矢須は、髭についたビールの泡を日焼けした腕でぬぐい、

「中東か、アフリカか、中央アジアか。たいていのジャーナリストなら知ってるぞ」

「いや、報道関係者じゃない。うろついているのも国内だ。テロや紛争とも関係なく……」

相手の眉間に不審そうな皺が寄るのを見て、蒔野は話す意欲を失った。それでも、あの男に対して否定的な評価を下してほしい気持ちが自嘲気味に湧き、ごく表面的なことだけを話した。

「何だそりゃ。ヤクザの拳銃暴発に、雪下ろし中の事故？　おれと似てるなんて、嫌みか」

案の定、矢須は不快感をあらわにした。「カルトにせよ何にせよ、ひどく甘ったれた話だな」

「そうか。やっぱり甘い話だと思うか」

蒔野は、内心嬉々としながらも、まじめぶった顔つきでうなずいた。

「ま、いま聞いたかぎりじゃな。試しにそのカルト坊やはおれと一緒に回ってみりゃいいのさ。一瞬で百人、ときに数千人が吹っ飛んだ現場を歩くんだ。その場でそいつはどうする気かね？」

蒔野は、思わせぶりな笑みを返すだけで答えなかった。矢須が鼻で笑い返し、

「トップ記事狙いのエグノが、らしくもないネタじゃないか。何か裏でもあるんだろ。それともヤキが回ったってことか？　まさか……疲れたのか」

無自覚だった急所を突かれた気がして、蒔野は答えそこねた。

「おまえも、そろそろこっちへ来いよ。世界が変革する瞬間の、証人になれるかもしれないぞ」

「……世界が変わるかよ。幾つも革命が起きて、英雄も現れて……で、結局は元のままだろ」

「いまの憎まれ口は、らしいぜ。ともかく今度、記事を読んでくれ。いまから売り込みだが難しくてな。次の取材費に充《あ》てたいんだ。買ってくれそうなところを紹介してくれると、助かる」

蒔野は、そんな気もないのに口先だけで、いつでも連絡してくれと答えた。

その夜、日本料理屋の個室へ暴力団員を連れてゆき、ノンフィクション作家に紹介した。抗争関係の話はほとんど聞けず、どこに埋めれば死体が出ないかという話を延々と聞かされた。

深夜に帰宅して、元妻のホームページを開いた。セミを捕まえそこねたの、スイカの種を吹いて飛ばしたのという、息子の日記を読む。つまらない話には違いない。だが一日ずっと世界の現

実なるものの一端にふれてきたあとでは、高ぶった神経が落ち着いてゆくのも感じる。

静人に関しては、どうせ情報は入っていないだろうと思い、そのままベッドにもぐり込んだ。

寝苦しい夜で、浅い眠りにたゆたううち、砂漠のような荒涼とした土地に、片膝をつく静人を見た。彼は、両手をそれぞれ上下にやって胸の前で重ねる例の動作を、その場で何度も繰り返している。同じことをずっとつづける姿は滑稽《こっけい》で、何をしてると、蒔野は彼の正面に立って訊いた。静人はなお手を動かしながら、顔を上げずに答えた。ここで、一万人の人が亡くなったのです。

蒔野は、目を開いて、ベッドから降りた。焼酎をグラスにつぎ、眠くなるまでの時間つぶしだと自分に言い訳して、ホームページをのぞいてみる。読み進めていくと、最新のメールに、

『もしかして、この男のことじゃないですよね……』

と書かれていた。メール友だちから、こんな変な男がいるらしいと面白半分で知らされ、もしやと思い当たる節があり、教わったこのサイトへアクセスしてきたという。

『今年の冬でした。ぼくがアルバイトしている居酒屋は、夕方五時の開店ですが、いろいろ準備があるので、一時間前には入ります。四時過ぎ、店の玄関前を掃いていると、ひとりの男が現れました。ブルゾンを着て、毛糸の帽子をかぶり、大きいリュックを背負っていました。

彼は、九ヶ月前、この店で亡くなった人物のことを口にしました。地方紙の記事で知ったというのです。実はその春、大学の新入生歓迎コンパの席で、OBか上級生に焚《た》きつけられた新入生が一気飲みをし、一人が急性の中毒で死んだのです。間の悪いことに、ぼくがその席の担当でした。警察も来て、しつこく質問責めにあいました。ぼくの運んだ酒で、人が死んだかのように言

われるし……仲間たちは、おまえが毒を盛ったも同じだなんて笑うし……もう最悪でした。

現れた男は、亡くなった大学生がどんな人物だったかを尋ねました。知るわけないでしょ、ただの客ですよ。すると彼は、一緒に飲んでいた人々は彼をどう想っていたか、と訊きました。わからないけど、大事に想ってたら、一気飲みなんかさせないですよね。大学関係者も誰一人、店に謝りに来ませんでしたし。警察の人から、大学生の出身が小さな島で、死体は飛行機で運ばれたという話は聞きました。それを相手に伝えていたとき、ふと思い出したんです。

あのあと四ヶ月くらいして、死んだ学生の弟、という中学生が訪ねてきました。兄貴が死んだ場所を見たいと言うんです。夏休みで、親には黙って来たそうです。ぼくが店長に呼ばれ、案内しました。何もない普通の部屋だけど、弟は黙って見ているうち、急にぼろぼろと泣きはじめました。気まずくなって席を外したけど、声は聞こえていて、たぶん五分以上泣いてたかな……。気がつくと、店の玄関先にいて、ありがとうございましたって頭を下げて、帰っていきました。

ぼくが、この弟のことを話すと、男は店の前の地面に膝をつきました。手を上と下にやったあと胸に当て、何やら唱えていました。気味が悪く、店長を呼びにいって戻ると、もういません。店長は、新手《あらて》の恐喝かなと首をひねり、同僚には、死んだ学生の幽霊だよとからかわれました。このサイトの人物と、ぼくが目撃した男が同一人物なら、少なくとも幽霊じゃないってことですよね。あと、男は金をせびったわけでもないし、詐欺師って感じでもなかったですけど……。

どうでしょうか。この男ですか。それとも別人ですか。』

静人が話したことが本当なら、五年前から旅をしているわけだから、目撃情報の一つや二つは入ってきてもいいだろうと、このサイトを始めてみた。なのにいざ情報が入ってくると、やはり本当なのかと戸惑い、つまらない死までも訪ね歩く彼のことを、いっそう腹立たしく感じる。

矢須の言葉ではないが、もっと悲惨な死が世界にはあふれているんだ、と言いつのりたくなる。だが……つまらない死に方をしたと一般的には言われるだろう兄のことを嘆く、中学生の弟の、ぼろぼろと泣く姿が脳裏に浮かんで、眠気はますます遠のいた。

明けて、久しぶりに真夏の陽気が戻ってきたような晴天となり、気温は朝のうちに三十度を超えた。明け方ようやく眠れた蒔野が、昼過ぎに社へ出ると、一階の受付で呼び止められた。

受付の女性社員には、たびたびセクハラまがいのからかいを口にしており、顔をそむけられるのが常だった。それだけに不思議に思い、エグノと呼んでいいんだぜ、と歩み寄っていく。一晩付き合えば、甘えた声でエグノと呼びたくなるさ、と受付の机に手をつく。相手はそっけなく、ご面会ですと言った。いつ出社されるかわからないと申し上げたのですが、待つとおっしゃって、もう二時間お待ちです、とロビー隅の応接用のソファを並べた一角を示す。

こちらに背を向けて座っていた和服姿の太めの女性が、歩み寄っていく蒔野の気配を察したのか、襟元が窮屈そうに振り返った。化粧が厚く、年の頃は四十代半ばから五十代前半か。立ち上がって、裾《すそ》を直し、蒔野を正面から迎える。彼を見据えて、急に表情を輝かせ、

「あらまあ、見違えた。ずいぶん貫禄《かんろく》がつきましたのねぇ。お久しぶりです」

と、真っ赤に塗った唇の端を強引に吊り上げるようにして笑った。八年ぶりに会った相手の容姿よりも先に、最近ずっと聞きつづけてきた声で、父親と長年暮らしてきた女だとわかった。

3

東京北東部の小さな駅で降り、区画整理された直線の広い道を北へ歩いてゆく。九月に入り、なお暑さはつづいているが、日は短くなり、午後六時半を回って、もう辺りは暮れていた。

十分ほど歩いて大通りを横切る。住宅地に囲まれた一郭《いっかく》に、こぢんまりした商店街があった。近くの公営団地の住民を目当てに、ずいぶん昔にできたものらしい。名刺に書かれた住所を頼りに路地を曲がって、『スナック　玩具荘』と、看板の出ている家を見つけた。

目立った装飾は、木製の扉をはさんだ壁を煉瓦《れんが》風に仕立てているくらいで、注意していないと見落としそうな店だ。扉の上のランプ風の電灯が灯っているのが営業中のしるしだろう。遅い時間は客がいて話ができないだろうと、この時間を選んだだけに、蒔野はほっとして扉を引いた。

カウンターに十脚前後の椅子が並び、奥にテーブル席が一つだけ設けられている。店内の装飾に華やかなものはない一方、椅子や食器棚や窓枠などが、確かアールヌーヴォーと呼ばれるところの曲線の多い優雅な印象のデザインで統一されている。壁紙は白地に緑のつる草模様で、文化的趣味が貫かれている店だと思うのに、カウンターの端にカラオケ用のモニターとマイクが置かれていた。経営のための妥協といった雰囲気があからさまで、妙にもの寂しく感じる。

客も店の者も見当たらず、呼びかけようとしたとき、のれんで隠されたカウンターの奥に階段があるのか、重そうに降りてくる足音が聞こえた。のれんが開き、ドレスと呼ぶには地味な半袖のワンピースを着た、尾国理々子《おぐにりりこ》が現れた。頬や瞼の皮がゆるんで、見紛《みまが》うほど老けて見える。

「あら、やだ、いらっしゃい。今日は早いのねぇ」

彼女はこちらを確かめずに言って、頬も瞼もさっと上がり、十歳は若くなった。

「布巾が一枚もなくて。二階に干しっ放しだったのを、思い出したもんだから」

純白の布巾を広げてカウンターを拭きながら、蒔野が動かないためか、彼女が目を上げた。

「まあ、蒔野さんのぼくちゃん……。さあさあ、そんなとこに立ってないで、お座りになって」

蒔野は、小さく息をついて、身近な椅子に浅く腰を掛けた。

「こないだも言いましたが、ぼくちゃんてのは、よしてくれませんかね」

「あら、ごめんなさい。呼び方って、最初に呼んだときのものが癖になっちゃうのよね」

「なかなかいい店ですね、雰囲気があって……店の名前も、上品で」

「お上手ね。店は、十年前に古い内装のまま受け継いだだけ。名前は、あなたのお父さまがつけたのよ。ボードレールの別荘の名前だって。お父さま、詩ごころがおありだったでしょ」

知らずにほめたことを後悔した。この話題がつづくことを嫌って、話を変え、

「会社に来てくれたときも思いましたが、留守番電話のときと、言葉の調子が違いますね」

「ああ、酔って掛けるから、言葉づかいがぞんざいになっちゃってんでしょ？　ごめんなさいね。こう見えても気が弱くて、しらふだと電話できないものだから」

理々子は、注文も聞かず、ジョッキを手に、サーバーからビールをつぎはじめた。サーバーが高い場所にあるため、蒔野のところから、彼女の半袖の奥の、腋《わき》の下と、胸へかけてのふくらみ

がのぞける。肉付きがよいこともあり、肌には十六年前と同じ色つやがあった。

蒔野は、十二歳で東京へ連れてこられて以降、父親が家へ帰ってこなくなり、まるで母子家庭のような暮らしを送った。彼が高校二年のおり、母は寝込んだ祖父母の看病のために帰郷して、二人の死後も故郷にとどまったため、今度は一人暮らしがつづいた。そして大学卒業と北海道での就職が決まって、ついにアパートを出ることになり、父親に話す必要が生じた。

父親は当時、外国の高級車を売る仕事をしていた。口だけは達者な男だったから、性格の悪さとは別に、営業の成績はよかったらしく、セールス関係の仕事が途切れることはなかった。

蒔野は、父親の会社に連絡し、北海道の新聞社に就職したことを告げた。父親が昔はジャーナリスト志望で、新聞社に売り込みにもいったが、結局記者にはなれなかった、と母から聞いたことがある。父親の果たせなかった夢を叶え、見返したような気持ちもあったし、心の隅ではほめられることも期待していた。父親は、銀座でメシでも食うかと言った。

食事の席で、蒔野は難関だった就職試験の話をした。おめでとうの一言も欲しかったが、父親はほとんど話さず、食後に飲みに誘われた。銀座の店にもランクがあり、いまでこそ入った店など下町のバーと変わらなかったろうと思うが、当時は銀座というだけで地下の暗い店もまばゆく感じた。理々子は、その店のホステスだった。あら、こちらが蒔野さんのぼくちゃん？　と彼女は笑って父親と蒔野のあいだに座った。目も口も大きく、やや垂れ目気味なところに愛嬌があった。袖無しのミニドレスを着て、腕や太ももの白さが目立ち、豊かな胸が、からだを動かすたびにはずんだ。蒔野はその頃はもう風俗の店にも通っていて、単純に欲情することはなかったが、父親の手が、彼女の乳房を持ち上げたり、太ももの奥へ伸びたりするのを見て、父親と母との性的な場面を目のあたりにしているような、嫌悪と怒りと、妙な胸のざわつきをおぼえた。

理々子は、父親にさわられても表情ひとつ変えずに蒔野の話を聞いていたが、とうとう、ぼくちゃんの前でしょ、と父親をたしなめた。すると父親は、いやなガキさ、と理々子に言った。地方の新聞社に受かったことを、これ見よがしに報告に来たんだ、おれの若い頃の夢を母親から聞いたんだろうが、たかが地方のブン屋で偉そうに、それで見返したつもりか、と鼻で笑った。

蒔野は、憎悪とともに、言い知れない悲しみに襲われ、不覚《ふかく》にも涙した。理々子が慰めてくれたが、父親はそれをさえぎり、田舎者の母親のもとへ引っ込め、と吐き捨てた。店を出た蒔野は、アパートへ帰る気になれず、風俗の店に上がった。相手は小太りで、途中から積極的に理々子だと思うことにした。父親の愛人を犯している……そう思うことで、屈辱を晴らそうとした。

その女が、いま目の前にいる。ジョッキを蒔野の前に運び、どうぞ、とほほえむ。

「で、病院へ行かれましたの。病室はすぐにわかりました？」

会社まで来た彼女の用件は、父親が喉の腫瘍がリンパ節に転移して、もう長くないので会ってやってほしいという、電話で繰り返してきた頼み事と同じだった。入院先の病院の地図と、病室の番号を記したメモも、蒔野に押しつけていった。

蒔野は、喉の渇きより、彼女から目をそらすのが目的でビールに口をつけてから、

「いや……病院へは行ってません」

「え、どうして？　あれほど言ったのに……あの人も、もう最後になるとわかってるんですよ」

相手の声が怒りを含んでいるのを聞き取り、こちらの感情も煽《あお》られる。

「何をいまさらでしょ。自分勝手に生きておいて、死ぬ間際に会いたいなんて、虫がいいにもほどがある。あなたもそばにいたんだから、あいつが何をしてきたか、知ってるでしょ」

理々子と二度目に会ったのは、母の葬儀のときだ。

孤独のうちに四十五歳で死んだ母の心情を想うと、蒔野は父親に連絡する気にはなれなかった。伯父が、黙っているわけにもいかないことだと、蒔野から連絡先を聞き出し、電話を掛けた。

葬儀は、母の信仰を尊重して函館の教会で通夜代わりのミサをおこない、本葬は翌日、実家の菩提寺でおこなわれた。喪主は伯父が引き受けた。父親は、本葬が始まる直前、通常の背広姿で寺に現れ、母の遺骨を彼女の実家の墓に入れることを承知し、そのほか手続き上必要な話を伯父と交わすと、母の最期の顔を見ることさえ拒んで、さっさと帰っていこうとした。あまりの非道さに、蒔野が追いかけていくと、寺の参道の前にハイヤーが止まり、旅装姿の理々子がいた。

父親は少しも悪びれず、せっかくの機会だから北海道旅行でもと思ってな、と言った。理々子のほうは、葬儀のことは聞いていなかったらしく、申し訳なさそうな顔で深々と頭を下げた。

「今日来たのは、あの男とはとっくに縁が切れてることを伝えるためですよ。会社でお会いしたときは、八年ぶりで驚いて、ついあなたの言い分を聞くだけで終わりましたからね」

「そりゃ、あなたの気持ちも、わからなくはないけど……死ぬのよ、あの人、近いうちに」

「おれのなかじゃ、もうずっと前に死んでるんですよ。顔さえ忘れちまってる」

「それは、前にも、聞きましたけどね」

「前に……？　ああ、覚えてたんですか」

前というのは、八年前、蒔野に息子が生まれ、一歳の誕生日を迎えたときのことだ。

当時家族三人で暮らしていたマンションを、休日に訪ねてきた者がいた。はじめは妻が応対し、途中で、息子をあやすのに苦労していた蒔野が呼ばれた。玄関に、スーツ姿の理々子がいた。

お久しぶりですね、と彼女は頭を下げ、高級デパートの包みを彼に押しつけるように渡した。彼女は玄関に立ったまま、孫の誕生を祝いたいという父親の使いで来た、と挨拶した。蒔野の妻は、彼の背後で困惑している様子だった。父親は遠い昔に死んだと話していたのだ。

喉がひりつくように渇き、どうしてここがわかり、子どものことまで知ったのか、と理々子に尋ねた。函館のご親戚に連絡して、と彼女は答えた。親戚との親しい付き合いは断ちながらも、母の法要の知らせだけは欲しいため、伯父のところに結婚と出産と連絡先は伝えてあった。

だが、母の親族を毛嫌いしていた父親がなぜ、と疑問に思うと、理々子は察したかのように、あなたのお父さんはからだの調子を崩して、気弱になられ、あなたに会いたいと、しきりに言うようになったんです、それでご親戚に連絡されたんです、と話した。孫にも会いたいという父親の言葉を、彼女を通して聞き、蒔野は怒りを抑えきれなくなった。ふざけるな、と彼女を玄関の外へ追いやり、あの男は自分のなかではとっくに死んでる、顔も忘れた、とドアを閉めた。

あれから八年、父親は死に瀕《ひん》し、ふたたび函館に連絡して、蒔野の連絡先を知ったらしい。

理々子は、冷蔵庫から瓶ビールを出し、自分でグラスについで二杯つづけて飲んだ。

「皆さん最近は生だけど、わたしはこっちね。一杯一杯に時間がつまっているようで好き。飲み干すとき、人生を小刻みに思い返せて、風情がある。あなた……やっぱりお父さんの子ね」

相手の言葉に装った冷たさを感じる。蒔野は黙っていた。

「お母さまが亡くなったときの、あの人の振る舞いと、いまのあなたのそれは似てるでしょ」

「つまらない嫌みで、病院に行かそうってつもりなら、胸くそ悪いんでやめてもらえますかね」

「いいの？　このまま何も話さず、父親が逝《い》ってしまっても。あなた、何年、彼と暮らした？　どれだけのことを話した？　彼のこと、ほとんど何も知らないまま憎んでるだけでしょ」

「十分知ってるし、これ以上知りたいとも思わない。あんな人間に、知るべき何ものもない」

理々子は、口をつぐんで、ビールをあおった。そしてまたついだところで、

「たかをくくってんじゃないよ」

顔をそむけて言い放った。「こっちも、偉そうなことを言える身じゃないけど、あなた、あの人の一部しか知らないでしょ。ここで詩を朗読して、お客さんに拍手をもらってたあの人のことも。子宮筋腫で子どもがだめになったわたしを、一晩中慰めてくれたあの人のことも。気管を切開する前に、孫に聞かせたいって、テープに声を吹き込んだあの人のことも……。言わなかったけど、もう声を失ってんの。スケッチブックにマジックで、抗太郎に会いたいって書いてんの。憎んでたってなんだって、少しばかり気持ちを殺して、会ってやればいいでしょ」

蒔野は、さすがに動揺するのを感じた。振り切るように椅子から下り、

「あなたの男と、おれの知ってる男は、きっと別人なんだろう。会うだけむださ」

財布から千円を抜いてカウンターに置き、出口に向かった。

「お墓、買ったんだよ……お父さん」

背後から理々子が言った。蒔野は、扉に手を掛けたまま背中で聞いた。

「でも、どこに買ったか、わたしには教えない。あなたにだけ教えたいのよ。死んだら、入れてほしいんでしょ。そして、あなたにも入ってほしいと思ってんのよ」

「……ばからしい。あんたが入ればいいだろ」

「入れてくれないみたいよ。そこは蒔野家の墓だから。言っとくけど、喪主はあなただからね」

蒔野は扉を押して外へ出た。別の店でしばらく飲んだ。少しも酔えなかった。

日付が変わる頃に部屋に戻ったが、とても眠れそうになく、パソコンの前に座り、静人の目撃情報に目を通した。先日の居酒屋のアルバイト店員からの情報が、まるで呼び水になったかのように、一件、二件と全国からメールが入りはじめていた。

『見た見たー。きっとあいつだ。中学生が飛び下りたマンションの前で、膝をついて妙な真似をしてた。リュックを背負ってたし、間違いないと思う。頭がおかしいって、ダチと笑ったのが、今年の五月でさ、まさかいろんな場所に出没してるとは思わなかった。何なの、マジ変態？』

『こっちも発見。リュック背負って、ゆっくり歩く奴でしょ。小さな飲み屋が集まった路地の裏で、うちらがゲロ吐いて休んでたらさ、そばでそいつ、ひざまずいて、手ぇひらひらさせんの。あとで店の人に聞いたら、リーマンのおやじが、若いのに殴られて、頭を打って死んだ場所だってさ。だから何？　みんながゲロ吐いてるとこに膝をつくんだよ。チョー異常者だよ。』

『監視員のバイトをする予定で準備していた、プール開きの前日、男が現れました。事故があったのは去年、先輩が監視員のときで、亡くなった子が誰に愛されていたかなんて、わたしが知るはずありません。でもその男は、知っている人はいないかとしつこくて、仕方なく職員の人を呼びました。職員の人は困りながら、葬儀に参列したときの、ご両親や同級生が泣いていた様子を話しました。すると男は膝をついて祈るような真似をして、帰っていきました。わたしはその日にバイトを辞めました。人が死んだのは知ってましたが、それが両親や同級生に深く愛されていた女の子とわかり、なんだかつらくなってきたのです。あの男のせいです。ばか野郎です。』

翌日の昼前、蒔野はいつものように寝不足で編集部へ出た。

ちょうどニュースが始まった時間で、モニターの周囲に手の空いた人間が集まっている。

ネタになりそうな事件が起きていれば、会議に上げる前に、取材に向かうこともあるためだ。

「おお。これ、すごい画《え》が撮れてるじゃないの」

と、数人が声を上げた。蒔野がのぞくと、携帯電話のカメラで撮ったものらしい粒子の粗《あら》い映像で、河川敷《かせんしき》のような場所に火の手が上がっている光景が映し出されていた。

「何だい、こりゃ」

蒔野は、成岡を見つけて、背後から訊いた。成岡は、興奮気味に振り返り、

「人が生きたまま燃やされてるんです。通行人がたまたま通りかかって、犯人は複数で、人に火をつけたあと、逃げていくのを目撃されてます。これ、すごいスクープじゃないですか」

本当にあれが人かどうか、蒔野は実感を持てないまま、荒れた草の原でゆらゆらと揺れている、画像の悪い、色もはっきりしない炎を見つめた。

人が生きたまま燃やされた事件は、映像が全国に放送されたこともあって、即座に特集を組むことが決まり、海老原班が担当、蒔野が久しぶりに取材現場のリーダーを任された。

埼玉県南部を流れる川沿いの現場には、他社のマスコミも多数集まっていた。蒔野は、成岡や野平たちに、目撃者のほか近隣住民らに当たって情報を集めるよう指示し、彼自身は、顔見知りの強行犯係長が担当と知り、捜査活動に食いついて事件の全体像を構築することに努めた。

だが実際に何が起きたかを把握する間もなく、翌日未明、犯人逮捕の報が入った。逃走車両が目撃者のカメラ付き携帯電話で撮影され、画像処理の結果、ナンバーが判明したらしい。

明けて午前十時、県警で記者会見が開かれ、被害者は十八歳女性、容疑者はその少女と同棲していた二十一歳の自称ホストが主犯格、彼の遊び仲間の、十九歳の塗装工見習いと、十八歳と十六歳の無職少年二人が共犯者、と発表された。ただし被害者の正確な身元は確認中だという。

事件は単純なものだった。主犯の男が、被害者の少女と部屋で言い争ううち、彼女が狂ったように暴れだしたので、かっとして何度か殴りつけると、ぐったりした。男は彼女が死んだと思い、仲間三人を呼び出して、証拠隠滅を図り、河川敷で灯油をかけて火をつけた。ところが少女は悲鳴を上げて動きはじめ、住民も通りかかったため、慌てて逃げた、というのが経緯だった。

さらに非公式な警察の会見で、主犯の男は覚醒剤を常用し、被害者の少女も薬物中毒の傾向があった、と情報がもたらされた。少女は、共犯の三人とも性的な関係があり、三人はその負い目もあって、主犯の男に求められるまま犯行に加わったらしい。

最初に放送された衝撃的な映像は、各方面からクレームが出て、各テレビ局とも問題映像の放送を以後は自粛した。後味の悪い事件である上に、被害者の身元が割れないこともあり、犯行のむごさは訴えても、特集まで組む局はなかった。被害者は免許証も保険証も持っておらず、名前は場所によって数種類使い分けている。写真は数枚残っているが、化粧が濃く、発見手配依頼、いわゆる捜索願との照会にもよい報告は上がってこない。部屋に残された指紋から洗われた前科者リストにも一致するものはなかった。薬物の影響か、焼け残った歯の状態も悪いらしい。

事件から四日、編集会議が開かれ、成岡と野平が被害者周辺の取材経過を発表した。少女はいつも濃い化粧をして、素顔を見た者はなく、誰とでも簡単に関係を持ち、金は借りたら返さず、覚醒剤のほかシンナーにも手を出して、心身ともにぼろぼろの状態だったという。

「結局のところ、取材した人たちのうち誰一人、彼女をよく言う者はいませんでした」

成岡は淡々と報告した。「自分が読者だったら、殺されても仕方がなかったんじゃないのか、と思うような、そんな人物像なんですよ、悪いですけど」

同性としての意見を求められた野平は、冷静な表情で首をひねり、

「成岡君と回ったので、情報が同じこともあるんですが……犯人たちが一番悪いとしても、女性の読者は、自業自得的なところもあるかなって、ちょっと引くんじゃないでしょうか」

蒔野も、成岡たちとは別行動で調べたが、確かに少女に哀惜の声を上げる者はなく、むしろ加

害者たちへ、つまらない女につかまったものさと同情にも似た声がかけられたほどだった。

「キノさん、特集を組むのは、被害者の身元が割れるなど、もう少し様子を見てにしましょう」

という海老原の言葉で、事実経過だけをひとまず半ページにまとめるという方針に決まった。

会議を終え、蒔野はトイレでひと息入れた。他の週刊誌の契約記者に状況を尋ねたところ、どこも似た扱いらしい。編集方針は間違っていない。なのに、なぜか釈然としなかった。

「特集を組めずに、残念でしたね」

気がつくと、隣に成岡がいた。心底残念そうな表情で、

「被害者に、あまりに問題があり過ぎましたね」

二ヶ月ほど前、十一歳の兄があやまって動かした車にひかれた六歳の子に、彼は心から同情した。だが今回の被害者には、死んでも仕方がなかったかのような発言をする。自分へのセクハラ発言には敏感だった野平も、少女が誰とでも寝るヤク中と知り、自業自得的なところがあると口にした。おまえらは、何を基準に、或る死者には同情し、或る死者は放り出すんだ……。言葉にしかけた質問が、ひどく青くさいのに気づいて、蒔野はそそくさとトイレを出た。

深夜、自宅に戻り、気を取り直そうと息子のブログを読んだ。新学期が始まり、運動会の練習に熱を入れている。走るのが苦手という記述を読み、妙なところが似た、と苦笑する。

一方、静人の目撃メールも、平均して二日に一件程度、寄せられていた。

パチンコ店の店員は、駐車場をうろつく男を、車上荒らしかと問いつめた。男は、ここで熱中症で亡くなった赤ん坊のことを知りたいと答えた。店員は不審者として追い払ったという。

　地方の列車運転士は、線路脇に、うずくまって胸に手を当てている男を発見した。そこは線路作業員が仕事中に列車にはねられた場所だった。警笛を鳴らすと、男は運転士に頭を下げた。

　冬の海を眺めていた恋人たちは、リュックを背負った男に、夏にボートが転覆して男女が亡くなっているのだが、何か知らないかと尋ねられた。デートが台なしだと送信者は怒っていた。

『勤めている幼稚園で、去年のクリスマス間近い日のことです。』

　この日、送られてきたのは、蒔野もうっすらと記憶している事故についてだった。

『子どもたちをお庭で遊ばせていると、柵の向こうからこちらを見ている男性がいました。着古したブルゾンとジーンズ、大きなリュックを背負っていました。子どもたちに教室へ戻るように言って、何か用ですかと尋ねたところ、彼は亡くなった男の子のことを聞きたいと言いました。その子が亡くなったのは、四年前です。痛ましい事故でした。遠足から園に戻り、お迎えを待つあいだ、彼は裏庭の木に登っていて、下げていた水筒の紐が枝に引っ掛かり、首を……。

　このときの園長先生と担任の先生は、いまも裁判中で、二人とも辞めておられます。わたしは担任ではなかったけれど、彼は活発な誰とでも仲良くなれる子で、みんな大好きでした。彼もわたしたちを好きでいてくれたと信じています。それを告げると、男性は膝をつき、手を上下にやって胸で合わせました。同僚が怪しみ、わたしを手招いて、警察に連絡するかどうか相談しているうち、彼は消えていました。男の子が亡くなった翌年、木は伐《き》られ、最近では事故の話自体がタブーとなっていたので、わたしは本当に久しぶりに、木があった場所で手を合わせました。

　このサイトを見つけ、少しほっとしています。同じ人物なら、いろんな場所を回ってるから、うちへはもう来ないでしょ？　気持ちが乱れるだけなので、もう来ないでほしいのです。』

翌日から蒔野は、暴力団の抗争の背景を、ノンフィクション作家と取材した。いっこうによいネタが得られず、旧知の暴力団員に相談すると、中学生でも抱いて忘れろ、と笑われた。

夜、作家を慰労するために二人で飲んだ。本当はおれは世界を救うような仕事をしたいんだ、と酔った作家は言った。蒔野は、苛立ちも手伝い、彼を上野へ連れてゆき、難病の弟の治療のために来日した少女を紹介したいと言った。表情の変わった作家に、三万円を出させ、二万円をポケットに、一万円を店に渡してマリアを呼び出し、あと五万円以上で世界を救ってやってほしい、と作家にあてがった。二人が去るとき、マリアがこちらを振り返り、白い歯を見せた。

『たぶん、家の近所にできた教団の一員に違いない。公安がマークしているかもしれない。していないなら、誰か教えて、怖いことをしでかす前に、見張ったほうがいいと思う。』

ホームページには、静人の目撃情報に対する感想や批判のメールも届きはじめていた。

『悪趣味ですね〜。人の死体で興奮する変態がいるって聞きますもんね〜。一生外へ出られないように、隔離するのが一番で〜す。』

『私だったら、どこの誰とも知れない他人に、興味本位で彼のことを聞かれるなんて絶対いや。もし彼の亡くなった場所で、勝手なことをしているのを見たら……殺すかもしれない。』

そして、蒔野がかつて取材した事件に関するメールも届いた。或る街の女子高生が、同じ学校の男子生徒に登校途中に駅前で刺された事件だ。長文のメールの送信者は、事件の目撃者で、いまは女子大生となっている被害者の親友だった。メールを読むまで忘れていたが、蒔野は事件直後に一週間、街のホテルに泊まり込み、事件を追った。当事者が通う高校のほか、加害者の家と被害者の家も交互に訪ね、なかなか出てこない相手にじれて、深夜でもインターホンを押した。

なのにいま……被害者の名前はまったく覚えていない。彼女の生い立ちも人間関係も、何ひとつ記憶にない。加害者の姓と、家庭環境とを少々覚えているくらいだ。それはこの事件にかぎらない。残酷な事件ほど、加害者のことは記憶しても、被害者については名前も残らない。

駅前のコインロッカーはかすかに記憶があり、あの場所を静人が訪ねたのかと思う。片膝をつき、上下にやった手を胸の前で重ね、こうべを垂れ、死者の名前を唱える姿を、想像してみる。

目撃者の女子大生は、彼のことを、これまでのメールの送信者のように、怒ったり、不安がったり、苛立ったりはしていなかった。どう考えればいいのか悩んでいた。彼女は、静人のことを、〈悼む人〉と呼んでいた。どこにいるのか、何をしているのか、こちらに尋ねていた。

『〈悼む人〉は、誰ですか。』

それを、こっちも知りたいんだ……口のなかでつぶやいた直後、電話が鳴った。

留守番電話に切り替わり、理々子の声が聞こえる。蒔野が出ることをもう期待せず、初めから録音に残すつもりの抑揚のない口調で、父親がナースステーション前の部屋に移されたと話した。その部屋に移されると一週間前後で死ぬ、と患者たちの間では噂になっており、父親も決してその部屋にだけは移らないと訴えていたのに、状態を常時観察する必要が生じたのだという。

「会うなら、本当にいましかないのよ」と、彼女は言った。

生きたまま燃やされた少女の件は、始まりこそ衝撃的だったが、いまなお被害者の身元が割れないため、日々新しい事件がつづくなか、話題性が薄れつつあった。知り合いの新聞記者から聞いたところでは、少女は三年前にも十八歳と名乗っていた、と証言する者が現れ、年齢までが怪しくなった。捜査陣の士気が高まりにくいなか、身元不明者の殺人でも、検察は起訴して有罪判決が出た例があるので、今回もその線でよかろうという声が早くも出ているという。

蒔野は、会社を出て帰宅する途中、ふと気が変わり、自宅と反対方向へ向かう電車に乗った。理々子に教えられた病院のある最寄り駅で降り、気持ちが決まらないまま歩いてゆく。

救急指定を受けている総合病院は、夜が更けても各フロアに明かりが灯っていた。

父親が入院しているという病棟のフロアを見上げる。窓の向こうには、あの男がいる。母に、そして自分にひどい振る舞いをした男が、その生を終わらせようとしている。

理々子は、父親の別の面を語った。店で詩を朗読し、客から拍手を受けたこと。子どもを産めなくなった彼女を、心から慰めたこと。声を失う前に、孫にメッセージを残したということ。

〈悼む人〉よ、と鼻で笑って問いかける。おまえなら、こんな与太話でも悼むのだろう。

不意に、静人の親と会ってみたい気がした。彼の旅を、親はどう思っているのか。旅のことを親は知っているのかと、道警の警部補は語った。知っていれば、普通は止めるはずだ。止めないとしたら、なぜなのか。理解があるということなのか。彼の親と、自分の親は何が違うのか。

父親は、母の葬儀のおりに非道な振る舞いをしたくせに、自分の死期が近づくと怖くなってか、墓を買ったという。いっそ父親の前に立ち、臆病者め、と笑ってやるか。だが、死相のあらわれた顔を見て、わずかでも気持ちが揺らぐのはいやだった。あの男を憎みつづけねばならない。

病院の前を離れた。駅へ向かって歩くうち、周辺の風景に見覚えがあると思った。駅前の商業ビルが八年前に火災を起こし、防火設備の不備で、二十人もの人間が死んだことを思い出す。当時は大きな騒ぎになったが、ビルは建て替えられ、どこにも悲劇の痕跡をとどめない。太い柱の根元に人がうずくまっていた。まさかと思って歩み寄る。若い男が身を丸めて吐いていた。

蒔野は、自宅に戻り、息子のブログに目を通した。息子は、学校の宿題について書いていた。自分の親に、どんな仕事をしているか、それにはどんな苦労があるかを聞いてくるのだという。別れた妻の再婚相手が、京都で美術関係の本を出版する会社の編集責任者だという話は、人づてに聞いていた。彼女も手伝っていることが、ホームページの記述からくみ取れる。息子は、それと重なる内容を、インタビューと言う小学校三年生らしいつたない言葉で書いていた。そして、こうした人への質問のことを、インタビューと言うのだと、自慢げにつづけ、

『インタビューをするのは、きしゃの人だ。ぼくの前のパパが、きしゃだった。』

と書いていた。驚いた。息子が蒔野のことを取り上げたのは初めてだ。

『とても、ゆうしゅうな、きしゃだった、って、ママに聞いた。』

これにも驚いた。別れた妻が、蒔野のことをそんな風に息子に教えるとは思ってもみなかった。悪い気はしない。そうして、次につづく文章を、何度も繰り返し胸に刻んだ。

『でも、前のパパは、しんだ。じこだった、って、ママに聞いた。ぼくは、もう顔も、おぼえていない。でも、さびしくない。ママと、いまのお父さんがいるからだ。おしまい。』

第五章　代弁者　（坂築巡子――Ⅱ）

1

坂築巡子《さかつきじゅんこ》は、カーテン越しの光でほの明るくなった天井を見上げ、何も持たない手を顔の前に挙げた。いましがた見た夢のなかで、かけがえのない大切なものを受け取った。その感覚が手に残っていて、温かい。娘の美汐《みしお》に妊娠を告げられた日の夜から、同じ夢を見ている気がする。ただし具体的な情景は、目覚めると忘れてしまっていて、残念だ。

午前六時を回っていた。ベッドの横に敷かれた布団に夫の姿はない。巡子はベッドの上に座り、体温を計るあいだ、シャレか謎掛けの問答を考えた。がんに対して積極的な治療をせず、在宅で過ごすことを選びはしたが、少しでも自分の免疫力を上げようと、一日一つは笑える言葉を考えることを日課にしていた。昨日考えた謎掛け問答は、〈ホスピス病棟〉と掛けて〈春、夏、冬〉と解く、というものだ。そのココロは、〈アキがない〉。家族の反応はいまひとつ鈍かった。

体温は平熱だった。パジャマから、ブラウスとスカートに着替え、居間に入ってゆく。窓越しに、鷹彦《たかひこ》が竹ぼうきで庭を掃く姿が見えた。今日のことで、よく眠れなかったのかもしれない。

八月六日は、五歳で亡くなった鷹彦の兄と、二十四年前に亡くなった彼の父親の命日だった。

今日はその法事だけでなく、美汐の、妊娠が判る前に別れたという元恋人を家に迎える。

本来は別の日に分けたかったが、先方ができるだけ早い話し合いを望み、一方で美汐も相手も仕事を抱えていて、都合のよい直近《ちょっきん》の休日が今日だった。午後一時に法事が始まり、一時間で終わる予定だから、午後三時に先方に来てもらうよう、甥の怜司《れいじ》に連絡を頼んでいた。

窓を開け、夫に声をかける。こちらの表情から体調を読み取って、彼がそっと肩の力を抜く。

「ねえ、今朝も謎掛けを思いついたよ。絶対笑えるからね。いい？〈余命宣告〉と掛けて」

鷹彦の笑顔が曇る。巡子の語る笑いのネタが、どれも病気に関わるものだからだ。彼女としては、がんを笑い飛ばす気概でいるため、あえて病気をネタにすることが必要と感じていた。

「〈余命宣告〉と掛けて〈タレント天気予報士の天気予報〉と解く。はい、訊いて」

「あ……その、ココロは？」と、催促されて鷹彦が訊く。

「そのココロは、〈外れたほうが、人には受けます〉って、どう？」

鷹彦は、苦笑に近い、無理に作ったような笑みを見せた。

「何よ、その顔は。まったく手応えがないんだからな。笑いがわかってんの？　じゃあ特別に二つ目、行くよ。〈患者に告知をしなかった場合〉と掛けて〈アメリカの外交政策〉と解く。そのココロは……〈パートナーが、言い訳に苦労します〉って、どう、これなら？」

巡子は反応の鈍い夫を置いて、顔を洗い、朝食の準備にかかった。ほどなく二階から美汐が下りてきた。眠れなかったのか、目が赤い。別れた恋人が家を訪れる日が決まった三日前、彼女は巡子と鷹彦に、ごめんなさいと頭を下げた。婚前に子どもができたことを含め、様々な想いを込めてのことだろう。巡子としては、自分の病気が美汐を追いつめた面があるほか、恋人との別れには静人のことが影響しているのだから、むしろ美汐に詫びたいくらいだった。

「美汐。今日の笑える言葉を聞く？　大笑い間違いなしだよ。胎教《たいきょう》にも絶対いいから」

鷹彦に話したのと同じ問答を聞かせる。美汐は眉間に皺を寄せただけで、何も言わなかった。

うちの連中は笑いのレベルが低過ぎる。そうつぶやきながら、巡子は台所に戻り、

「美汐、今朝もパンでいいの？　わたしとあなたさぁ、食べる物がなんだか似てきてない？」

巡子は柔らかくて消化しやすいものを好み、朝はパンをミルクに浸して食べていたが、美汐もつわりで和食が苦手となった。鷹彦も合わせてだろう、ご飯食からパン食に変わっている。

「ねえ、お母さんは眠れたの？　からだの調子とか、いろいろ……大丈夫？」

美汐の硬い表情から、今日の話し合いがうまく進むかどうかを心配しているのだと察し、

「高久保《たかくぼ》さんと会うときさ、かつらをつけようか？　わたしがよくなったと思ってんでしょ」

「え、うん……ちゃんと話してないから。怜司と同じで、治ったと思ってるはずだけど」

「だったら、つけたほうがいいかもね。最初の印象って大事だから。そうだ、金髪にしようか」

「何またばかなことを言ってんのよ。そういうの、いまいち理解できない人なんだから」

「少し笑ってもらったほうが話しやすいのよね。そうだ、栄哉《えいさい》さんで試してみようか」

坂築家の菩提寺は近所にあり、住職は栄哉といい、鷹彦と同い年だった。毎年お盆の供養に来

てもらうため顔見知りだったが、彼の母親が高齢者ホームに入所し、母親に面会に来る彼と、食事介助のボランティアで通う巡子は何度も顔を合わせるうち、より親しくなった。

「栄哉さんにさ、抗がん剤で金髪になっちゃいました、って見せたら信じるかもよ。どう？」

美汐は険しい顔でかたくなに反対し、鷹彦は困った顔でしきりに頭を掻いた。

「こんちゃー、怜司っす。今日も夏日で、川は水涸《が》れ、おれ女涸れ、と」

朝食後、甥の怜司が法事に合わせた背広姿で現れた。彼ならシャレがわかるだろうと思い、法事の際に金髪のかつらをつけようと思うがどうかと訊くと、賛成すると思いきや、今日のところはおとなしくしといたらと言って、何やら思わせぶりな笑みを返してきた。

「それより伯母さん、今日、静人兄ちゃんのこと、うまく話せそうなの？」と、彼が訊く。

「なんとか頑張ってみる」

巡子は、美汐の視線も意識しつつ答えた。この一週間、静人が旅に出た当時の日記も参考に、しっかり話せるよう考えつづけてきた。だが混乱するばかりで、本当のところ自信はない。

（でも、美汐のおなかの子のためにも、きっと相手に納得してもらわないと……。）

法事は仏壇のある和室でおこなうため、鷹彦と怜司がベッドをいったん居間に出し、押入れにしまっていた組立式の祭壇を、仏壇の前で組み立てた。五歳のとき戦災で亡くなった鷹彦の兄は、すでに五十回忌を終え、本来は年忌《ねんき》が明けているが、巡子は快く自分を迎えてもらうためにも、あらためて供養しておきたかった。鷹彦の父は、二年前が二十三回忌で、再来年が二十七回忌と、今年は正式な回忌の年ではないが、やはり同じ理由で、栄哉師を招くことにした。

昼食後、巡子と美汐は着替えと化粧にかかった。またたく間に午後一時を迎え、ふだんは時間にルーズな栄哉師なのに、インターホンが鳴った。巡子は、まだ黒髪のかつらをつけておらず、怜司に玄関へ出てもらった。かつらをつける途中で、つい悪戯心《いたずら》が起き、金髪のかつらに替え、頭にのせた。相手がまだ上がってこず、玄関のほうからは怜司の困ったような声がする。

どうしたの、と巡子が出ていくと、怜司の前に、高級な背広を着た若い男二人が立っていた。

「あら……どちら様」

巡子の問いに、男たちはそれぞれ戸惑いの表情を浮かべ、彼女の顔と頭とを交互に見やり、

「初めまして、高久保です」

やや若いほうの、身長の高い青年が頭を下げた。隣の、眼鏡を掛けた知的な印象の男性が、

「英剛《ひでゆき》の兄です。突然お邪魔して申し訳ございません」

と、弟よりも深く頭を下げた。丁寧だが形式的な仕草で、むしろ圧迫感を受ける。

相手が誰かわかったものの、三時に来る約束なのにどうして、と怜司に目を移す。彼は呆気《あっけ》に取られた顔で、オバサン、カツラ……と口の動きだけで伝え、自分の頭を指差した。

「あ……ごめんなさい。ボランティアの仮装パーティーの準備をしてて……」

いい加減な言い訳をして、巡子は居間へ引っ込んだ。急いでかつらを外しながら、

「三時のお約束だと思ってたものですから……。ねえ、怜司くん、そうよね？」

玄関先へ問いかけを含んだ声を張る。ああ、いや、と怜司が咳払いをして、

「高久保はひとりで来ると思ってたから。先々この家の一員になるなら、法事にも参加しといた

ほうがいいだろうと、おれが一時に来いって勝手にさ……。まさかお兄さんが一緒なんて……」

道理で、金髪のかつらには反対したわけだ。合点はいったが、もう取り返しはつかない。

美汐が階段を下りてくる足音が聞こえた。挨拶に困っている姿が見えるようだ。こんなとき、鷹彦はあてにできない。思った通り、巡子がいる居間の隣の和室で衣擦《きぬず》れの音がする。

するとインターホンが鳴っていないのに、玄関ドアの開く音がして、

「はい、ごめんくださいよぉ」

いかにも首が太くて恰幅《かっぷく》がよい人間が発しそうなだみ声は、栄哉師のものだった。

「ほう。こりゃまた大勢おそろいで。皆さん、ご参列の方々かな。仏さんもお喜びでしょう」

「英剛、皆さんのお邪魔になりそうだから、少しあとで出直すことにしようか」

高久保の兄だろう、冷静な声で言うのを聞いて、巡子は肚《はら》を据えた。かつらをつけずに、髪を軽く払って玄関へ出る。階段下で顔を伏せている美汐に視線を走らせたあと、禿《は》げ上がった額に汗を浮かべた栄哉師に礼をし、高久保たちの前で膝をついた。

「ご挨拶が遅れました。美汐の母でございます。このたびは素晴らしい病院をご紹介いただき、ありがとうございました。先日、美汐に聞くまで存じ上げず、御礼もせぬまま過ごしたことを心よりお詫び申します。おかげさまで退院することができました。あらためて御礼に伺えたらと願っております。また本日は、連絡の行き違いがあり、申し訳ございません。ただせっかくおいでくださったのですから、このままお上がりいただけませんでしょうか。お願いいたします」

困っている高久保より、冷めた面持ちの兄のほうを見つめて言う。彼もなお目は揺れている。

「事情は存じ上げないが、いま帰られては仏様も悲しまれましょう。上がられてはどうですか」と、栄哉師が勧めてくれた。高久保は銀行員だが、兄は県会議員である叔父の秘書をしており、いずれ選挙に出るらしいと、怜司から聞いていた。そんな彼なりの考えもあってだろう、

「では、上がらせていただきます。このような服装で、こちらこそ申し訳ございません」

栄哉師が上がり、つづいて高久保たちが上がるのを待って、巡子は案内に立った。

「ご病気はよくなられたそうだが、その髪は、薬の影響ですか」と、栄哉師が訊く。

「ひどく抜けないように自分で切ったんです。薬が合って、幸い影響は出ずに済みました」

巡子は、高久保たちにも聞かせるつもりで答え、居間へ入る直前、美汐のほうを振り返った。

高久保たちの背後で、怜司が彼女のもとへ歩み寄り、何やら詫びている様子だった。

和室に進むと、礼服に着替えた鷹彦が栄哉師と挨拶を交わしていた。長い付き合いのため、彼も栄哉師とは話せる。だが、高久保たちに紹介すると、目を合わせず、口のなかで聞き取れるかどうかという程度の声で挨拶をして、部屋の隅に身を潜めるように座った。

「若い方は膝を崩されて結構ですよ。来てくださっただけで、仏さんは喜んでおられます」

栄哉師が言い、全員が落ち着いたところで供養を始めた。鷹彦の兄と父それぞれに十五分ほどお経を唱え、終わったところで美汐がお茶の用意に立った。天候の話などをつづけたあと、

「今朝も例年通り、ヒロシマの慰霊祭を、各局で放送しておりましたな」

と、栄哉師が感慨深げに言った。冷えた麦茶に手を合わせてから、それを口に含み、

「大勢が参列して、首相も献花されていたが……差があるのは、やはり仕方ないのですかな」

「え。一九四五年の今日が命日って、伯父さんのお兄さん、もしかして原爆で死んだの？」

怜司が、栄哉師の話から察したのか、巡子たちを見つめた。

「ううん、そうじゃないの……亡くなったのは、今治よ」

昭和二十年八月六日に亡くなったと話すと、皆が皆、ヒロシマかと訊くのが習慣のようになっていて、寂しいような想いとあきらめに似た感情が重なり、巡子の笑みも微妙に揺らいだ。

イマバリというのはどこかと、怜司が訊く。巡子が答えようとすると、

「広島とは瀬戸内海をはさんだ対岸の、四国の港町ですね。いまはタオルの生産で有名かな」

高久保の兄が答えた。弟は膝を崩しているが、兄のほうはいまも正座のままでいる。

「今治にも空襲があったのよ、広島の原爆と同じ日にね」

巡子は答えて、鷹彦のほうをうかがった。彼は仏壇の斜め前あたりであぐらを組み、こちらに背を向けて麦茶を飲んでいる。彼のことを高久保たちにもわかってもらう、よい機会だと思い、

「夫の実家があったんです、今治に。夫は当時三歳でした。年齢だけでなく、お兄さんが目の前で亡くなったこともあってか……三万人以上が被災したという空襲の記憶はないそうですけど」

と、怜司より、高久保たちに向かって話した。栄哉師と美汐はすでにこの話は知っている。

「八月六日、正確には六日に日付が変わる直前から、明けて未明にかけてらしいですけど、今治への空襲で、四百五十人を超す人の死が記録されています。五歳だった夫の兄は重傷を負って、しばらく経ってから亡くなりました。だから記録上の死者の数字には含まれておらず、そんな人は少なくないと、坂築の両親から聞きました。当初は亡くなった日にまつっていたけれど、六日

に受けた被害が忘れられていくのがつらくて、この日にまつることにしたそうです」

言葉を切ると、窓の向こうで盛んに鳴く蟬の声が辺りを満たす。巡子は仏壇に目を上げ、

「夫の父は戦前は教師で、教え子だった女生徒さんが動員で今治の工場に勤め、やはり大勢が亡くなったそうです。夫の父は、別の場所で軍務にあたっていて、戦後に事情を知り、ひどく罪の意識を抱いたと言います。こうしたことと、長男の死と、戦後の混乱が重なり、夫の両親は、三歳の子が話さなくなっていたのに気づくのが遅れたそうです。空襲や兄を亡くしたショックが、心の傷として固まってしまったのかもしれないという話でした。夫は、いまも対人関係が苦手で、いろいろ苦労を抱えてはいますが、親しい相手とは話せますし、通常は何も問題ありません」

鷹彦のほうに目を戻す。彼は空になった茶碗を手のなかでもてあそんでいた。

しばらくまた蟬の声だけが室内を満たしたあと、ではそろそろ、と栄哉師が腰を上げた。

鷹彦と美汐とともに、巡子は栄哉師を玄関まで送った。彼はホールに飾った絵を眺めつつ、

「ご子息は、まだ戻られませんか」

と言った。彼にも、静人は自分探しの旅に出ていると話していた。

「早く戻られると、ご安心ですな。あと、髪も早く戻られますように。戻る人が羨ましい」

栄哉師は、剃らなくともきれいに禿げた頭をつるりと撫でて、柔らかくほほえんだ。

和室へ戻ると、三人が硬い顔で待っていた。ことに怜司は、高久保を厳しく睨んでいる。

「どうも、わざわざありがとうございました」

巡子は、高久保たちの前で膝をつき礼を述べた。鷹彦と美汐も頭を下げた気配が伝わる。

「いいえ。こちらこそよい勉強をさせていただきました。遅れましたが、ひとまずこれを」

高久保の兄は、持参していた高級デパートの紙袋から菓子折を出し、畳の上をすべらせた。

「そして、これを御霊前に。何も用意をして来ず、このような形で大変失礼なのですが」

巡子たちが席を外したあいだに用意したのだろう、白い封筒を菓子折の上に置く。

巡子は固辞したが、相手も、いえどうぞ、と引かない。すると怜司が大きなため息をつき、

「高久保がさ、男らしくひとりで来てれば、こういう問題もなかったんじゃないの？」

と、嫌みっぽく口にした。当の高久保は、顔を伏せたままでいる。気まずい間をついて、巡子は菓子折だけを受けて封筒を返したところ、相手も小さく会釈をして封筒を収めた。

「おれの責任でもあるわけだから、偉そうに言うのも何だけど、こういう形になっちゃったんだから、もう回りくどい話は抜きにしませんか。事情は、お互いに知ってるわけでしょ」

怜司が言った。高久保をもう一度睨んだあと、彼の兄のほうへ視線を投げて、

「問題となってるのは、この家の長男のことでしょ？　だから、その説明を坂築家にしてもらって、高久保家のほうが納得すれば、それでいいわけですよね。なあ、そうだろ？」

怜司が、高久保に念を押すように声をかける。高久保は少し間を置いて、うなずいた。

巡子としては、時間をかけて心の準備をしてから話したいことではあったが、いまさらどうしようもなく、仏壇の下の引出しから十冊以上に及ぶ自分の日記を取り出し、口を開いた。

「それでは、長男の静人のことについて説明させてください。順序立てて話さないと、まとまりがつきませんので、少し長くなるかもしれません。どうぞ、楽な姿勢でお聞きください」

2

暗い話をする気はなかった。ただ、静人の旅の意味を他人に少しでもわかってもらおうとするなら、静人の生い立ちから話すほかはなく、すると、幾つかの大切な人の死が思い出される。

巡子は、十六歳で早世《そうせい》した兄の継郎《つぎお》が、彼自身の命の時間を、病気がちだった巡子のために使ってくれるように神様に頼んだ、という話から始めた。

まるで願いが聞き入れられたかのように、継郎は白血病に倒れ、巡子は健康となった。死の直前に継郎は、これは願い事のせいではないから気にしないようにと巡子に言い、でももしも巡子と彼女の子どもに自分の命の時間が渡るなら、それもいいかなと言い残し、息を引き取った。

以来、巡子は自分が健康でいられる日々を、〈兄にゆずられた時間〉として意識し、無駄にしないよう前向きに生きてきた。一方で、やはり誰からも好かれていた兄が生きていたほうがよかったのに……という自責の念は、変わらず抱きつづけていた。

だからこそ、静人をみごもったときは、本当に嬉しかった。子どもを生む、生める……このことで、ようやく自分のほうが生きていてもよかったのだと受け入れることができた。

巡子の父親が心筋梗塞で亡くなったのは、巡子が結婚する一年前だった。

通夜の席に、大学時代の親友みのりと、その兄鷹彦が来てくれた。巡子が演劇部の公演で舞台背景の絵が必要だったおり、みのりから、絵を描くのが得意だった鷹彦を紹介された。

公演は『ロミオとジュリエット』だったが、前衛好みの演出家が、安保闘争時の日本に舞台を置き換え、背景にベトナム戦争を想起させる絵を求めたのだ。鷹彦は、幼少期の体験が影響してか、演出のイメージに合うようなおどろおどろしい絵を多く描いており、このときも、暗い森のなかを真っ赤な生き物の影がうごめくという絵を、求めに応じて大きな板に描いてくれた。

鷹彦と会うのはそれ以来で、二年ぶりだった。みのりは通夜の席にしばらく残り、巡子の母と話していたが、鷹彦は巡子の父の亡骸《なきがら》に手を合わせたあとは、雪の舞う外で妹を待っていた。

彼の肩にうっすら雪が積もっているのを窓から見て、巡子は傘を持って外へ出た。

「話せましたか」

鷹彦が細い声で言った。「お父さまと、話せましたか」

それを聞いて、思い出した。公演を終え、舞台の写真を渡しに彼の家を訪ねたときのことだ。彼の家族がたまたま留守で鷹彦と二人きりとなり、話のつぎ穂に迷ううち、彼の対人恐怖症的な性向の原因をみのりから聞いていたため、実はわたしも兄を亡くしています、と巡子は話した。

相手が黙って聞いてくれたからだろう、兄を亡くしたあと家族がおかしくなったということも話した。ことに父は、期待した長男を亡くして失望の余りか、まるで惰性のように日々を送り、巡子のことを気にするそぶりも見せなかった。父は、兄ではなく、わたしが死んだほうがよかったと思っている……巡子はそうしたことまで一気に話した。しばらくして、鷹彦が目をしばたたき、お父さまと一度よく話されたほうがいいです、と言った。

通夜の晩、鷹彦が尋ねたのはそのことだ。巡子は、そんな余裕はなかったと首を横に振った。

「でしたら……お骨《こつ》になる前に、話されたほうがいいです」

鷹彦が言った。「耳は……最後まで感覚が残ってるそうです。亡くなっても、〈魂の耳〉とでもいうようなものが、まだ残っていると……ぼくは思ってます。きっと聞いてくださいます」

母と親戚が別室で寝たあと、線香を絶やさないように起きていた巡子は、父の白布《はくふ》を取った。

「お父さんの気持ちは知ってるよ。でも、嘘でもいい、おまえが生きててよかったって、言ってほしかった。おまえが生きててくれて、よかったって……最期に言ってほしかった」

父のおだやかな顔が火影《ほかげ》に揺れた。訃報《ふほう》を受けてから初めて涙が流れ、わだかまりが少し融《と》けてゆく心持ちがした。そしておぼろげに、自分の人生には鷹彦が必要かもしれないと感じた。


結婚後、同居していた鷹彦の母が亡くなったのは、静人の出産間近い頃だった。

義母《はは》は、外出先から頼りない足取りで帰宅した。聞けば、駅前で自転車とぶつかり、後ろ向きに転んだという。彼女は何でもないと笑って、元気に産まれてね、と巡子の大きくなったおなかを撫でた。深夜、彼女は急に頭痛を訴えて意識を失い、翌日病院で亡くなった。

孫の誕生を楽しみにしていたのに、さぞ悔しいだろうと、義母の無念さを想って泣く巡子に、

「あなたが、鷹彦の嫁に来てくれただけで、彼女は幸せだったよ」

と、義父《ちち》が言ってくれた。鷹彦の心の問題について、義母は自分の責任のように思っていたという。仕事はなんとか友だちの家がやっている工場に就職させてもらえたが、結婚はあきらめていた。なのに巡子に来てもらえて、孫まででき、彼女は本当に喜んでいた、と。

「いまは安心して、天国にいる鷹彦の兄を抱きしめているだろう」

二ヶ月後、義母に優しく撫でてもらったときの感触を思い出しつつ、巡子は静人を産んだ。出産直後に胸の上に静人をのせてもらったときの幸福感を、巡子はいまも忘れない。兄は死んでしまったが、わたしは生きる、父も義母も亡くなったが、この子が生きつづける、と思った。

静人は、身長も体重も標準値で、からだの造りに比べて手がやや大きい気はしたが、ハイハイをし、歩き、話しだす……そうした日々の成長も、ほかの子と変わったところはなかった。

静人が三歳のとき、巡子の母が肺がんを患い、手術をしたがうまくゆかず、何本ものチューブにつながれて、苦しみながら最期を迎えつつあった。容態が落ち着かないことから、巡子でさえなかなか面会が許されず、数日中に臨終を迎えるだろうというときになってようやく許可が下り、鷹彦と静人を伴って病院を訪れた。

病室に入った静人は、ベッドに縛りつけられている状態の巡子の母を見て、

「ばあばが、かいぞうされる……」

と言った。人間がサイボーグに改造されるテレビ番組に、似た場面があったのだろう。母はまだ意識はあったが、話すことはできず、静人に向かい、うっすらとほほえみかけた。

「ばあば、なに、ほしい？」

静人が訊いたとき、母はしばらく考えて、何か言いたそうにした。鷹彦が察して、メモとペンを差し出した。彼自身、人とうまく話せない場合などに使うものだ。母は、困ったように顔をゆがめた。彼女は、巡子の結婚に反対した。人とまともに話せないような相手に将来性はない、と

いうのが理由だ。そのおりのことをまだ気にしていたのか、彼女は鷹彦に向けて両手を合わせ、詫びるような、今後を頼むような表情を見せた。そして、ふるえる手でペンを握り、

『おぼえてて』

と、巡子の持つメモに書いた。静人がよくわからない様子だったので、巡子が代わって、

「おばあちゃんのこと、覚えてて、って。いつまでもおばあちゃんのこと、覚えていられる？」

静人はうなずき、はっきりと答えた。

「うん、おぼえてる」

母は、安堵したのか枕に深く頭を沈め、二日後の明け方、息を引き取った。

この三年後、静人は庭で死んでいたヒヨドリの雛《ひな》を手に、どうしたらずっと覚えていられるの、と口にしたが、この日の病院での会話が、頭のどこかに残っていたのかもしれない。


静人が小学校入学の年、義父が仕事をやめた。彼は六十五歳ながら壮健で、水泳を趣味とし、自分の部屋より、家族と共にいられる居間で過ごすのを好む、家族想いの温厚な人物だった。

彼は、戦後に友人を頼り、家族を連れて横浜へ出た。教え子を空襲で亡くしたつらさゆえか、教職にはつかず、通信関係の会社に勤めた。定年後もその子会社に役員として勤め、妻の七回忌後に突然、「そろそろいいだろう」と会社をやめてきた。そのあと昼間からパチンコや競馬に熱中し、酒もたしなみはじめた。義母に生前聞いた話では、義父は元々は酒好きで、戦前はよく飲んでいたという。戦争で亡くなった人々への弔《とむら》いをかねた禁欲だったのか、ようやくそれを解い

て余生を楽しむ暮らしを否定はできないが、ときおり競馬場へ静人を連れてゆくのには困った。義父にそれを言うと、「人生を謳歌《おうか》する姿を見せておくのさ」とうそぶいた。

静人はそんな祖父との交流を喜んだ。鷹彦は優しい父親だが、子どもと一緒に腹から笑い合うというようなことには苦痛をおぼえる精神状態であり……巡子は巡子で〈兄にゆずられた時間〉が静人にも渡っていると思うから、勉強も運動ももっと懸命にやりなさいと、ついうるさく言ってしまう。それゆえ寛容な言動で自分を包んでくれる祖父を、静人はいっそう慕った。

義父が自称不良老人となって二年、静人が小学三年生のとき、義父が教師をしていた中学校の同窓会が今治で開かれる旨《むね》の通知が届いた。空襲で亡くなった生徒たちの弔いが主な目的の会らしく、義父は真剣な表情で旅装を整えた。八月六日、かつての教師や生徒が集まり、慰霊碑のある寺で祈りを捧げ、夕方から食事会が開かれた。義父は、食事会の開かれるホテルに泊まり、翌朝帰宅する予定だった。食事会のあと、彼はかつて親しんだ海を見にゆくと言って、ホテルを出た。海を見ながら飲みたいと、海岸通り沿いの酒屋で酒も買っている。そして翌朝早く、犬と散歩中の地元の主婦が、浜に打ち上げられた彼の遺体を発見した。遺書はなく、下着姿で、服が岩の上にたたんで置かれているのも見つかり、海で泳ごうとして溺れた事故と判断された。

警察からの連絡を受け、巡子たちは今治へ赴《おもむ》いた。溺死者は一般に苦悶の表情を浮かべる場合が多いらしいが、義父は平穏な眠っているような死に顔だった。最後の二年間が、覚悟を決めて過ごした年月にも思えた。息子や教え子の命日に故郷で亡くなったということは、自殺でなくとも、ある程度は死も頭にあって海へ入ったのではないか……とすれば、嘆き悲しむより、感謝とねぎらいの言葉で彼を送ったほうがよいと思えた。鷹彦も同じだったのか、彼が自宅に戻ったあと描いた今治の海の絵は、これまでになく清澄で明るい印象のものだった。

しかし静人は、祖父の死に強いショックを受けて、知らせを聞いて以降ずっと泣きつづけた。悲しみの余り、熱まで出した彼に、前向きに生きることが供養になると、巡子は兄の話をした。静人の誕生を願っていた義母の想い、そして長男と教え子を失った義父の悲しみについても説いた。義父の願いは、長男や教え子の分も静人には人生を謳歌してほしいということだったろう。彼らのことを忘れずに生きればいいのよ、と抱きしめると、静人は自分の胸にふれて答えた。

「みんなのこと……ここに入れておく」

祖父の死が幼い心に負担をかけはしなかったかと、巡子は心配したが、杞憂《きゆう》に終わり、静人は明るく闊達《かったつ》な少年に成長した。スポーツに夢中になり、友だちも大勢でき、五歳年下の美汐の世話もよくしてくれた。夏休みや冬休みに遊びにくる怜司のことも、弟のように可愛がった。

中学ではハンドボール部に入り、勉強の成績はお世辞にもよいとは言えなかったが、女の子にはそこそこ人気があったらしく、ときおり可愛らしい封筒の手紙が静人宛《あて》に届いた。

高校はふだんの成績に応じた公立校でのびのび過ごせばよいと思っていたが、三年の夏から急に猛勉強を始め、県内有数の進学校に補欠で合格した。実は中学一年からの親友に同じ高校へ誘われ、勉強も見てもらっていたのだという。その親友は、子どもの頃に医療関係のドラマを見て感動し、医師になって多くの命を救いたいという夢を抱いていた。将来の夢などまだ何も決まらない静人は、そんな友を敬愛し、何かの形で彼の夢を支えたいと思ったらしい。

親友は志望通り医学部へ進み、静人は工業系の大学へ進んだ。人間の脆《もろ》さに比べて、強固で常に一定に動く機械が元々好きだったと、彼は志望理由を話した。もしかしたら祖父たちの死が影を落としているのではないかと気になり、巡子は思い切って影響を尋ねてみた。静人は笑って、「関係あるとしたら、連れていかれた競馬場の電光掲示板が美しく見えたことかな」と答えた。

大学へは実家から通い、勉強よりサークル活動やアルバイトに精を出していた。恋人はいたようだが、たびたび相手が変わっている気配もあった。巡子としては、兄からゆずられた時間を、わが子が無駄に使っているようで苛立つときもあれば、義父が伝えた通り、人生を謳歌している様子に、安堵する想いもあった。四回生の初秋、深夜に酔って帰宅した彼は、医療機器メーカーに就職すると話した。医師となる親友を支えられるし、希望する会社の内定も出たため、親友と乾杯してきたところだと、調子外れの歌まで歌った。巡子と鷹彦はそんな彼を嬉しく眺め、中間試験中の美汐がうるさいと降りてくると、彼は妹の手を取ってダイニングで踊った。

翌年、静人は東京に移り、会社と寮を往復する毎日を送った。巡子が電話すると、営業部に回されたことを残念がっていたが、仕事を覚えるにつれ、次第に声のトーンは明るく変わった。

営業の仕事の一環《いっかん》として、病院でのボランティア活動があった。幾つか病院を回り、外来患者の案内をしたり、入院患者の話し相手を務めたりする。現場の人々と親しくなり、機器購入へつなげようという会社の方針に基づくもので、病院側も人手不足のために受け入れていたのだろう。

静人は、こうした活動に積極的に関わり、医師や看護師や患者の話をよく聞いた。そうして得た意見を開発部に上げ、当事者に望まれている機器の製作に寄与できるからだという。

社会人となって三年目、静人は小児病棟のボランティアに深く関わりはじめた。社の方針では、営業は顔を広げるのが仕事だと一つ場所には長く関わらせないらしい。静人は休みの日に小児病棟に通った。子どもたちと親しくなり、離れがたくなったからだと、のちに巡子に説明した。

現実には、離れがたくとも、永遠に離れねばならない経験が重なった。毎週のように通って、闘病生活を励ましたり慰めたりした子どもたちが、病状が急変し、衰弱し、亡くなってゆく。

そうしたつらい状況に、彼の心は乱れた。医療者でない彼の立場は、逃げ場がある一方、次の患者で挽回《ばんかい》する機会もなく、無力に死を傍観するしかない。その苦しさを、付き合って間もない同じ病院の看護師に話すと、「忘れていかないと、燃え尽きちゃうよ」と忠告されたという。

親友にも相談した。「だからこそ有効な医療機器を開発すればいいだろう」と励まされた。

納得する一方で、心は冷えたまま、どれだけ医療が発達し、必要とされる医療機器が開発されたとしても、救えない死はきっとある、と胸の内でつぶやいていた。いまは研修医となって日々努力している親友に、そうした想いまでは打ち明けられず、「飲むか」という彼からの誘いも断った。次第に小児病棟から足が遠のき、付き合っていた相手とも別れた。

社会に出て五年目の夏、静人は街なかで中年女性から、ありがとうございましたと頭を下げられた。相手は、小児病棟で遊んでもらった子どもの母親だと名乗った。先日一周忌を終えたが、あのおり遊んでもらい、子どもはとても喜んでいた、せめてもの慰めだと言われた。話を聞いて、どの子のことかは思い出せても、命日は完全に忘れており、静人はそんな自分を恥じた。

思い返せば、自分が小児病棟に通っていた頃に亡くなった子どもたちの、それぞれの命日までは覚えていない。亡くなったときは、精神的に燃え尽きるとしても忘れることなどできないと、胸をふるわせたはずなのに……自分の行為も感情も、すべてまやかしだと指摘された気がした。

一人で抱え込むのはつらく、親友に相談しようとした。そのとき彼はすでに亡くなっていた。

親友は、夜勤をはさんで連続三十八時間病院につめたあと、就寝前に自宅マンションで風呂に入ったらしい。お湯に浸《つ》かったまま寝入ってしまったのだろう、死因は溺死だった。

巡子は、通夜に出席する前に実家に戻ってきた静人を見て、あまりの憔悴《しょうすい》ぶりに驚いた。親友の両親から連絡を受けて以来、一睡もしていなかったようだ。彼は巡子に小児病棟に関する話をして、親友とあのとき会って話していればと悔しがり、何度も同じことを口にした。

「おれなんかより、あいつが生きたほうが絶対よかったのに……なんであいつなんだよ」

巡子と鷹彦も通夜に参列した。自分と同年配の男女が子どもの遺影の前でうなだれている姿は、見るに忍びなかった。静人は通夜の席に残り、そのまま翌日の葬儀にも参列した。

警察から家に電話があったのは、葬儀の日の夕方だった。警察署に出向くと、喪服の乱れた静人がいた。葬儀に参列していた高校時代の同級生三人と、殴り合ったらしい。理由を問うと、その三人が、こんなつまらない死に方をするなんて……と話していたからだという。

「つまらない死、なんて言葉は、許せなかった」と、静人は言った。

親友の家が、神道を信仰していたため、十日祭、二十日祭、三十日祭、四十日祭、五十日祭、百日祭と、決まりの供養ごとに、静人は欠かさず親友の家を訪ねた。親友が愛用していたロッキングチェアを、彼の両親からゆずり受け、いまそれは二階の静人の部屋に置いてある。

当時の静人は、会社から重要な仕事を任されるようになり、一段と忙しくなっていた。のちに彼自身から聞いたが、あえて人の仕事も引き受け、忙しさのなかに逃げ込んでいたという。

そして彼は、親友の命日におこなわれる一年祭を忘れた。ひと月前、親友の母から電話で案内を受け、平日だが半休をもらって出席する、と約束していたにもかかわらず、休まずに営業の外回りをつづけるうち、気がついたときは祭儀《さいぎ》の時間をとうに過ぎていた。

静人は慌てて親友の家を訪れた。親友の両親は、気に病むことはない、あなたがこれまでしてくれたことだけで十分だからと、しきりに謝る彼を慰めてくれた。それがまた心苦しかった。

傷ついて脆くなった静人の心に、祖父母の死も含め、これまでに経験した死のすべてが流れ込んだのかもしれない。家に戻ってきた彼は、仏壇の前で次のようなことを言った。

「思い出したんだよ……小学校五年のとき、隣の組の子が交通事故で死んだ。中学のときには、一学年上の女の子が二人、自殺した。高校のときは、後輩が火事で逃げ遅れた。大変なことなのに、仲間と冗談ぽく、怖《こえ》えなって話したくらいで、心は動かなかった。どんな子たちだったか、名前すら覚えていない。それって……本当は、おかしいことじゃないのかな」

しばらくして、彼は仕事中に過呼吸《かこきゆう》症候群という浅い呼吸を繰り返す状態におちいり、意識を失った。病院での検査では異状は見つからず、医師は精神的な疲れを指摘し、入院を勧めた。

会社からは一ヶ月間の休養を認められた。だが静人はみずから求めて一週間で退院した。退院の日は、巡子が迎えにいった。病院からの帰り、静人は少し歩きたいと言った。

二十分以上歩いた頃、彼はいきなり交差点の前でうずくまった。ガードレールに小さな花束がもたせかけてある。ニュースなどで献花の場面を何度か目にしたことがあり、巡子は珍しくも思わなかったが、静人は花束をひっくり返したり、花束の奥をのぞき込んだりした。

「亡くなった人の名前とか年齢とか書いてないかな。どんな風に亡くなったんだろう……」

周囲は住宅地で、商店などはなかった。彼は、巡子が止める間もなく、身近な民家のインターホンを押し、出てきた住人に花束の意味を尋ねた。相手は不審そうだったが、そばに巡子が心配顔で付き添っていたため、事故の関係者とでも思ったのか、知っていることを話してくれた。

目の前の交差点で、女子大生の乗るスクーターが赤信号で停止した直後、乗用車が後ろから追突し、彼女は道路に投げ出されて頭部を強打した。乗用車の運転手が携帯電話に気を取られたのが原因だった。事故後しばらくして被害者の両親が近所を回り、毎月の命日に当たる日に月忌《つきいみ》として花を手向《たむ》けたい、ご迷惑かもしれないが許してほしいと言ってきた。同情した住民たちは、献花は枯れる手前で処理するから、気が済むまで弔いつづけてあげるようにと答えた。

静人は、その話に感激し、被害者の名前を教えてもらって、献花の前で手を合わせた。

帰宅後、彼はずっと考え込む様子だった。そして翌朝、朝食もそこそこに家を出た。巡子は胸騒ぎがして、あとを追った。静人は、何やら道沿いに探しながら歩き、どういうつもりかと彼女が尋ねても何も答えなかった。やがて、コンビニの駐車場に前日と似たような花束が置かれているのを見つけ、彼は店に入り、十分くらいして現れ、花束の前にしゃがんで手を合わせた。立ち上がった彼に問うと、この場所で若者同士が目が合ったというだけの理由で喧嘩をし、一人がナイフで刺されたのだと答えた。花束は、亡くなった少年の妹が置いていったらしい。もう気が済んだろうと、巡子は帰宅を勧めた。静人は、夜には帰ると言い残し、また歩きはじめた。彼女には追いかける気力も体力もなく、パートを休んで家で待った。

約束通り、静人は夜には帰ってきた。ズボンの裾と膝がひどく汚れていた。

次の日も、また次の日も、静人は朝早く家を出て、深夜に疲れ切った状態で帰ってきた。何をしているのか訊くと、道端に献花を探しているが、なかなか見つからないのだと答えた。

彼の精神状態を危ぶみ、ともかく休むようにと巡子は言った。静人は黙っていた。

翌朝、彼は家を出なかった。代わりに新聞を開き、丹念に目を通したあと、或る記事をメモに写して自転車で出ていった。巡子はその記事を確かめた。全国紙に折り込まれた神奈川版の紙面に、自宅の隣の地区で高齢者がトラックにはねられて死亡したことが書かれていた。

以来、静人は新聞から情報を得た。テレビのニュースは死者の報道以外での騒がしさが耐えがたいらしく、日々の新聞のほか、図書館で古い新聞も閲覧していたようだ。記事に書かれた場所をもとに、電車やバスも使い、遠くまで出かけていく。巡子は幾度もやめるように説得したが、静人は県外へも足を延ばすようになり、秋の日の深夜、いま栃木にいて電車がないので泊まると電話をよこしてきた。翌日帰ってきた彼に、どこに泊まったのか訊くと、公園と答えた。

その夜、巡子と鷹彦、大学で就職活動をしていた美汐もそろい、静人と話し合った。

確かに親友の死はつらかったろうし、命日を忘れたことで自分を責める気持ちはわかるが、他人の死を求め歩いて、どんな慰めになるのか、何の意味があるのかと、巡子はただした。

静人は苦しげな表情で首を横に振った。なぜそうするのか彼自身も説明できない様子だった。

美汐が業を煮やし、まさか日本中の人の死を祈って回るつもりじゃないでしょと言った。

祈るなんておこがましい、と静人は答えた。自分には祈る資格も権利もないことが、人の亡くなった場所を歩いてみて、わかってきたという。じゃあ何をしてるの、と美汐が訊いた。

「……覚えていられないか、と思ってる。なんとか、覚えつづけていられないかって……」

彼がどれほど深く罪悪感にさいなまれていたか、巡子はあらためて気づかされた。

「でも静人、すべてを覚えるわけにはいかないでしょ……限界があるでしょ」と、彼に告げた。

静人は、少し理解してもらえたと思ったのか、弱々しい笑みを浮かべた。

「そうなんだ……小さな地域においてさえ、ぼくはすべての人の死を知ることはできない。でも、ここで人が亡くなった、あそこでも亡くなったと知れば、じっとしていられないんだ。亡くなった一人一人がこの世界に生きていたということを、できるだけ覚えていられないかと思ってる。覚えて、何になるかなんて、いまはわからないよ。それを知るためにも、つづけたいんだ」

巡子は、鷹彦を見た。同じ戦災で自分が生きて兄は死んだということに対し、鷹彦も罪悪感に似た感情を抱きつづけてきた気がする。お父さんはどう思う、と巡子は彼に訊いた。静人も父親を見た。鷹彦はなおしばらく黙っていたが、やがて、生きていかなきゃいけないよと言った。

「死んだ人ばかりを見つめていては、自分も、家族も、養えないよ……」

静人は顔を伏せた。鷹彦の言葉が、何より彼を苦しめるように感じられた。

その後も彼は遠出をつづけ、帰ってこない日が、二日になり、三日になった。せめてホテルに泊まるようにと、巡子は金を渡した。熱が冷めないかぎり、どうにもならないと思った。

年の瀬の迫る十二月、警察から連絡があった。殺人事件が起きた現場の近所で、静人は被害者のことを聞いて回り、不審者として保護されたらしい。巡子が迎えにいった。

翌日、彼は会社に退職願を出した。犯人はすでに捕まっており、彼に何の容疑もなかったが、さらに死を訪ね歩くうちには、会社に迷惑をかける事態も起きかねないから、と話した。

「医療の進歩も医療機器の開発も、とても大切だといまでも信じてる。いずれ人は死ぬのだとしても、もう少し生きたい、生きていてほしいという、人々の願いを叶えようとする努力は尊いと思うよ。でもその仕事は……ぼくでなくても、誰かがやると思うんだ」

静人は、預金を下ろし、数日かけて何やら用意をしていたかと思うと、着替えなどのつまったリュックと寝袋を持ち、家族の集まる夕食の席で、明日、旅に出ると話した。大晦日《おおみそか》だった。

「お父さんから言われたことは、ずっと頭にあるよ。ただ、もうしばらくやらせてもらえないかな。亡くなった人たちを忘れたことへの、罪滅ぼしのつもりはないよ。でも、人が亡くなった場所を訪ねて回っていると、本当に自分は多くの死を見過ごしてきたんだと、胸が痛むんだ」

止めても、彼は行くだろう。せめて家に戻ってこさせるため、長くても半年か一年をめどに帰ってくるよう、巡子は求めた。静人は困った表情ながら、心配そうな家族を見て、うなずいた。

明けて元日、巡子と鷹彦と美汐が見送るなか、静人はリュックと寝袋を背負い、家を出た。

3

巡子は、ここまで休みなく話して、いったん口を閉ざした。

過去から現在までの時間をあらためて経験するかたちとなり、疲れが心配だったが、気持ちに張りがあるせいか体調は思ったよりもよい気がする。一方、静人の心情を追体験し、おりおりの自分の対応を反省し、後悔もして、精神的に弱っていた部分にさらに傷を負った感覚があった。

顔を起こすと、高久保は混乱しているのか目が落ち着きなく揺れ、彼の兄は感情を表に出さず、眼鏡の奥の目をやや下に向けて動かさない。怜司は、自分が慕っていた静人の、たぶん知らなかったことばかりを聞かされて、どう受け止めてよいのか高久保以上に戸惑い、言いたいことはあるのに言葉が出ないといった、もどかしげな表情をしていた。

振り返ると、鷹彦も美汐も巡子の斜め後ろに座り、まるで被告人の家族のような雰囲気で神妙に首を垂れている。このままつづきを話してよいものか、巡子が迷っていると、

「おれが二年前に会ったときも、自分探しじゃなく、いま言ったような旅をしてたんだ？」

怜司が尋ねた。ほかに聞きたいことは山ほどあるが、ひとまず、という想いが言外に匂う。

巡子は、薄く笑って答えに代え、日記をめくり、もう少し話をつづけることにした。

静人が旅に出たあと、たびたび警察から問い合わせがあった。やはり事件現場をうろついていたり、火災現場付近で人に話を聞いて回っていたりして、保護というような名目で警察署へ連行

されていた。巡子たちは、身柄を引き取りに来るように警察から何度か求められたが、応じなかった。迎えにいったところで静人はまた旅に出るだけだろうし、むしろ警察でお灸《きゅう》を据えてもらうというか、少々つらい目にあうことで、もう旅を終えようと彼自身に悟ってほしかった。

実際には、容疑が何もないため静人はすぐに解放されたようだった。次第に受け答えにも慣れたのか、警察からの問い合わせは減り、たまに連絡があっても身元照会だけで済んだ。

一年後の正月半ば、静人は約束を守って帰ってきた。頬が削《そ》げ、目は落ちくぼみ、胸は薄くなっていた。疲労の影があまりに濃いため、病院へ連れていくことも考えながら見守るうち、彼は丸一日眠り、起きたあと食事を少しとると、また眠りに落ちた。さらに数回の食事と睡眠、入浴もして、ようやく話ができるようになったのは、帰宅後三日目の夜だった。

元気だったの、食べてたの、どこで寝てたの……。巡子の問いに、静人は言葉少なに答えた。日々の生活は出費を抑えてやりくりし、それもあって当初は痩せたが、三ヶ月を過ぎた頃から落ち着いた。いまはからだも軽く、自分では本来の健康な状態にあるように思う、と。

「それで……やっぱり人の亡くなった場所を訪ねていたの？」

巡子の問いに、彼はため息を隠すように口もとを手のひらでぬぐったあと、

「うん。人を、悼んでいた……」

人が亡くなった場所を訪ね、故人へ想いをはせる行為を、静人は初めて「悼む」と表現した。言葉の意味を問うと、冥福を祈るわけではなく、死者のことを覚えておこうとする心の働きだから、祈るより「悼む」という言葉が適切だと思って、と、ぼそぼそと力のない声で答えた。

「じゃあこれで終わりね、家に戻るのね」

と、美汐が待ちきれずに言った。音量を絞ったテレビでは、大きな災害による被害者の追悼式の映像が放送されていた。静人は、テレビにじっと視線を向けたままでいた。

翌日彼は、親友の墓と、家の墓に参り、また翌日は小児病棟で知り合った子どもたちの墓を、関係者から聞くなどして、参ったようだった。さらに翌日、部屋のロッキングチェアに座って考えごとをし、次の日は靴や着替えの準備をして、その翌朝、心苦しそうな顔で家族に言った。

「悪いけど、行くよ……まだ誰のこともちゃんと悼めていない気がするんだ」

もうやめて、と美汐が悲鳴に近い声で止めたが、静人は目を伏せて玄関へ向かった。

放っておくと二度と帰ってこない予感がして、巡子はあとを追いかけ、玄関先でリュックと寝袋を背負うわが子に、また一年したら帰ってくるのよ、と言った。

静人は顔を上げ、自信なさそうに首をひねりかけた。巡子の後ろに立った鷹彦が言った。

「帰ってきなさい……お母さんのために……美汐のためにも……」

静人は、少し間を置いてから、うなずき、足早に去った。

同じ年の暮れ、静人は帰ってきた。痩せ方は変わらないが、全体に旅慣れた者の立ち居振る舞いを感じさせた。表情は、いっそう苦悩の影が濃く、何かにおびえているようにさえ見えた。

何に悩み、何を怖がっておびえているのか。静人は話さず、親しい人の墓参りをしたあとは、部屋にこもって、ほとんど親友の形見のロッキングチェアに腰を下ろしたままでいた。家族はあえて旅のことにふれなかった。このまま彼が元の暮らしに戻ることを、ひたすら願った。

年が明けても、静人は旅の準備をしなかった。表情からおびえの色が消えず、食事中に突然背後を振り返ったり、巡子が料理で使う包丁を不安そうに見つめていたりする。

旅から戻った十日後の夕食の席で、彼は家族の囲む食卓を不思議そうに眺め、

「こういうのは、普通じゃない……特別なことなんだ、奇跡なんだ」

と、胸の奥からしぼり出すような、つらそうな声でつぶやいた。

巡子は、旅のことは聞かないという家族間の暗黙のルールを破り、旅の途中で何か怖いことがあったのか、何におびえているのか、と尋ねた。すると静人は驚いた顔で、

「怖がってる？　ぼくが？　何かにおびえているように見えるって……？」

彼の瞼が痙攣《けいれん》するようにふるえた。泣きだしそうにも、笑いだしそうにも見えた。

その瞬間、この子がおびえているのは、自分の死だ、と巡子は感じた。あるいは家族の死……。家族そろって食事のできる状況を奇跡とつぶやいたのは、多くの悲惨な死を見てきたからこそ洩れた感想に違いない。ときには誰かの死に、深く感情移入したこともあるのではないか。

旅の途上、たとえば濁流のそばを歩いているとき、崖の脇を抜けるとき、線路や交通量の多い道路を横切るときなど、死へ引き寄せられそうになった瞬間があるのではないか。

「あなたは死なないのよっ。死を訪ね歩いていても、あなたは死んではいけないのよっ」

巡子は思わず強い口調で語りかけていた。青ざめた静人を見据えて、言葉を探し、

「自分と、他人の死は切り離すの。覚えておくことと、自分を亡くなった人と重ねることは違うでしょ。冷たいかもしれないけど、いちいち感情を動かさないようにしないと。自分を失ったら、

目的を果たせなくなるんじゃないの。何よりも、悼みつづけることが大事なんでしょ？」

静人の自殺を恐れる余りに口にした言葉だったが、旅への意欲を失いかけていた彼を励まし、新たな旅に出る心構えを授けてしまったのかもしれない。翌朝、静人は旅の準備を始めた。

美汐からは、どうしてあんなことを言ったのかと責められた。仕方なかったとはいえ、兄や父母の死に対する彼女自身の罪悪感や、少しずつ彼らの記憶が薄れていくことへの恐れが、静人に向けての、一種の励ましに近い言葉となってあらわれたのかもしれないと、のちに思った。

旅立ちの朝、静人が靴をはいていると、美汐が怒った顔で、

「わたしはこの家を出て、一人暮らしをする。家を継ぐのは、長男の役目だからね」

と言い放ち、二階へ駆け上がった。

巡子は、美汐の気持ちを察し、静人に一年後にはまた帰ってくるように求めた。

静人は落ち着いた足取りで家を出た。そして同じ年のクリスマスに戻ってきた。足腰が鍛えられてか姿勢がよく、摂取する栄養と厳しい生活のバランスもとれてきたらしく、すっきりと肉体が研《と》がれた印象だった。表情は暗いが、おだやかで、おびえの色はない。人々の死を見つめつづけるのは、きっとつらいだろうと思うのに、内面に痛みを伴わないかたちで苦悩を受け入れる術《すべ》を、旅のあいだに学んだのか……少なくとも死に囚《とら》われて自分を見失っている様子はなかった。疲れていても、意識を失うような眠り方はせず、顔色を含めて状態がよいことを巡子が言うと、

「少し、自分なりの悼み方が、わかってきたからかもしれない……」

静人は、はにかむようにほほえんだ。或る死者を覚えておくとき、死の悲惨さや悲哀ではなく、

亡くなった人物の肯定的な面を取り上げて、覚えるようにしたという。肯定的な面といっても、人によって考えが変わるだろうと思うが、静人は何十人、何百人と死者についての話を聞くうち、どんな人物でも肯定的にとらえ得る要件として、三つのことが残ったと話した。

「その人は、誰を愛したか。誰に愛されたか。どんなことで人に感謝されたことがあったか」

毎日数人ずつ死者を訪ねてゆくなかで、この三つを知ることができれば、ほかと違った人物として一人一人を心に残していける。さらに大事なことは、たとえその人が病人であろうと、障害を抱えていようと、仕事の有る無しも関係なく、また人生経験の少ない子ども、あるいは赤ん坊であっても、この三つの要件なら何らかのかたちで満たし得るということだった。

もちろん死者の話を誰にも聞けない場合もある。その際も、要件のうち一つでもよいから見いだし、心に刻む。ときには、こじつけや誤解もあるだろう。それでもよい、と思えたのは最近だった。人と人との関係は元々思い込みの積み重ねかもしれないのだから、こじつけや誤解を恐れるより、まずその人を覚えることに重きを置く、と気持ちが決まってきたという。

怜司が静人に会ったのは、この時期だった。静人が自分探しの旅から戻ってきたからと、美汐が怜司を家に呼んだのだ。彼女としては、家族はもう静人を止められないため、家族以外の親しい者で、昔の彼のことを知る人間と話せば、変化を期待できると考えたらしい。

怜司は、痩せて雰囲気の変わった静人に驚き、なぜいまさら自分探しなどするのかと訊いた。そんなのしょせん自己満足に過ぎないよ、さっさとやめなよ、と茶化し気味に言うと、

「そうだよ、怜司。これは自己満足に過ぎない。でも、まだ満足に至っていないんだ」

と、静人は柔らかい声で答え、以後も二人の話は嚙《か》み合わないままだった。

年明け前に旅に出るという日、美汐はもう家を離れ、巡子は鷹彦と二人で静人を見送った。

一年後にはまた帰ってきて、と彼女は口に出せなかった。静人は、死者から何か深遠なものを学びつづけているかのように、旅の始まりのときとは表情も言葉づかいも違っており、いまはもう衝動的に死を追っている印象ではない。自分で納得しないかぎり旅はやめないだろう。なのに、帰ってくるように約束させれば、無理をして旅の行程を変えかねない。それでなくとも、わが子が背負い込んだものは重過ぎる。これ以上負担となる約束はさせたくなかった。

彼女が何も言いださないためだろう、静人は玄関を出たあと、もの問いたげにこちらを見た。巡子が力なくほほえむと、彼も表情をゆるめ、じゃあ、と行こうとした。

「おまえの人生は……しんどいなぁ」

鷹彦が言った。静人が振り返った。巡子と鷹彦をいたわるような目で見つめ、

「二人のほうが、よほどしんどいでしょ……ごめんね。美汐のこと、気をつけてやって」

と言い、一歩一歩、足の下に何があるのかを確かめるような足取りで去っていった。

一年後、彼は帰ってこなかった。そして今年もまだ帰ってきていない。

巡子は、日記を閉じ、張りつめていた緊張を少し解くのに合わせ、長く息をついた。

静人に関して自分が知っていることは、ひとまず話し終えた。要点を見いだせないまま遠回りをし、脈絡も欠いた気がするが、ともかくあとは相手にゆだねるしかなく、

「以上です。ご理解いただけたかどうかわかりませんが、少なくとも、静人がたびたび警察に保護されたのは、罪があってのことではありません。人が亡くなった場所を訪ね歩くのも、あの子なりにまじめな理由があってのことです。それだけは信じてください。お願いします」

しばらく誰も口を開かなかった。怜司でさえ、うつむいたまま黙り込んでいる。

「お話は、わかりました」

切り出したのは、高久保の兄だった。巡子の話のあいだは膝を崩していたが、正座に直り、

「正確に理解できたか、自信はないのですが……ご長男の旅が真摯《しんし》な想いから発しているということ。そして警察には逮捕でなく、保護されたのであり、すぐに自由になられていたということ。この点は、お母さまの誠実なお話しぶりもあり、心に素直に入ってまいりました」

巡子はほっとした。ともかくそれだけでもわかってもらえれば、と願っていたことだ。

美汐も安堵したのか、背後で小さく息をつくのが聞こえた。

「ただこれは、一般にはわかりづらいお話ですね。たぶん何度伺ったとしても、わたしは人にうまく説明できそうにありません。そしてこれこそ、わたしどもが頭を悩ませている点なのです」

高久保の兄は、これまでの冷静さと打って変わり、身を乗り出すようにして話した。

「英剛からお嬢さんのお話を伺ったとき、お会いするまでもなく素晴らしい女性だとわかりました。その方のお兄さんです、立派な仕事をやめて旅に出るには、深い理由があるはずと思っていました。ですが、うちの家族や親族は頭が古いのです。田舎住まいの親戚も大勢おり、実に偏屈《へんくつ》です。警察の保護と逮捕の違いもわからないし、三十を過ぎた男が放浪の旅をしていると聞けば、

どこかおかしいと思う連中に、いまのお話をどう理解させればよいか……。うちの親は長男長女で、いわば親族の束《たば》ねです。その家が新たに縁を結ぶ相手には、いろいろ言ってくるのです」

巡子は、相手の話の方向性を悟り、奥歯を噛みしめた。言い返したいが、相手の真意を追いかけるのに精一杯だった。高久保の兄は、からだを少し戻して、表面的な笑みを装い、

「お母さまの先ほどのかつら、愉快でした。このお宅は羨ましいほどゆとりがある。しかし、うちの家も親族も窮屈です。叔父が民意に応える活動をしているため、いっそう羽目を外した言動は慎まねばなりません。縁を結んでいただくお宅には、相応の協力を仰ぐことになります。このお宅がいま保っているゆとりもきっと失われます。うちの都合で、それは申し訳ないことです」

そして高久保の兄は、いきなり両手を畳について、仰々《ぎょうぎょう》しく頭を下げた。

「先日の親族会議で弟は、結婚前の妊娠などふしだらだと叱責を受けました。親はどんな教育をしてきたのかと、両親まで責められました。そのためか、弟は実に見下げ果てた男ですが……皆に向かって、おれの子かどうかわからない、と口走ったのです。本当に申し訳ございません」

巡子は高久保を見た。彼もいまは正座をし、血の気が引いた顔で、唇を固く結んでいる。

「一度は愛した女性を侮辱する弟を、わたしは殴りました。しかし、その言葉を信じた親族がおります。長男の失業や放浪を許す家なら、娘が複数の相手とみだらな振る舞いをすることもあり得ると、誤解が助長されたようです。このような家にお嬢さんをお迎えすれば、不幸になるだけです。いまなら安全な病院をご紹介できます。費用のほかに百万ほどご用意いたしました」

初めから結論は出ていた。へりくだった態度で、こちらを傷つけ、腹を立たせる言い回しは、

事前に練られたものだろう。帰って、と叫びたかったが、美汐のことを思うと言葉が出ない。

そのとき、背後から低く抑えた笑い声が聞こえてきた。

「ばっかみたい……何わけのわかんないこと言ってんのよ……もう帰ってよ」

美汐が表情に嫌悪をあらわし、吐き捨てるように言った。

「いや、しかし、ですね……あなたのおなかには……」

と、高久保の兄が美汐の顔と腹を交互に見る。高久保もじっと彼女を見つめていた。

「子どものこと？　心配いりません。元々いないから……。あなたの子どもは、いないから」

美汐は、高久保を睨んで言い切ると、立ち上がって部屋を出ていった。階段を駆け上がる足音が、途中で力尽きたように止まるのを、巡子は聞いた。

「どうも、お嬢さんを怒らせてしまったようで……。で、どう、しましょうか」

高久保の兄は、あくまでいま話を決めてしまう肚《はら》づもりらしく、引き下がりそうになかった。

巡子は、目の前の相手だけでなく、自分の無力さに腹が立つ。

(たとえ長く生きられたって、子どもを幸せにできないなら、意味ないじゃないの。)

「お帰り……いただきたい」

鷹彦が、高久保たちの前に進み出て、頭を下げていた。丸くなった背中がふるえている。

「もう、いいでしょう……娘も、家内も、十分傷つきました……これで、お帰りいただきたい」

「いや、ですがね、ご主人。このことは先延ばししていると、時機を逃してしまってですね」

「うるせえな。帰れっつってんだろ」

高久保の兄の言葉を、怜司がさえぎった。彼の目はうるんでいた。高久保の兄の後ろに回って、腋《わき》に手を差し入れ、無理に立たせる。隣の高久保の腰を、膝で押すようにして、

「ほら、聞こえたろ。子どもはいないんだよ。おまえの子どもはいないんだっ」

「でも……」

と、家に上がって初めて高久保が口を開いた。

「でも、じゃねえよ。おまえは、口にしてもいない言葉を言ったと言われて、愛した女を傷つけられて、それでも黙ってるなら、ここにいる必要はねえだろ。帰れよ、さっさと出ろ」

「きみ、落ち着きなさい。ここで大人の話し合いをしないと、先々みんなが困ることになる」

高久保の兄がなだめにかかるが、怜司は相手に殴りかからんばかりに迫り、

「高久保の子どもは、いないって言ったろ。あんたたちが、何を困ることがあるんだよ」

「そうは言うがね、実際に生まれてから、どうこう言われても……」

「だからいないんだ。万が一、いないはずの子どもが生まれたら……それは、それはさ」

怜司は口を閉ざした。美汐が出ていった先へ視線を送り、想いを決めたように息を吐き、

「おれの子だ」

巡子は甥の顔を見上げた。鷹彦も彼を見つめている。怜司は、巡子たちの視線を恥ずかしそうにかわして、祭壇に供えられた菓子折を取り、高久保の兄の胸に突き返した。

「文句ないだろ。あんたの親方にそう報告すりゃいいさ。心配なら念書でも書いてやるよ」

高久保たちは、怜司に気圧されて玄関まで下がり、さらに抵抗できずにドアから出た。

「高久保。おまえもいない。おれにも美汐にも、この家にも、おまえはもういないんだ」

怜司は、友情の気配が残る声で寂しく言うと、苦しげな顔の高久保の前でドアを閉めた。

「怜司……」

巡子は甥の背中に声をかけた。階段の上には、わずかに美汐の足も見えている。

「ごめんよ、伯母さん……いい奴だったんだよ。陽気で、優しくて、静人兄ちゃんにも雰囲気が似てた。だからミシに紹介したんだ。あいつなら、ミシを任せても、大丈夫だって……」

うかつだったが、巡子はいまになって怜司がずっと美汐を好いていたのに気がついた。幼い頃からの仲であり、兄妹も同じと思っていたから、好意を持っているのはわかっても、恋愛感情とは気づかなかった。いや、気づきかけても、すぐに否定していたのを思い出す。

（あなたなりに、美汐と距離を置こうとして、親友を紹介したの……？）

この子は家族だと、そのとき思った。むろん親戚だが、それ以上の身内として胸に迫る。

（この子に病気のことを打ち明けよう。知っておいてもらおう。でも、どう切り出そうか。）

「怜司……笑える謎掛けを聞かせるからね。いい、〈わたしのがん〉と掛けて」

「え……何よ、伯母さん。待ってよ、急に……謎掛けって何のこと」と、怜司が振り返る。

「聞いてればわかるから。〈わたしのがん〉と掛けて〈恋に落ちたあと家が仇《かたき》同士と知るロミオとジュリエット〉と解く。はい」

「あ、そのココロは、だっけ。伯母さん、ちょっと長くね？」

「いいの。そのココロは……〈わかったときは、手遅れでした〉」

4

週刊誌の記者を名乗る男が現れたのは、九月下旬の土曜日の午後だった。

巡子が、在宅でのホスピスケアを選んで、ほぼ二ヶ月。医師の宣告通りなら、そろそろ死の影がちらついてもおかしくないと思うのに、体調はさほど崩れていなかった。

食事は、固いものや消化に悪いものは避けながら、三食しっかり食べているし、よく眠れている。近所の高齢者ホームへ、病気の発覚前と同様、入居者への食事介助のボランティアに週三日通い、婦人会の中心として十月末開催の秋祭りに向けた活動もしている。在宅診療所の医師は水曜日の午前中に往診してくれており、訪問看護師は同じ水曜のほか、月金にも顔を出してくれるが、いずれもほとんど世間話をして過ごしている。ここ一ヶ月で治療と言えるものは、腹部の痛みがやや増した気がして、朝九時と夜九時に飲むモルヒネの錠剤を二錠から三錠に増やしてもらったくらいだ。困っているのは副作用である便秘が少々つらいということくらいだろうか。

便秘については、身重《みおも》の美汐も同じだった。巡子も妊娠中に経験したことだが、美汐は医師の指示に従い、食物繊維を摂《と》るなど工夫をしても、やはり固いものしか出ずに苦しんでいる。

死に向かっている母親と、新しい命を生もうとする娘が、食べ物だけでなく排泄《はいせつ》の苦しみまで共通することが、巡子には不思議に思えた。そして生と死が、卑俗ともいえる生理的な面で隣り合う現実に、つい過剰になりそうな死のイメージや恐怖感がわずかでもやわらぐ気がした。

近所の者は巡子の完治を信じており、鷹彦や美汐でさえ、彼女の病気の重さを忘れているときがあるように感じられる。怜司もまた、巡子が真実を打ち明け、たぶん新しい年を迎えることはできないだろうと話しても、またまたぁその手にゃ乗らないよぉと、なかなか信用しなかった。

怜司の母親にも、病気は治ったと話していた。滋賀で小さな運送会社を切り盛りしている彼女は容易に外出ができず、巡子のいまの状態では何かしてもらうということもない。だったら無用に悲しませるより、最後に一目という時期に話せばよいと、怜司にも口止めしておいた。

怜司はそれがまた、親戚であり親友でもあるのにおかしいと、巡子の告白を疑う理由にした。

「じゃあ、静人兄ちゃんは？　病気が本当なら早く知らせないとだめでしょ」

巡子の告白後、彼は静人に知らせるべきだと何度も勧めた。会社貸与の携帯電話しか持たなかった静人に、いま連絡の手だてはない。新聞広告を使えばと怜司は言ったが、そのことは美汐が調べていた。尋ね人などの緊急広告は、犯罪に利用されるおそれがあり、警察に捜索願を出して、その際の受付番号のようなものが必要だという。もちろん静人の捜索願など出す気はなかった。

八月下旬の戌《いぬ》の日が、ちょうど日曜にあたり、巡子たちは怜司の車で水天宮《すいてんぐう》へ出かけた。戌の日に腹帯《はらおび》を巻いて安産を願う習わしは、妊娠五ヶ月目にするのが本来だが、美汐は妊娠を打ち明けるのが遅れたこともあり、当日は二十週を三日過ぎ、六ヶ月目に入っていた。

神主に祝詞《のりと》を挙げてもらう時刻まで、怜司のカメラで、社殿の前で記念写真を撮った。「撮りましょうか」と年配の女性が声をかけてくれた。怜司が礼を言ってカメラを渡し、鷹彦の外側に立ったところ、「若いご夫婦がなかに立たれたほうがいいですよ」と女性が言った。巡子たちはそれぞれ複雑な表情を浮かべたに違いない。相手の女性がいぶかしげにカメラを下ろしたとき、鷹彦がからだを引き、怜司をなかに入れて美汐と並ばせた。のちに画像を確認すると、鷹彦はふだん通りの表情だったが、怜司と巡子はぎごちなく笑い、美汐は険しい顔で写っていた。

美汐に子どもが生まれたら、「おれの子だ」と、怜司が高久保たちに言った言葉には、あのあと誰もふれなかった。怜司が美汐と本当に結婚するとは、巡子も考えなかったし、彼が美汐を昔から好きだったとしても、子どもの問題はまた別で、責任を負わせる気は少しもない。また当の美汐はどう考えているのか、彼女が何も言わないためにわからず、怜司と美汐の関係はそれまでの兄妹を思わせる親密さが失せ、妙にぎくしゃくとした雰囲気になっていた。

美汐は、高久保たちとの話し合いのあとすぐ、自分ひとりで母子手帳を受け取ってきた。早く気持ちを切り換えようと努めているのだろう、ほどなく職場にも妊娠を告げてきた。いつ結婚したのかと驚く上司や同僚には、プライバシーの問題なのでと何も答えずに押し通したという。

いただいてきた腹帯を、巡子は仏壇にまつり、楽な格好に着替えた美汐を呼んで、ひとまず服の上から巻いてやった。すると美汐はそのままの格好で居間へ移り、待っていた鷹彦と怜司に、

「これは、わたしの子だから」

と、白い帯を巻いた腹部に手を添えて言った。戸惑う男たちを、美汐は冷静に見つめ、

「怜司……いろいろありがとう。でも、これはわたしの子だから」

怜司もそれで察したのだろう、以前の明るい笑みを浮かべ、

「おう、わかってるよ。きっと生意気で、かわいくない子になるだろうな」

と答え、以後はまた元通りの口喧嘩ばかりをする二人に戻った。

五日後、病院での美汐の超音波検査に、巡子と鷹彦もついていった。二人は検査室にも入室が許された。美汐のおなかの上をローラーのような器具が動くと、モニター画面に生命の形が現れる。頭部と胴体がはっきり分かれ、目や口もできていた。指も動かせるらしく、たまたまだろうが、「お、ピースサインを作ってますね」と医師が言った通り、胎児は指を二本立てていた。

頭からお尻までの座高が十四センチもあり、小さな小さな心臓が、トクトクトクトク、と速く活発に動いているのを見て、巡子は涙をこらえきれず、鷹彦も目もとをぬぐっていた。

九月上旬の金曜日、地域の保健所で妊娠中期の母親を対象とした学級が開かれ、二十二週目に入った美汐も参加した。四十六歳の女性や十代の少女も参加していて、不安を抱えているのは自分だけではないと知り、安心感を得たという。その夜、怜司も訪れて、巡子の作ったシチューとサラダを、男たちは普通のご飯で、美汐はご飯の匂いがつらくてパンで、巡子はご飯をおかゆにし、シチューの具は細かくつぶして食した。美汐の母親学級の話に、怜司が茶々を入れ、食卓には笑いが絶えなかった。この家に何も問題はない、自分たちは恵まれている、と巡子は思った。欲をいえば、あとはここに静人がいてほしい……あの子はいまどこにいるのだろう……。

「どうしたの、伯母さん。どこか痛むの？」と、怜司が心配そうに言った。

巡子は、慌てて目頭を指で払い、面白い謎掛けを考えついて思い出し笑いをしたのだと答えた。

「ねえ、この謎掛け、聞く気ある？」

と、皆に尋ねたところ、そろって「また今度」と遠慮された。

九月下旬の土曜日、朝食の途中から胃に膨満感《ぼうまんかん》をおぼえ、食後もしばらく胃が張っている感じがつづいた。美汐が赤ん坊を迎える品々を用意するためにデパートへ行きたいと言い、怜司が車で送ることになった。巡子も付き合いたかったが、以前から予定されていた婦人会の会合があり、鷹彦も巡子の身を心配してだろう、家に残った。

婦人会では、ひと月後の秋祭りで山車《だし》をひく順路が確認され、子どもたちの提灯《ちょうちん》行列の世話係の長に、巡子が推《お》された。辞退を考えたが、顔色が悪いようだけど大丈夫？　と気をつかわれたことで、かえって意地になり、平気よと引き受けた。鷹彦は、会合場所の公民館の外で待ってあり、会合後、連れ立って家に帰った。巡子が家に入ると、鷹彦はひとりで夕食の買い物へ出た。

男が現れたのは、巡子が洗面所の鏡で、腹部のでっぱりを見ていたときだ。

ここ数日、食後に腹の上部がぽっこりと出るようになった。時間が経てばへこんでいるので、鷹彦にも、往診医や訪問看護師にもまだ話していないが、なんとなく気になっている。

（どうぞ、悪いものではありませんように……。）

おまじないのように唱えて、手のひらでしばらく撫でているとき、インターホンが鳴った。

中年の男の声が、有名な出版社の名前を告げ、坂築静人さんのお宅でしょうか、彼はご在宅でしょうか、と言う。名前を訊くと、マキノと答え、静人とは夏に北海道で会ったと話した。

相手の用件よりも、静人と最近会ったという事実にひかれ、ドアを開けた。

脂《あぶら》ぎった顔にいかにも作ったような笑みをたたえた男が、玄関先に立っていた。彼女の背後の室内をちらちら盗み見ながら、皺の入った背広の内ポケットから名刺を出す。週刊誌の記者で、

『蒔野抗太郎』という名前を確認し、巡子は用件を尋ねた。相手はすぐにはそれに答えず、

「静人君のお母さまですよね。どこかお悪いのですか。顔色が少しすぐれないようですが」

「いえ、一時期体調を崩していたものですから。いまはまったく元気です」

「そうですか。静人君とは、或る事件のことでお会いして、その行動に興味を抱きましてね……。人が亡くなった場所を訪ねる旅については、ご家族も御存じだと、警察から聞きましたが」

「……週刊誌、ということは、静人のことを記事に書かれるおつもりですか」

「いやいや、まだ何も決まっていません。ともかく彼の行動の意味がよくわかりませんでね」

「あの子は、元気でしたか。病気や怪我などを、してませんでしたでしょうか」

「写真をご覧になりますか。彼が、赤ん坊の亡くなったアパートを訪ねたときのものです」

にこやかに言って、相手はしかし写真を出そうとはしなかった。こちらが部屋に上げるのを待っているのだと察し、焦って静人の様子を聞いたことを巡子は悔い、彼を居間に通した。

蒔野という男は、わざとだろう、室内をじろじろと見回し、柱にまでふれて、

「そうですか。ここで、あの静人君は、生まれ育ったわけですか。いや、しかし……」

と、苦笑を浮かべた。「失礼ですが、普通ですね。これといって特別なこともなさそうで」

「特別、と申しますと？」

巡子は、相手に麦茶を用意しながら訊いた。蒔野は、顔の前で大げさに手を振り、

「気にしないでください。静人君が、ある意味で特別なものですから、生まれ育った家にも、何か一般とは異なる生育環境があるのかな、と勝手に推測していたんです。ところで……」

巡子が座ると、蒔野はすぐに坂築家の家族構成のほか、それぞれの年齢、仕事の有無や職種、さらに信仰している宗教まで、ぶしつけに尋ねてきた。答えるまで静人の写真を見せないつもりでいることを言外に匂わす態度でおり、巡子は苛立ちを抑え、聞かれたことには一応答えた。

「つまり、これといった信仰もなく、心酔《しんすい》する人物などもいない、と……。なのに、彼があああした行動をとるというのは、一体どういうことなのか……何も隠されていませんよねぇ」

蒔野は、なおさぐるような笑みで巡子を見つめ、背広の内側から数枚の写真を出した。

「これが彼の写真です。間違いありませんか。これで人違いだと、笑えませんからね」

テーブルに並べられた写真は、正面から写したものがなく、画像も悪いが、うつむき加減の横顔は静人に間違いなかった。写真の日付は七月だから、一年七ヶ月ぶりに見る彼は、相変わらず痩せているものの、怪我や病気の様子はなく、巡子は安堵の余り涙がこぼれそうになった。

「あの子は、元気で旅しているんですね……。北海道のあと、どこへ行くと言ってましたか」

「涼しくなる前に東北へ下るようなことは話していましたね……。で、単刀直入にお聞きしますが、静人君は何がきっかけで、あのような旅を始めることになったんですか」

蒔野の問いに答えるため、巡子は高久保たちにも話したことを、つまりは静人が生まれる以前のことから、ごく簡単にでも話そうとした。だが、どれほども話さないうちに、

「いや、細かいことはどうでもいいんですよ。誰にでも、つまり、週刊誌の読者にも、バーンと一発でわかる、歴然とした事件があったはずでしょ？　それをお話しください」

巡子は深く息をついた。高久保たちと同様、彼にもきっと静人の話は理解されないだろう。

「これが唯一の理由と言い切れるものはありません。幾つもの出来事の積み重ねと、おりおりのあの子の心境が絡んでのことだと思いますし、旅先で学んだこともあるでしょう」

蒔野は、面白くなさそうに顔をしかめ、いらいらと耳の裏をペンで掻いた。

「ずいぶん理解がおありのようですが、普通の親なら、まずこんな旅は止めると思うんですよ」

「……自分が至らない親だということは、よく理解しています」

「ご自分たちのせいで、静人君がああなったと思っていらっしゃるんですか。その理由は？」

「わたしが負うべき責任から逃れる気はありません。ただ……あの子がしていることを、すべてわたしたちに原因があるとするのは、あの子の人格を否定することのようにも思っています」

蒔野がテーブルの上に身を乗り出した。指先で、静人の写真をこつこつと叩く。

「お母さま自身ね、静人君のいまの暮らしを、つまらない、意味がない、とは思われませんか。世間には社会や人のために懸命に尽くしている若者が大勢いますよ。恥ずかしくないですか」

「恥ずかしい？　いいえ、恥じてはいません。あの子は、あの子のしていることは……」

うまく言えそうにない。静人の行為をどうこう判断できるのは、あの子に悼まれた側の人間だけかもしれないと、最近思うようになった。巡子は、蒔野の指の下にある写真に気づき、

「あの、これは……この子は、何をしているんでしょうか」

写真のなかの静人は、片膝をつき、右手を宙に挙げ、左手を地面すれすれに下ろしている。

「おや、御存じないんですか。彼が亡くなった人を悼むときの姿勢というか、ポーズですよ。膝をついて、右手を上に挙げ、左手を地面にやって、胸の前で、その両手を重ねるんです」

「つまり、そうやって、悼むのですか……亡くなった人のことを……」

（静人、あなたは、ヒヨドリの雛のことを忘れていなかったのね……あの朝と同じように、大空の下で笑い、大地の上で泣いた、この世で唯一の存在として、亡くなった方々のことを、自分の胸のなかへ入れようとしているのね……。）

「実は、わたしのホームページで、静人君の情報を求めてみたんです。全国で彼は目撃されていましてね。いろんな意見があるんですが、ご覧になって、感想をお聞かせ願えませんか」

蒔野は、数字と記号のようなものを記したカードを、テーブルの上に置いた。

巡子は、興味を抱いてカードは受け取ったものの、自分がパソコンを使わないことを伝えた。

「それは残念ですね。人々が彼を見る目は、はっきり言って厳しく、非難のほうが多いんです。馬鹿にされたように思う遺族もいるようです。そうと知れば、ご家族として、彼の旅を止めないはずはないんですが。いや、つまり、親として、子どもを愛していれば、ですよ」

言葉に含まれた刺《とげ》が、巡子の胸を刺す。彼女がわが子を愛していないと言いたいのか。

「彼の最終的な目的は何です。なぜ、いまのような生き方を選んだんです。親ならば、把握なさってるはずでしょ。それとも、べつにどうでもいいですか。関係ない、と突き放されますか」

蒔野の細めた目が底光りした。そのとき、相手の内面に別の生きものが息づいているような錯覚を、巡子は抱いた。脂ぎった中年男の内側に、息をひそめてこちらをうかがい、答え方次第では食ってかかろうと、憎しみの目を冷たくとがらせている子どもがいる……。

「蒔野さん、でしたね。あなたは、なぜ、いまのような生き方をなさってるんですか」

巡子は逆に尋ねた。相手をやり込めるつもりはない。むしろ自問に近かった。

「あなたがなぜそのように生きるのか……簡単に答えが出るものですか。また、そのように生きる理由を、人にわかったと言われて、平気ですか。それこそ意味がなくはないですか？」

蒔野は、はじめは戸惑っていたようだが、みるみる不快そうな表情をあらわし、

「つまり、静人君のことに関して、何か話したくないことがある、ということですね」

「何も隠す気はありません。ただ、表面的なことをいくら話しても仕方がないんです。静人は、変人とか不審者などと見られます。人によっては不快に感じる場合もあるでしょう。でもそれは、あの子と、そのように感じる人とのあいだの問題で、ほかの誰かが責任のとれることではないように思います。肝心なのは、あなたに静人はどう映りましたか、ということではないでしょうか。蒔野さんがどう生きられようと、その理由より、人に何を残すかに、蒔野さんの存在はある、と言い換えてもいいかもしれません。或る人物の行動をあれこれ評価するより……その人との出会いで、わたしは何を得たか、何が残ったのか、ということが大切だろうと思うんです」

巡子は、使い慣れない言葉があふれてきたことに、自分でも驚いた。死と誕生の二つを身近に感じつつ、静人のことを考える日々が、彼女のなかにこれまでにない言葉をもたらしたのか。

「蒔野さん。静人は、あなたにはどう映ったんです？　あなたには何を残しました？　そして、あの子が悼みをおこなった亡くなった人々のことを知り、あなたには何が残りましたか？」

蒔野は、巡子を睨むように見つめていたが、彼女が目をそらさずにいると、先に顔を伏せた。

その後もしばらく蒔野は巡子と目を合わせないまま、幾つか質問をつづけた。だが声に粘りが

なく、やがて写真をしまって、座を立った。去り際に、彼は玄関前で巡子を振り返った。

「静人君のほうは、家族を、あなたを、どう想ってるんですか。少なくとも親子の情というものがあれば、もう家に帰ってきたっていいでしょう。家族を、あなたを、避けてるんですか？」

声にやり返そうという意志は感じられず、巡子に対して何やら期待する口調にさえ聞こえた。

巡子は答えられなかった。静人が、家族や彼女のことをどう想っているのか……彼女の病気を知らせても、帰ってこないのではないかと、ずっと不安に思っていたからだ。たぶん、目の前の相手には、寂しい笑みを見せてしまったのではないだろうか。

「あの子が、自分の意志で帰ってきてくれれば、嬉しいですけど……」とだけ答えた。

ひとりになってほどなく、鷹彦が買い物から戻ってきた。蒔野のことは話さなかった。

夕方近く、美汐も帰ってきた。怜司が両手一杯に荷物を抱えて入ってきた。彼と顔を合わせるのは一週間ぶりになる。人使いの荒い美汐への愚痴を洩らしたあと、彼は巡子の顔を見つめ、

「あれ。伯母さん……なんだか顔が、黄色くない？」

からかわないで、と巡子は苦笑しながら、婦人会でも、蒔野からも、顔色がすぐれないと言われたことを思い出した。鷹彦や美汐は、彼女の肌の色のことなど何も言わなかったが、毎日一緒にいると徐々の変化はかえって気がつきにくいのかもしれない。

彼女は洗面所の鏡の前に立った。言われてみれば、確かに頰のあたりが黄色い気がする。

おなかのでっぱりは、まだへこんでいなかった。試しに、上からでっぱりを軽く押してみた。強烈な吐き気がこみ上げ、立っていられず、その場にしゃがみ込んだ。

第六章　傍観者　（奈義倖世──Ⅱ）

1

奈義倖世《なぎゆきよ》は、東北地方の、丸みを帯びた柔和な印象の山々に囲まれた小さな町にいた。

暦の上では秋だが、山は緑が茂り、蟬がいまも鳴いている。名の知れた観光地に近いこの町は、繁華な場所へ働きに出る人たちのベッドタウンとなっているのだろう。目立った建物はなく、のどかな雰囲気が漂い、幹線道路を往来する車の量が多いわりに、人の姿はあまり見られない。

クラクションが鳴り、トラックが目の前を走り過ぎてゆく。倖世は、道路が大きくカーブした内側の歩道上で、山側の壁に背中を預けて座っていた。クラクションは、車道をはさんだ向かい側の、ガードレールの前で膝をついている坂築静人に対してのものだ。彼がいる場所には歩道がなく、クラクションを受けながらも、車道の端で両手を胸に当て、瞑目《めいもく》しつづけている。

新聞やラジオの報道で知った場所ではない。歩いていて、ガードレールと支柱のあいだに小さな花束が差し込まれているのを、彼が見つけた。花束には何も書かれていない代わりに、ガードレールにマジックなどで落書きが残されていた。この場所で亡くなったらしい人の名前と、生年月日と亡くなった日付が墓碑銘のように記され、『天国でも風と走れ』『わたしが行くまでタンデムシートには天使を乗せてて』『ばか野郎、ありがとう』などと書かれていた。二十四歳で亡くなった人物は、たぶんオートバイを運転中に、ここで事故に遭《あ》ったのだろう。

静人は、そうした書き込みをした友人や恋人らしい人々に亡くなった人物が愛され、彼のほうでも愛し、また感謝し合っていただろうことを悼む様子だった。

《くだらない。ばからしい。そう思っているんだろう。》

甲水朔也《こうみずさくや》が、端正な顔を倖世の右肩の上に出し、からかうように笑った。

《だが、くだらないと思いながら、一緒に歩いているきみのほうがよほどくだらないよ。》

黙ってて、と言い返す元気も、いまの倖世にはない。

静人と歩きはじめて八日目になる。人を悼むことに関する静人の言動は、倖世のこれまで抱いていた愛や死に対する考えに違和感をもたらした。朔也も同じなのか、静人を笑いながらも戸惑っていることは明らかだ。朔也を刺したのは自分だが、本当に死んだとは信じられないくらい、彼はいま彼女の肩の上で存在感を強めている。だからこそ、人の死を訪ね歩く静人と旅をして、悼むという行為と死というものの本質を見極め、朔也の存在をどう考えるか、自分の命をどう処すべきか、答えの一端でもいい、見いだせないかと思ったのだ。

静人は、倖世が一緒に歩くことを拒まなかった。倖世がどういう人間か、何を考えて同行するのかも尋ねてこない。初日からそうだった。

倖世は当初、彼がゆっくり歩くこともあって、ついて歩くのは難しくないとたかをくっていた。だが、運動不足の足は初日の夜に筋肉痛で動かなくなり、彼が野宿をするという公園に着いたとたん、ベンチに倒れ込んだ。深夜、足の痛みで目を覚ますと、からだの上に寝袋が掛けられ、ベンチ前の地面に敷かれた新聞紙の上で、セーターを着た静人が番をするように眠っていた。

翌朝、倖世は彼に礼を言い、歩きだそうとして足が攣《つ》った。静人は見かねたのか、今日はこの近所を回り、夜また公園に戻るので、どうしても一緒に歩く気なら、明日からにしてはどうかと勧めた。彼の言葉を信じ、倖世はバスで繁華街へ出て、サウナで足腰のマッサージを受けたあと深く眠った。刑務所を出たおり、朔也の実家から二度と顔を出さない約束で受け取った金は、まだ多く残っている。持っていたバッグを捨て、リュックに寝袋、旅に都合のいい靴や服を買って、今後の旅に備えた。夜、公園で待っていると、約束通りに静人は戻ってきた。

翌日から、休養と靴のおかげか、どうにか静人について歩けた。遅れたときのことも考え、どういった場所をどんな順番で回るのか、事前に彼に尋ねた。静人はノートと地図帳を開いて丁寧に教えてくれた。疲れがひどいときはバスやタクシーで先回りをして、彼を待つことがあった。教えられた場所で待てば、彼はきっと現れた。

《そんなズルをして、彼のあとについて歩いたことになるのかい。》

この一週間、朔也がたびたび口にした皮肉はもっともだが、慣れるまでは仕方がないと答えていた。食事も何度かひとりでレストランや食堂で温かいものを食べたし、六日目にはホテルに泊まった。翌日は早起きをし、静人が出発する前に彼が野宿をした場所に駆けつけたが、その反動か、昨夜はまた公園に泊まったところ、なかなか寝つけず、今日は朝からからだがだるい。

《ズルだけじゃない。きみはいつだって見ていただけだ。それにどんな意味がある？》

静人が亡くなった人物に関する話を商店で聞いたり、歩いている人に尋ねたりするとき、彼女は無関係を装うのに十分な距離をとった。リュックと寝袋を背負っている彼女を、たとえ離れていても、人々が無関係と思うはずはなかったが、彼女はあくまで連れに見られることを嫌った。人が亡くなった場所で静人が例の怪しげな姿勢をとるときも、離れた位置から黙って眺めた。

《だが、彼の行為が偽善で、無意味だとしても、彼なりに自分のしたいことをしている。それに比べて、ただ見ているだけのきみは、はっきり言って彼以上に無価値だよ。》

朔也の言葉には反論できなかった。静人が人々の死を悼んでいるという事実は確かに認められたものの、意味はやはりわからず、意義のようなものも感じられない。交通事故や殺人、火事や災害や不慮の事故……静人が悼む死者のなかには、倖世が同情をおぼえるケースもありはしたが、といって自分に何ができるとも思えない。二日や三日ではわからない。四、五日では見えないこともある……。朔也にはそう言い返してきたが、死について考えを深めるゆとりもなく、朔也との関係についても、自分の生き死ににについても、何の答えも得られずにいた。

《一週間を丸々むだに使ったようなものさ。むだに生き永らえたと言うべきかな。》

朔也が冷やかに語るのに対し、

「もう黙っていてください」

倖世はつい声を発した。悼みを終えて、こちらへ歩み寄ってくる静人と視線が合った。

「何かおっしゃいましたか」と、彼が訊く。

倖世は首を横に振った。静人がふっと息をつくように口もとをゆるめる。彼女は旅のあいだ、朔也とよく言い争いをしてきた。静人には、独り言の癖がある妙な女、と映っているだろう。

「ちょっと耳鳴りがしただけ。行きましょう、廃校になった小学校ですよね」

少し進んだ先に、隣町の学校と統合されて廃校となった小学校があるらしい。その場所で、十七歳の少年が同級生と喧嘩をして、倒れたときの打ち所が悪く、死亡していた。静人は三年前に新聞と雑誌でそのことを知ったが、旅の行程の都合で、訪ねるのは初めてとのことだった。

やがて、幹線道路沿いの歩道から、山側へ入る坂道が見え、小学校があったことを示す道標が残っていた。短い坂を登ると、つる草のからまる校門が見え、雑草が茂った校庭の奥に古びた校舎が建っていた。校舎の入口や窓には板が打ちつけられ、なかへ入れないようになっている。

「記事では、裏庭の焼却炉のそばで、と書いてありました」

静人が言って、校舎の裏へ回ってゆく。裏庭のすぐ手前に、焼却炉の残骸《ざんがい》があった。

その先に、幹の細い木がまっすぐ空へ伸びている。高い枝の先で、淡い黄緑色の小さな花が、線香花火の火花のように四方八方へとはねる形で、無数に咲いていた。静人が歩み寄り、

「タラの木ですね」

と言う。長く旅をつづけているせいか、彼は花や木の名前に詳しかった。

タラの木を中心に、半径約二メートルほどの円状に雑草がない。人の手で刈られたのだろう。木の幹に寄せて、木製の幼児用らしい椅子が据えられ、座席には花束が置かれていた。

　ここで少年が亡くなったのに違いない、と倖世なりに察した。花束の花は枯れていたが、さほど古いものでもないように思う。

「ここに来るまで、少年の話は聞けなかったけど、どう悼むつもりなんですか」

　倖世は尋ねた。静人は、話を聞けない場合は報道を参考にするが、今回は雑誌が二ページにわたる記事にしていたので、それをもとに悼むつもりだと答えた。内容を訊くと、彼は厚手のノートを開いた。以前彼に聞いたが、これは新聞や雑誌の記事、ラジオで聞いたニュースを書き写す、いわばメモ帳で、悼みをおこなったあと、正式なノートに悼みの記録を残すという。

　メモ帳のあるページに、亡くなった少年の顔写真が雑誌から切り抜いて貼ってあった。ぽっちゃりとした丸顔で、柔らかな目の表情をしている。その下に書き写された文章がつづいていた。亡くなった少年は、切れやすい性格で、万引きで警察に補導され、放火未遂で注意を受けたこともある。一方で、数少ない友人は、少年が心根優しく、人の悪口は決して言わなかったと語り、記者の感想として、両親の過保護が子どもを非行に走らせ、悲劇を招いた、と記されていた。

　これのどこを採って悼みに結びつけるのか……。倖世は不思議に思って、彼を見ると、

「過保護とありますが、見方を変えれば、ご両親に深く愛されていたということだと思います。また、彼のことを心根が優しいと語ってくれる友人もいました。そのことを悼みます」

《さあ、きみも彼が言った通りに悼んでみるといい。ただ見ていても何もわかりはしないよ。》

　タラの木の根元に片膝をつく静人を見やりながら、彼女の肩の上で、朔也が言った。

　ここまで旅が無為《むい》に過ぎてきたことの疲れと虚《むな》しさから、そのからかいを受け流せず、

「あなただって、見ているだけじゃないですか」

倖世は声に出して言った。静人は悼みに集中しているのか、身じろぎもしない。

「そんな肩のところにじっとして……もしかして、とりついているつもりですか」

首を振り向け、朔也に訊く。彼は鼻先で笑った。

《さて、どうかな。ただし、とりつかれるだけの理由はあるだろう？　わたしを刺したんだ。》

「それは、だって……殺せと言ったのは、あなたです」

朔也が顔をそむけた。彼は倖世をからかう場合など都合のよいときにだけ現れ、それ以外はおおむね背後に潜んだままでいる。いまも背後に下がっていこうとするため、

「逃げないで。わたしは、あなたの望みを叶えたんです。とりつくなんておかしいでしょ」

彼の望みを叶えることにして以来、倖世は愛が善いものなどとは信じられなくなった。もしも愛がなければ、彼を殺すに至る地獄の日々はなく、もちろんいまの苦しみもなかった。

《……きみの前に現れたのは、心残りがあるからさ。》

朔也が背後に下がる寸前に言った。心残り？　何のことか尋ねようとしたとき、

「そこで、何をしてるの」

低く険しい声が響いた。一瞬、幽霊のたぐいかと疑った。青白い顔をした、四十代半ばくらいの痩せた女が、黒っぽいワンピースを着て、焼却炉の前から凝然とこちらを見ている。手には花束を提げ、見開いた目がふるえていた。

「そこで、何を、してるんです」

女はあえぐように息をつき、苦しげな声で同じことを尋ねた。

静人は悼みを終えたところらしく、タラの木の根元から立って、彼女へ一礼した。

「悼ませて、いただいていました」

静人の答えに、女は口もとに手を挙げた。つめた息を引き出すかのように手を下ろしつつ、

「いたむ……死を、悼むという、あの悼むですか？　では、ナオキを悼んでおられたのですか」

倖世は、静人のメモ帳に、『沼田直紀』という名前が書かれていたのを思い出した。

「あなたは……直紀の、お知り合いなんですか」

女が、期待と不安の入り交じったような目を静人に向ける。

「いいえ。直接は存じあげません」

「では……まさか、あの子を殺した子たちの、あの連中の、知り合い……？」

女の表情に険しさが増した。とがった視線を、静人から倖世へ移し、また静人に戻す。

「いいえ。事件に関係がある方々とも面識はありません。通りすがりの者なのです」

「通りすがり……って何なの。なぜ直紀のことを知ってるんです、どうして祈ってたんですか」

二人のちょうどあいだに立っている倖世は、黙って成り行きを見守っていたが、彼女の問いを聞いて、自分が静人のメモ帳を預かったままなのを思い出した。女のほうへメモ帳を向け、

「それは、雑誌の記事で知ったんです。これは、雑誌の記事を写したメモですけど……」

と、取りなすような口調で言った。女が興味を引かれたのか、こちらへ歩み寄ってくる。倖世は安堵の息をついた。すると女は倖世の手からメモ帳を奪い、地面にたたきつけた。

「雑誌ですって？　あなた、あんなでたらめを信じて、息子の冥福を祈ったんですかっ」

倖世は、相手の剣幕に押されて後ずさり、いつのまにか歩み寄っていた静人に支えられた。

「亡くなられたのは、息子さんなのですね……。心からお悔やみ申し上げます」

彼は、倖世の前に進み出て、女に対して頭を下げた。メモ帳を拾って、土を払い、

「お心を傷つけてしまったようで申し訳ありません。わたしは亡くなった方を悼みたくて、ここへ参りました。三年前の新聞と雑誌の記事でここでのことを知り、それ以外には事実を知る機会もなく来てしまったものですから、記事を信じるほかありませんでした」

女は、冷えきった怒りの表情で静人を見据え、

「真実を知らずに冥福を祈ったって、あの子が浮かばれるはずないじゃないですか」

静人は、同意するように深くうなずいてから、

「息子さんの冥福は祈っていません」

と言った。女は意味がわからないのだろう、眉をひそめた。彼は言葉をつづけ、

「ご両親から愛され、ご自身も両親を愛し、お友だちにも優しかった……沼田直紀さんという、十七歳の男性が、確かにこの世界に生きていたことを覚えています、と約束しました」

女は、静人を見つめ返したあと、彼をかわしてタラの木に歩み寄り、手に提げていた花束を、椅子の上の古い花束と替え、ひざまずいて合掌した。わが子の名前を唱え、お母さん来たよ、と語りかける。やがて手を下ろして顔を上げると、静人と倖世を睨みつけて言った。

「このままお帰しするわけにはいきません」

　廃校となった小学校から十五分ほど離れた場所の、住宅地内にある平屋建ての家に女は入り、静人は素直に従った。倖世は玄関先で迷い、自分は連れではない、と辞退しかけた。だが玄関の内側に立った女に切羽つまったような目で見られ、どうぞと勧められると、断れなかった。

　二人が通されたのは広い和室で、大きな仏壇があり、その周りに少年の明るい笑顔の写真を中心とした家族のスナップ写真や、おもちゃや、文房具類などが祀《まつ》られていた。

　女は、ここで待つように言って、電話を掛けたあと、二人に紅茶を出した。三十分ほど経って、女と同年配の男が入ってきた。背広姿で鞄を持ち、勤め先から早退してきた様子だった。

　男は、女と短く話を交わしてから、静人と倖世の前に正座した。彼は、亡くなった少年の父親であると告げ、あらためて静人に対して、タラの木の前で何をしていたのか、説明を求めた。

　静人は、こうした状況が初めてではないのだろう、慣れた口調で悼みについて話した。少年の両親は半信半疑らしかった。倖世も彼らと同じ立場だったため、心情は理解できる。

「特別な信仰をお持ちらしいが……ともかく、あなたが読まれた雑誌の記事は、捏造《ねつぞう》なんです」

と、少年の父親は話しはじめた。彼によると、マスコミの報道はすべて事実を伝えていない。

「だって、この子は喧嘩なんてできないんです。この子には、障害があったのですから」

　生まれつき知的な障害を抱え、自分を責めたり傷つけたりすることはあっても、他人に向けて気持ちをぶつけたり、ましてや手を上げたりなど、したくてもできない少年だったという。

「この子は、いじめで殺されたんです。多くの人が本当はそれを知っています」

少年は養護学校からの帰り道、バス停から自宅まで歩くあいだに、小学校時代の同級生四人と出会い、リーダー格の一人から遊ぼうと誘われた。少年は求められると断れない性格だった。

「四人は暇つぶしに声をかけたそうです。この子は、廃校になった小学校へ連れていかれ、プロレスをやろうと言われました。からだが大きいので、サンドバッグ代わりにする気だったのでしょう。リーダー格の少年は、無抵抗のこの子を殴ったり蹴ったりしました。耐えられなくなったこの子は、逃げようとして、はずみで相手を突き転がしました。それを見たほかの三人が笑ったため、リーダー格の少年は逆上し、この子を殴り倒し、ほかの三人に十回ずつ蹴るように求めたのです。一人は顔を、一人は胸を、一人は腹を蹴ったそうです。さらにリーダー格の少年が頭の上で何度もジャンプし、とうとうこの子が動かなくなったため、そのまま放置したのです」

両親は、いつまでも帰ってこないわが子を捜し、学校や警察に協力を求めた。そして深夜、子どもの声で家へ電話があり、わが子の倒れている場所が告げられた。三人の仲間のうち一人が、罪悪感にさいなまれて掛けてきたものだった。

「病院へ運んだときには、亡くなって数時間経っていたそうです。顔は誰かわからないほど腫《は》れていました。遺体は捜査のために解剖《かいぼう》へ回すので、わたしどもは帰宅するように言われましたが、もちろん一睡もできません。翌朝早く、一人の少年が両親と訪ねてきて、真実を話しました。電話をしてきたのも、その子です。すぐには話が理解できませんでした。相手は口先だけで謝罪したようでしたが、許すも許さないも、子どもの死がまだ信じられない状況だったんです。少年は両親と警察へ出頭し、四人全員が補導されました。なんてひどいことをするのかと、町中が、社会全体が、少年たちに怒り、この子に同情してくれるものと思っていました。ところが……」

夜からの報道は、倖世が静人から見せられたメモ帳の記述のように変わっていた。

「リーダー格の少年の父親と叔父が、地元の警察官でした。四人が補導された夜の警察発表で、喧嘩の最中の事故だと、ねじ曲げられていたのです。先に手を出したのは、うちの子だとまで言われました。発表前に遺体も返されていました。司法解剖される予定が、状況はわかっているので中止になったというのです。早く荼毘《だび》にふすよう、担当の人に言われ、親切で言ってくれたとばかり思ったのに……。翌日の新聞を見て、驚きました。ともかく弔《とむら》うのが先だと我慢し、葬儀のあと警察へ抗議にゆきましたが、捜査中だからと、責任ある立場の人とは会えませんでした」

一度は真実を語った少年の一人も、以後は口をつぐみ、両親が訪ねても会おうとしなかった。ほかの子も、その親も、謝罪はおろか、弔意を示すことすらなかった。

「マスコミは、警察発表だけで書いたんです。のちに週刊誌の記者が来たときに、わたしたちは懸命に真実を話しました。でも記事になると、前よりひどかったのです」

少年は障害のために一つのことを長くつづけるのが難しい。それが、切れやすいという表現になった。小学生の頃、コンビニで菓子を手にしたまま外へ出て、店員に腕をつかまれ、驚いて泣いたことがある。店員も困って警察を呼んだ事情が、万引きで警察沙汰という記事になった。夏、庭で花火の最中、はしゃぎ過ぎて隣家の庭へ花火を投げ入れた。隣人の思い出話は、放火未遂という記事に変わった。どうしてわが子に障害があったことを発表しないのか、警察にもマスコミにも訴えたが、どこも判で押したように、お子さんの人権を配慮して、と答えた。

「警察発表をくつがえす記事を書けば各方面から反発が来ることを、記者は危ぶんだか、あるいはどこからか見返りを得たのかもしれません。加害者の家族や周囲の者たちは、長年かけて築いた暮らしが壊れるのを恐れ、死者にすべての責任を押しつけたのでしょう。いわばもう一度この子を殺したんです。翌年、わたしたちは民事裁判を起こしました。いまもつづいています。以来、匿名《とくめい》の非難電話や中傷の手紙が絶えません。死んだ子で金を稼ぐのかと、面と向かって言われたこともあります。応援を約束してくれていた養護学校も、圧力を受けたらしく、担任の先生が異動になってからは表立った協力はしてもらえません。病院にいたっては、頭蓋骨骨折以外は記録がないという始末です。先日も、町を出ていけという紙が玄関に貼ってありました」

父親が悔しげに言葉を切ったあと、母親が話を継いだ。

「加害者たちは、引っ越すなどして、さっさと町を出ました。わたしたちが彼らに願っていたのは、直紀に心から謝って、贖罪《しょくざい》の気持ちを忘れずに生きてほしいということだったのに……」

彼女は、ほかの理由で亡くなった人々を羨ましく思うことがあると語った。テレビを見ていると、何年経っても献花してもらえる事件や事故の被害者がいる。そうした場面を見ると、どうしてうちの子は違うのか……なぜ大勢に偲《しの》んでもらえないのか……と、泣いて畳をかきむしる。

「この子が最期を迎えたあの場所に、いまも月命日に花を供えています。夫が仕事の日は、わたしが昼間、夫は夕方に参ります。でもこれまで一度も、ほかの人に会ったことはありません。あなた方が初めてです。初めてあの場所で、この子に手を合わせてくれていたんです」

「真実がおわかりになりましたか。お知りになりたいことがあれば、どうぞ聞いてください」

父親がそう言ったとき、倖世は、犯行をおこなった少年たちのその後を知りたいと思った。自分が殺人を犯した人間だけに、彼らのいまが気になる。だが、静人が尋ねたことは違った。

「亡くなられたお子さんは、ご両親のほかに、誰に愛されていたでしょう。どういった方を愛していましたか。どんなことをして、人に感謝されたことがあったでしょうか」

両親はそれぞれ困惑した表情を浮かべ、互いの顔を見合わせた。

「事件のことを知りたいんじゃ、ないんですか。そんなことを尋ねて、どうするつもりです」

父親が訊いた。静人は、少年が明るく笑っている写真のほうへ目をやって答えた。

「伺ったお話を胸に刻み、自分が生きているかぎり覚えておくよう努めるつもりです」

他人がそんなことをするなど、まず信じてもらえないだろう……。倖世が思った瞬間、

「覚えていてください。覚えていてください」

母親が切ない声で訴え、部屋を出てゆくと、両手一杯にアルバムを抱えて戻ってきた。

静人と倖世は、生まれてから日々成長するおりおりの少年の写真を見せてもらい、両親が語る彼の思い出話を聞いた。両親は、少年がいまもどこかで生きているような口ぶりで語りつづけた。

窓の外が暗くなった頃、父親がそれに気がついて、

「こちらが無理にお招きしたことですから、どうぞ夕食を食べていってください」

と勧めた。倖世は、これという理由はないが、静人が辞退するだろうと思った。しかし彼はあっさりと、ありがとうございますと受け入れた。二人が台所へ去ったあと、倖世は尋ねた。

「こういうことって……食事を、ごちそうになることって、よくあるんですか」

「はい、たまにですが。ある山のふもとで、熊に襲われた男性を悼ませていただいたときには、仲間の方々が語る死者の思い出話を聞きながら、明け方までお酒をごちそうになりました」

倖世は納得がいかず、それが顔にも出たのだろう、静人が柔らかくほほえんだ。

「死者を悼みに伺ったのに、食事や酒をごちそうになっていいのかと、疑問なんでしょ。ぼくも初めは、なぜか不純な気がして、よく断っていました。勧めてくださった方が、つらそうな顔をされることもあり、心が痛みました。旅に出た三年目に、或る人が言ってくれました……大切なのは、つづけることだろう、と。それで吹っ切れました。いろいろなことに柔軟でいい、でないと、つづけることができなくなる、と。だからいまは、差し出されるものは感謝して受け入れ、代わりに、悼みを拒まれたときも、悲しんだり腹を立てたりしないよう、心がけています」

その後、出された料理を静人が素直に食べるのに合わせ、倖世も勧められるまま口に運んだ。

彼らの家を辞去したときは、日が暮れていた。次に悼む場所は少し離れているので、今夜はこの町に泊まると静人は言い、先の小学校跡地に戻った。街灯はないが、レバーを回して発電するタイプの懐中電灯を静人は持っていた。しかも今夜は月の光が明るい。

タラの木の花が、月光を受け、白く浮かび上がっていた。木の下に置かれた椅子は、少年が小さい頃から愛用し、大きくなっても手放さず、よく窮屈そうに座っていたものだという。

倖世は、その椅子を眺めているうち、丸顔のぽっちゃりした男の子が、小さな椅子に窮屈そうに座り、機嫌よく足を振っているところが見えてきた。むろん錯覚だが、いましがた両親から話を聞いたばかりのためだろう、次々と彼の姿が椅子の上に浮かんでは消える。

赤ん坊のときは色が白く、病院で外国人みたいと可愛がられた面影が……五歳のとき、母親が盲腸で入院した病院まで、自宅から二キロの道をひとりで歩き、「お母たん」と病室に入ってきたときの、頰に残る涙の跡が……十歳のとき、運動会のかけっこの途中、応援していた父親のもとへ駆け寄り、首に抱きついて離れないため、父親も一緒に走ってゴールしたときの笑顔が……亡くなる直前、同じ養護学校に通う少女に恋をし、どうすれば想いを伝えられるか、愛用の椅子に座って悩んでいたときの真剣な表情が……。倖世は、胸のうちに少年が息づくのを意識して、驚きとともに気がついた。静人の悼みとは、もしかしてこういうことなのだろうか。

静人が椅子の前に片膝をついた。倖世は歩み寄り、何をしているのか尋ねた。

「先ほど伺った話を胸に、あらためて悼ませていただきます」

一度悼んだ相手のことでも、別の事情がわかれば、また悼み直すということらしい。だったら、いっそいま話そうか。朔也の死についての真実を。

背後で朔也が冷笑するのを感じる。彼のからかいを聞かずとも、朔也を殺したことを、しかも彼からそれを強要されたことの真実を、誤解なく伝えられるのか、自信はなかった。

懐中電灯をいったん消して、月明かりのもと、静人は胸の前で両手を重ねた。彼の悼みを、これほど間近に見るのは初めてだった。月が雲に隠れたらしく、彼の姿が見えなくなった。人を悼む声だけが辺りに響く。風で雲が流されたのか、闇の奥からうっすら青く、瞑目する静人の横顔が浮かび上がった。タラの木の花だろう、淡雪のような花びらが舞い落ちて、彼の前をよぎり、亡くなった少年が愛用していた小さな椅子のひじ掛けに、そっと載《の》った。

2

倖世は翌日から静人との距離を縮めて歩いた。

廃校となった小学校の裏手で子どもを亡くした両親の、わが子の思い出を語るときの活き活きした表情が目に焼きついていた。別れ際も彼らの表情は柔らかかった。あの表情は静人によって引き出されたのか。故人のことをずっと覚えているという彼の約束が、変化をもたらしたのか。

《あの連中は、話し相手が欲しかっただけのことさ。》

朔也が、彼女の肩の上であくびをする。

《黙って子どもの話を聞いてくれる相手なら、誰でもよかったんだ。》

確かに少年の両親は、事件以来初めてわが子の思い出を思う存分他人に話せたのかもしれない。だとしたら、話したくなる初めての他人として、静人が現れたということにもなるだろう。

しばらく歩いてバス停の前に来たとき、静人は料金表を確認して、バスに乗ると言った。彼と旅するようになって、ずっと歩き通しだったし、これからも徒歩だけで旅するとばかり思っていたから、冗談かと疑った。だが彼は、ここ十日ほどは歩くほうが場所的に都合がよかっただけで、山あいの村を訪ねるおりや、次の悼みの場所まで距離がある場合、よくバスを利用すると話した。徒歩だけでは時間がかかり、食費など経費がかえって高くつくという。

バスで市街地に入ってから、地図を頼りに歩き、去年、強盗に襲われて店主が亡くなったという薬局を訪ねた。店はすでに営業を再開しており、外見上、事件の痕跡は残っていない。

客がいなくなるのを待って、静人は店内に入った。倖世はこれまでは外で待っていたが、一緒に入り、彼の背後から成り行きを見守った。応対に立った男性の薬剤師は、亡くなった店主のことを訊かれて、露骨にいやな顔をした。倖世のことも睨んで、「何の教え、どんな団体なの」と尋ねた。静人ばかりか同じ格好の倖世もいることで、カルト教団のような存在を想像したのかもしれない。犯人は捕まったというから、警察を呼ぶより、さっさと厄介《やっかい》払いをしたほうがましだと思ったのだろう。静人の質問に「愛？」と二度聞き返したあと、ごく簡単に答えた。

「子どもは可愛がってたよ、双子でさ。誕生日は、何もかも二人分で大変だって笑ってた。薬を取りにくるお客さまには丁寧に話をして、アレルギーにも詳しいから、わりと感謝されてたよ」

静人は、礼を言い、外へ出てから、店の出入口の脇に膝をついた。いま聞いた話をもとに悼むのだろう。倖世が店内に目を向けると、薬剤師はいやなものを見るように顔をしかめていた。


住宅地内の民家で、三ヶ月前、七十五歳の夫と七十八歳の妻の遺体が発見された。寝たきりだった妻が病状が悪化したのか、息を引き取り、介護していた夫は絶望の余り、食事もとらなかったのだろう、『何もしてやれず』というメモ書きだけを残し、いわゆる餓死をしていた。

近所で教えられた家は、住む者のなくなったいまも穏和なたたずまいで建ち、荒れた様子は見られなかった。ずっと同じ場所に暮らしてきたという夫婦について、家のすぐ裏手の米穀店で話を聞いた。店番の中年女性は、旅装姿の男女が死者の話を聞きたいと言ったためか、

「あんたたち……もしかして、お遍路《へんろ》さんみたいなことをしてるの?」
と訊いた。彼女は去年、四国のお寺回りをしてきたばかりらしい。亡くなった老夫婦のことをふびんがり、なんであんな最期を迎えたのかと、しきりにため息をつき、首を横に振った。

静人は、二人の最期には興味を示さず、これまでと同じく二人の愛や感謝に関する質問をした。相手はやや拍子抜けした顔で、「感謝ねえ……」とつぶやき、視線を遠くへ投げて話した。

老夫婦は、手塩《てしお》にかけて育てた愛娘《まなむすめ》が、二十歳のときに病気で亡くなってから、崩れそうになる心を互いに支え合って暮らしてきたという。妻は手先が器用で、昔から仕立物を頼まれ、丹念な仕事が近所の人に喜ばれていた。夫は気が短く、嫌う者もいたが、配管会社を定年後、年寄りの家の水回りの不具合を無料で修理するなどして、いまも感謝を口にする人が少なくない。

話を聞き終えて店を出ようとする静人と倖世を、女性が呼び止めた。彼女はいったん奥へ引っ込み、やがて小さな包みを持って現れ、急いで握ったおにぎりだけど、と静人に渡した。

やがて日が暮れ、野宿の場所をそろそろ決める必要があった。

倖世は、右へ曲がった道の先に公園を見つけたが、静人はまっすぐ進み、約十分後、ここで休憩しますと足を止めた。公衆電話が道沿いにあるほかは、休む場所などない、道の上だった。

さっきの公園へ戻ったら、と倖世は勧めた。静人は、自分の安っぽい腕時計に視線を落とし、
「七時に電話をする必要があるんです。近くに公衆電話がないので、ここで待ちます」
と、リュックを下ろし、なかからノートを一冊取り出した。彼が目指すページを開くと、セロテープでアイドル男優のテレホンカードが二枚貼られていた。一枚は使った跡もある。

「そのテレホンカードは何なの……あなたには似合わない感じだけど」と、倖世は尋ねた。

「これは、悼みをおこなった或る人物の、ご家族から渡されたものです」

五年前、北陸の町で、三十七歳の男性が自殺した。会社で重責を担《にな》って残業がつづいた末のことだった。当初は会社も労働基準監督署も個人の問題と主張したが、遺族の訴えで一年後に過労自殺として労災が認められた。地方紙にその記事が載ったことで、静人も知ったという。

彼が訪ねたのは二年前で、町内でその男性の話を聞いて回っていることを誰かが遺族に知らせたらしく、店で話を聞いていたとき、故人の妻と中学生の娘が現れ、何をしているのかと彼を問いつめた。彼は、悼みについて話し、故人のことをずっと覚えておくつもりだと答えた。

すると娘が、「嘘つき」と彼をののしった。男性のことが記事になった直後は、取材に訪れる者があり、あらためて悔やみを言う者もいたが、時間とともに男性の死は忘れられ、自殺を否定的に見る世間の目も影響してか、命日でも人の訪れは稀《まれ》なのだと、娘の母親は語った。

「覚えるというのが嘘でないなら、命日に電話をするようにと、娘さんがおっしゃったのです」

倖世が想像するに、中学生の娘は静人の言葉が信じられず、宗教かぶれの変人を困らせるつもりか、その場かぎりの偽善としか思えない行為を糾弾《きゆうだん》するつもりで、持っていたテレホンカードを渡したのだろう。だから、本当に電話が掛かってくることは期待していなかったはずだ。

「いいえ。去年、娘さんとは電話で話しました。今日もきっと話せるだろうと思います」

約束の時間になり、静人はカードを使って電話を掛けた。すぐに相手が出たようだ。静人が名乗ると、相手が何か答えたのだろう、彼は首を小さく横に振った。

「どうしてです？　約束したじゃないですか。はい、いまも旅はつづけています」

相手が何やら話したことに対して、彼はほほえみ、

「ええ、じきに紅葉です。お父さんが愛された季節ですね。あなたの生まれた月でもあるし」

彼が柔らかな表情で話すのを見ていて、倖世は、相手の表情もそこに映り出ている気がした。

公園に泊まることを決め、街灯の明かりで食事をし、レバーを回して発電するタイプの懐中電灯に備わったラジオで、ニュースを聞いた。死者の情報が得られれば、静人はメモを取るが、この日は経済とスポーツの話題に終始した。眠りにつく前、彼は懐中電灯の明かりでノートを広げ、この日悼みをおこなった相手の名前や場所、誰に愛され、誰を愛し、どんなことで人に感謝されたかを書き込んだ。それを終えると、数日前までページを戻り、悼みをおこなった相手の記述を読み返して、一人一人の悼みを新たにする。悼む相手の数が多くて暗記には限界があり、深く胸に刻むために読み返すことをしていると、以前倖世が質問したときに彼は答えた。

小声で読み上げられる死者の愛と感謝に関するエピソードを、今夜もまた念仏かご詠歌《えいか》のように聞きながら、倖世は寝袋のなかで身を丸め、疲れもあり、いつしか眠りに落ちた。

《こんなふざけた真似を、いったいいつまでつづける気だい。》

朔也が話しかけてきたのは、翌朝早々のことだった。静人は公衆トイレで顔を洗っている。

《誰が誰を愛そうと、すべては錯覚に過ぎない。感謝などというものも同様さ。思い込みや錯覚による死者の思い出話が聞けたからって、何も変わりはしないし、虚しいだけだろう。》

「でも、人によっては、誰かに話すことで救われることもあるんじゃないですか」

倖世は自信なく言い返した。「あなたも、お寺で、遺族の話をよく聞いていたでしょう?」

《商売上さ。愚《ぐ》にもつかない死者の思い出にこだわるから、人類は少しも進歩しないんだ。》

「人がそういう生き物だとしたら、しょうがないじゃないですか」

《やけに奴の肩を持つね。そろそろわたしを殺した話も、奴にしてみたらどうだい。》

それを考えると胸がふさがる。どう話すべきか、いつ切り出すか、踏ん切りがつかない。

静人が戻ってきた。朝なのに疲れた足取りだった。慣れているようでも、日々誰かを悼む行為は肉体的に、また精神的にも応えるのか。朝起きて間もない頃や、寝つく前など、ひどくやつれて見えることがある。いまもこのまま倒れ込んでもおかしくない気がして、不安になった。

「もう少し休んでいたら」と、声をかけてみる。

「え、何のためです? まったく問題ありません。じゃあ、そろそろ行きましょうか」

彼はみずからを鼓舞《こぶ》するように肩を何度か回してから、重そうにリュックを背負った。

街の中心部の商店街の隅に、小さな書店があった。四年前、閉店後に店長とアルバイトの女子学生が何者かに襲われ、縛られたあと、店に火がかけられ、二人とも亡くなった。

静人は事件直後に訪れ、今日が二度目だという。当時はまだ焼け跡が残り、被害者に関する報道も多く、悼みのための情報には事欠かなかったらしい。今回、彼が示した場所の前に立つと、無人の駐車場に変わっていた。まだ早い時間で開いていない店のほうが多く、道行く人は通勤や通学で急いでおり、とても話を聞けそうになかった。仕方なく駐車場の周りを歩いていたとき、

「あの、すみません。お願いします」

と、四十歳前後の男性からチラシを差し出された。静人につづいて倖世も受け取り、読んでみる。ここで起きた事件の目撃者を求める内容であり、連絡先の電話番号などが記されていた。

「旅の途中のご様子ですが、旅先で何かお聞きになることがあれば、ご連絡ください」

男性は、髪に白いものが混じり、気弱そうな印象ながら、懸命に話しかけてくる。

「失礼ですが、亡くなられたお二人、どちらかのご遺族ですか」

静人が尋ねた。男性は大げさなほど手を横に振り、

「とんでもない。……担任でした。その、亡くなったアルバイトの学生のです」

倖世は意外に思った。チラシを見返して、なぜ、という想いが湧き、

「先生が、どうしてこんな……」

と尋ねた。男性は、バツが悪そうな表情をして、額を拳でごしごしとぬぐうようにしながら、

「わたしが、アルバイトを勧めたのです。図書委員で本が好きだった彼女が、離婚したお母さんを助けたいと相談にきたものだから……知り合いだった、書店の店長さんに頼んで……」

つまり、自分にも責任があると思ってのことらしい。男性は、額をさらに叩くようにして、

「こんなことをしても、失われた命は戻りません。でも、何もしないのもつらくて……登校前の一時間ほど、このようなことを……実際、ほかに何もできないのが、歯がゆいのですが」

不意に静人が手を伸ばし、男性の手首をそっと押さえ、彼が額を叩くのを止めた。

「あなたの教え子だった人のことを、お聞かせください。どんなことでも、ささいなことでも」

温かく包み込むような声だった。男性は、こみ上げてきたものを、耐えて呑み下すようにしたあと、女子学生の思い出と、知り合いだった店長の人柄について話した。

その様子を見ながら、倖世は、静人が亡くなった二人を悼む際、きっとこの男性の存在を悼みに加えるだろうと思った。彼にいまなお大切に想われ、その死を悔やまれつづけている二人の人間が、確かにこの世界に生きていたことを覚えておきます、というような言葉で。


山あいの村へ行くバスに乗る、と静人が言った。すでに日は西に傾きかけている。いまから山へ入ると帰ってこられない可能性があり、町で待っていてもらっても構わない、と静人は言葉を継いだ。彼の今朝の疲れた足取りが気になり、倖世は一緒に行くと答えた。

目的の村では、二年前の大雨で土砂崩れが起き、民家が押し流され、四人が亡くなっていた。

運転手に聞いた停留所で下りたものの、右も左もわからず、通りかかった軽トラックに静人が手を挙げた。運転席にいた顔の深い皺が傷痕《きずあと》のように見える老人に、流された家の場所へ案内してもらった。その家は村の外れにあり、崩れた土砂の上にススキが茂って、人家があったとは思えない状態になっている。老人の話では、都会で暮らす息子夫婦と四歳になる孫が、一人暮らしの老母のもとへ帰省したお盆に起きた災害だった。よりによってそんな日に、と倖世は運の悪さを思った。しかし静人は、いつものように自分の悼みに必要なことだけを、老人に尋ねた。

老いた母親は、孫の顔を見るのをいつも心待ちにして、近所の人に孫自慢を繰り返していた。また息子夫婦は毎年里帰りをし、老母を引き取りたがっていたし、孫も祖母を慕っていた。ただ老母は、夫と長年暮らし、友人もいるこの土地を愛しており、決して離れたがらなかった。

この話を受けて、静人はススキの穂が揺れる現場へ分け入り、しばらく戻ってこなかった。

帰りのバスは、やはりもうなかった。村の神社の軒下《のきした》にでも野宿するつもりでいた静人と倖世を、うちに泊まればよいと老人が誘ってくれた。彼は山で柑橘《かんきつ》類を作っており、去年妻を亡くし、一人暮らしだった。子どもは三人いて、みな都会に暮らし、それぞれ彼のことを引き取りたいと言ってくれるが、彼もこの土地を愛しており、死ぬまで離れる気はないと話した。

倖世がその家にあった食材で料理を作り、静人が風呂を沸かした。酒もふるまわれ、

「うちの女房のことも、せっかくだから悼んでもらえるかな」

と、老人はにこやかに、戦後、外地から引き揚げる際の港で、初めて妻と出会ったときからのことを語りはじめた。苦労と団欒《だんらん》がより合わされた夫婦の話は、世間的にはごくありふれたものだったかもしれない。だが、長年彼らが暮らしてきたこの家の匂いに包み込まれて聞いていると、特別な歴史として胸にしみ入ってくる。話を聞き終えた深夜、静人は、老人の妻が最期を迎えたという部屋で、擦り切れた畳に片膝をつき、この家に漂う空気を両手で集めて、胸に抱きしめるような姿勢をとった。老人は、彼の姿を見て、みずからもまた瞑目した。

寝る段になって、静人と倖世が布団を大きく分けて敷くのを、老人は何も言わずにいた。

翌朝、老人は軽トラックで二人をバス停まで送ってくれた。

「女房もきっと喜んでいるだろう」

と、笑った彼の顔は、例の少年の両親が見せた表情に似ていた。

3

一日中、雨のなかを合羽を着て歩き、新しい発見もないまま橋の下で寝た。水かさの増えた川の音が耳もとに迫り、死を嫌ってはいないのに、からだが緊張して、なかなか寝つけなかった。

日付を確認していないため、あいまいだが、老人の家をあとにして二週間近く経つだろうか。山の木々が色づきはじめ、野宿のおりは虫の声がうるさく、朝夕は厚手の服が必要となった。

亡くなった人物の、生きていた頃の姿を思い浮かべるのは、一瞬でも胸が苦しくなる。その苦しみが収まらないうちに、静人は次の死者の話を聞く。多いときは一日に五件、複数の死者が出た事故で、十人を超す人を悼んだこともあった。倖世は、次々と死者の面影を想像してゆくことには精神がもたない気がして、彼と同じ悼みを試みることは、途中であきらめた。

静人に言わせると、むしろ一人一人に深く心を残さないことで、つづけられるという。

「或る人の死を深く想うのは、遺族や身内の方の、いわば特権のように思います。他人のぼくは、懐かしい友人の思い出のように覚えておくのがよいと、旅をするなかで気がつきました」

彼の悼みには、ほかにもいろいろと独自のルールのようなものがあるのを知った。

自殺の場合、報道はプライバシーに配慮してだろう、公人や有名人以外は名前も年齢も伝えない。最近はほかの死亡事故においても個人名が出ないことが多く、伝えられた大まかな場所を訪れても、誰もその事故を知らないケースがあって、こうした場合は悼むことができないという。

死体が発見されても、諸事情によって身元が不明の場合も同様だった。

彼は、いろいろなケースを踏まえて、どうすべきか悩んだ結果、

「残念ながら悼めない場合は、亡くなった方との〈縁〉がなかったのだと思うことにしました」

逆に言うと、悼みをおこなえる相手には〈縁〉を感じるということらしく、

「三叉路《さんさろ》でたまたま右の道を選んだ結果、献花を見つける、ということがあります。人が亡くなった場所が、標高何千メートルの山とか、遠い海の上とかだと、簡単には伺えません。ですから、条件が重なって悼むことができる場合、やはり〈縁〉と考えるのが適当な気がして……ぼくはいわば〈縁者〉として悼ませていただくことにしたのです」

では、〈縁〉のなかった死者には何もしないのか、忘れていくのか、と倖世が問うと、

「亡くなった日、あるいは死体の発見された日付を記録して、おりおりノートを開き、思い出させてもらっています。何もできないですが、その方が安らかに眠られることを願います」

一歩一歩、足の下に何があるのか確かめるような歩き方も、考えがあってのことだった。

旅に出て二年目、買い物帰りの主婦が、誰でもいいから殺したかったという男に背後から刺された現場を、静人は訪ねた。どこがその場所か、印もないため、彼が行きつ戻りつするうちに、花束を持った男性とぶつかった。亡くなった女性の夫だった。悼みのことを話すと、男性は気の抜けた目で、「そこだよ、そこに倒れていたんだ」と、静人が立っている足の下を指さした。

彼はしばらく歩くことが怖くなったという。死者が横たわっていた場所というより、死者そのものを踏みつけているのではないかという強迫観念から、道の端を選んで歩いたり、地面に足が

着く時間を減らそうと早足で歩いたりした。月日を重ねて多くの人を悼むうち、遙か昔までさかのぼれば、どんな場所だろうと、人が倒れていた可能性はゼロではないと悟り、だったらと、

「自分の足の下には、誰かに深く愛されていた人物が、かつて横たわっていたということを感じながら旅をつづけていけないかと思い、気をつけて歩くようにしたんです。でも……」

いつのまにかぼんやり歩いていることも多いと、静人は恥じ入るように打ち明けた。

しかし倖世はもう、ゆっくりだろうが、ぼんやりとだろうが、歩くことに疲れた。野宿に疲れた。静人の真意を見極めることに疲れた。彼は、こじつけとしか思えないかたちで、あらゆることを愛と言い換える。そのことに苛立つのに疲れた。朔也は呆れて、長いあいだ黙っている。

ふと、そろそろいいかもしれないと思った。これ以上歩いても何も変わらないだろう。

今日一日歩いて何もなければ、もう旅をやめようと、朝、寝袋を出ながら決意した。

《やっとその気になったのかい。ずいぶん長い寄り道をしたもんだ。》

朔也が久しぶりに伸びをするように現れた。静人はすでに朝食の準備を始めていた。


七ヶ月前、マンションの十一階から、男子高校生が転落死していた。

ガソリンスタンドで場所を教わり、マンションの前まで来たところで、通りかかった近所の主婦らしい女性二人に話を聞くことができた。少年は、薬の副作用で幻覚症状に襲われたらしく、部屋を飛び出し、通路の手すりを乗り越えた。翌日には彼の同級生や知り合いなどが大勢訪れ、多くの花が彼の亡くなったマンションの駐車場に捧げられたとのことだった。

花はもう残っていなかったが、静人は駐車場の隅に膝をついた。そのとき、話を聞かせてくれた女性二人が駆け寄ってきて、祈るのはよしてほしいと頼んだ。二人は、亡くなった少年の母親の友人だった。大勢の人が少年の冥福を祈ることが負担となり、母親は倒れてしまったという。

「自分を責めてるんです。冥福を祈る人々のことも、自分を責めにきたと感じるらしくて」

静人は、わかりましたと駐車場を出た。だが少し先の電信柱の陰でふたたび悼みの姿勢をとる彼に、つらく感じる人がいるからやめてくれと言われたのに何を悼むのか、と倖世は問うた。彼は、母親が自責の念から倒れたのも少年への愛ゆえだと思うから、そのことを悼むと答えた。

《もう偽善者とも言えないね。他人の感情を自分の趣味に利用するエゴイストだよ。》

朔也が、苛立ちのにじむ口もとだけの笑みを浮かべた。

「もういいの、次でやめますから。終わりにしますから」

倖世は、ため息とともに朔也に言い返し、悼みをおこなう静人の背中を見つめた。

次に訪ねる場所について、メモ帳に写された新聞記事の内容を、彼女は先に見せてもらった。読み進めるうち、落ち着きを失った。肩の上からのぞき込んだ朔也がおかしそうに笑いだす。

アパートの一室で、夫の暴力によって二十八歳の女が死んでいた。以前から暴行はあったらしく、近所の者はよく妻の顔に痣《あざ》を見たり、室内からの悲鳴を聞いたりしていた。彼女が鼻の骨を折ったおり、病院からの通報で警察が介入しかけたが、夫は反省を口にし、妻も被害届は出さなかった。そして一ヶ月後、彼女は夫から腹部を強く蹴られ、内出血性ショックで死亡した。

この事件は倖世と朔也の事情とも重なる気がした。ただし朔也は暴力でなく、「愛」と呼ばれる凶器をふるった。結果的に倖世が彼を殺したが、その前に心を殺されていたとも言える。

アパート近くの古い商店街で、亡くなった女性の話が聞けた。生花店の女性店主をはじめ、美容院の店主や買い物にきていた客など、皆そろって亡くなった女性に同情し、夫に対しては、悪い人には見えなかったのに、と首をひねった。いつものように静人は、女性が誰に愛されていたか、誰を愛していたか、人にどんなことをして感謝されたことがあったか、を尋ねた。

人々の戸惑いもいつもと同じだった。生花店の店主は口ごもり、やっぱり旦那のことは愛してたんでしょうね、と言った。ほかの人々も文句のありそうな顔ながら、逃げずに一緒にいたんだし、被害届も出さなかったのだから、心の底では惚れ合っていたんだろうと答えた。救急車で妻が運ばれるとき、夫が泣いて彼女にすがっているのを見たと話す者もいた。

「男が変わると信じてたんでしょ、彼女。たんに愛してたっていうより、愛し過ぎたのね」

生花店の店主が言って、周囲もうなずき、ほかにも彼女に関するよい思い出が語られた。

倖世は危うく叫びだしそうになった。殺されたのに、「愛し過ぎた」ですって？

静人は人々に礼を言い、凶行の現場となったアパートへと歩いてゆく。いま聞いた話をもとに悼むのは明らかだった。倖世は、彼がアパートの前で片膝をつくのを、黙って見ていられず、

「もうよして。ひどい真似をしないで」

静人に歩み寄り、胸の前で重ねようとする彼の腕を押さえた。

「彼女は毎日のように殴られて、最後は思い切りおなかを蹴られて死んだのよ」

「でも……結婚したのですから、一時期でも愛し合ったことはあったんじゃないでしょうか」

《そうさ。きみも、わたしと結婚した。つまり、わたしたちは愛し合っていたんだろう？》

倖世は、肩の上でからかう朔也を無視し、静人の腕をじれったく引っ張った。

「ほんの一時期のことで、人の一生をすべてくるなんて、おかしいでしょ」

「その人にとって幸せだったであろう時間や出来事で、覚えていられたらと思うだけです」

「本当に愛が善いものだと信じてるの？　ストーカーだって愛を訴えるのよ。愛の名のもとに、多くの人が殺されてる。まやかしよ。罠よ。愛がなければ、人間はどれだけ楽だったか」

倖世の訴えに、彼が困った表情を浮かべるのが腹立たしい。彼女はつい右肩を前に出し、

「殺したのよ、わたし。この人を殺したの。愛を利用されて、殺すように仕向けられたの」

「……誰を、ですか」

静人が、朔也のいるあたりに視線をさまよわせる。朔也はおかしそうに笑っていた。

「夫よ。甲水朔也よ。悼んだでしょ、山の上の公園で……。夫なの。わたしが殺したのよ」

言葉が次々とあふれてくる。朔也との思い出が、吐き気とともに喉もとへ突き上げてくる。

そのとき、アパートから人が現れ、こちらを不審そうに見た。口から出かかっていた言葉が、胸の底へ戻りそうになる。倖世は足早に歩きだした。吐き出したい、話したい。自分を殺人へと追いつめた、愛というものの怖さや醜さ、愚かさを、いますぐ話してしまわねば、息をすることさえ苦しい。泥をかき分けてゆくような想いで、思う存分吐き出せる場所を求めた。

家々のあいだから高くそびえる大樹が見える。目指してゆくと寺があった。人けのない境内《けいだい》へ入ってゆく。息が切れ、足を止める。振り向くと、静人が息を弾ませて立っていた。

4

幼い頃、日常的に恐怖を感じていた。食事や遊びの最中、背後から得体の知れない闇に襲いかかられるのを感じて突然おびえたり、ドアの向こうに真っ暗な穴が開いていると思って立ちすくんだりした。誰もいない世界に置き去りにされる予感がして、眠ることさえ怖かった。

不安の大きな原因は両親の不仲だったらしい。倖世は、両親が仲よく笑っているのを見た記憶がない。二人は毎日のように言い争い、罵倒《ばとう》し合い、ときに暴力を振るい合った。

倖世が六歳のときに両親は離婚し、いやいや仕方なくといった態度で母が倖世を引き取った。母方の祖母も離婚を経験しており、その祖母が掃除婦をして暮らしていた東京・多摩《たま》の公団住宅に、母と倖世は引っ越した。祖母と母も仲が悪く、「あんな男はだめだと言ったのに」と祖母が愚痴を言えば、「幸せな家庭を知らないんだから仕方ないでしょ」と母が睨み返した。

倖世たちを受け入れる条件として祖母は仕事をやめ、母が夜の仕事を始めた。家事は祖母の役割だったが、仕事から解放された彼女はパチンコに狂い、倖世がすべて担うことになった。

母はときおり家に戻ってこない日があり、そのつど祖母は「牝猫め」とぼやいた。やがて母も年齢的に再婚を考えたのか、倖世は小学校高学年の頃から何人かの彼女の愛人と会った。一着きりのよそ行きの服を着せられて、「いいとこのお嬢ちゃんみたいな顔をしてな」と言われ、三人で食事をした。だが男たちは倖世を迷惑そうに眺め、先に帰ったり、倖世を早く帰すよう母に求めたりした。母の愛人として最後に会った男は毛色が変わっていた。彼は倖世を優しい目で見つめ、タレントは誰が好きかなどと話しかけてきた。翌週も三人で会うことになったとき、「高校を出るまでの金づると思いな」と母が言った。男は、倖世が好きと答えたタレントの写真集を買ってきた。別れ際、「お父さんが欲しい？」と訊かれ、母の言葉を思い出して、うなずいた。

ある日、男が倖世たちを訪ねてきた。散らかった部屋でだらしなく暮らす三人を見て、男は泣きだした。「倖世ちゃんをもっと大事にしないか」と彼は母を責め、「何さまのつもりよ」と母が言い返した。男は、自分にも娘がいたことを打ち明けた。胸に下げたペンダントのロケットを開くと、愛らしい少女の写真が見えた。男は写真に唇を当てたあと、「倖世ちゃんを一緒に育てよう」と母に言い、倖世のことを抱き寄せた。彼の手が偶然、倖世の尻にふれた。母は悲鳴を上げて、「放せ、変態っ」と男を打ち、彼が倖世を放したあとも、半狂乱で外へ追い出した。

母は三十八歳で、くも膜下出血により亡くなった。母の遺骨を納めるため、祖母に墓のことを訊くと、東北の小さな町にかつて菩提寺があり、自分の両親も入っている先祖の墓があったが、半世紀近く参っておらず、きっともうなくなったよ、と寺の名前も教えてくれなかった。

倖世は学校をやめ、カフェやレストランで働いた。同じ職場の青年から好意を打ち明けられ、べつに好きではなかったが、いつのまにか恋人扱いされ、何度も求められるうち、まあいいかと身をゆだねた。自分では恋と思っていないから、別の若者の誘いにも乗り、青年に責められた。納得ができずにふてくされ、それがまた相手の怒りを煽って、ついには殴られた。

以後も似たことがつづいた。好きではない相手に誘われ、求められるまま関係を持ったのち、約束を破ったり、別の男の誘いを受け入れたりして、暴力を振るわれた。誰にも手を挙げたことがなさそうな気の弱い男にさえ、髪の毛をつかまれて、「人間のくずっ」と突き放された。

自分がどんな悪いことをしたというのか……。相手を本気で好きにならなかっただけで人間のくず扱いされる世界が疎《うと》ましかった。ときおり死んだ娘の写真を胸から下げていた母の愛人を思い出した。彼が父親になり、愛情を受けて育っていたら、自分も誰かを本気で好きになれただろうか。男の死んだ娘が羨ましかった。生きていることに喜びはなく、いつ死んでもいいように思っていたが、死んだとたん忘れ去られることの恐怖が、この世に踏みとどまらせていた。

倖世が二十二歳のとき、祖母が殺鼠《さつそ》剤《ざい》を口に入れて死んだ。彼女の痴呆の兆候に気づきながら、奇行《きこう》の多い人ゆえ、倖世もつい放っておいた。遺体は変死扱いで解剖に回され、倖世は警察の事情聴取を受けた。生命保険や遺産のことを訊かれて、背後から肩に手を置かれたとき、パニックにおちいった。幼い頃いつも恐れていた、背後から得体の知れない闇に襲いかかられる感覚がよみがえり、何も考えられなくなった。祖母の遺体の始末さえつけられなかった。

署内で倖世の世話を担当してくれた巡査部長が、彼女に付き添って遺体の処理を手伝い、簡単な葬儀も上げてくれた。休みを取って、幼児のように縮こまっていた彼女を火葬場へ連れてゆき、骨まで拾ってくれた。巡査部長は倖貫《くらぬき》と言い、十五歳年上の三十七歳、独身だった。

倉貫は、倖世の様子をうかがいにたびたび部屋を訪れ、やがて関係を持った。これまでと同様、彼女は相手を少しも好きではなかった。むしろ嫌いなタイプと言えた。肥満体で、指は短く、眼鏡の奥の目は陰湿そうに光り、泡を吹くような音を発して笑う。関係を持ったあと、「実は素人の女の子は初めてだったんだけど、おかしくなかったかな?」と、卑屈な笑いを見せた。

プロポーズを受け入れたのは、独りで生きる不安にふるえていたことと、祖母の遺体の始末を手伝ってくれたことに恩義を感じていたからだ。倉貫は、母の遺骨まで部屋に残っているのを気味悪がり、祖母の遺骨とともに墓に納めるべきだと言って、祖母の持ち物を調べた。古いせんべい缶に、或る寺の由来を記した小冊子と、同じ寺の行事案内を書いたチラシが入っていた。寺のある場所は、祖母が以前話した東北の町だった。倉貫は、祖母の戸籍を調べた上で、寺に問い合わせた。祖母の両親と同姓同名の者の遺骨が納められた墓が、確かに存在すると返事が来た。

だが倖世は、遠い東北まですぐ行く気にはなれず、倉貫も結婚の手配を優先した。身寄りのない女との結婚は仕事柄問題があるらしく、倖世は彼に連れられ、様々な人間に挨拶させられた。

「いいとこのお嬢ちゃんみたいな顔をしてな」という母の言葉がずっと頭のなかで響いていた。

そんな結婚がうまくゆくはずもなかった。不満を口にしたのは、やはり相手側だ。倖世は料理をはじめ家事全般、自己流の最低限のことしかできない。倉貫はそれでよいと言ったくせに、実際に生活が始まると文句を口にした。しかも倖世はよくひとりで外出した。ひとりの時間を持たないと、他人との生活に窒息しそうだった。倉貫はそれを責めた。手がすぐに出なかったのは、十五歳年上の負い目からだろう。倖世が態度を改めないため、彼の言動は次第に荒れていった。

はじめは彼女の肩を突いたり、尻を蹴る程度だった。蹴る力が少しずつ強くなり、足を思い切り蹴られたとき、倖世は痛いと訴えた。すると相手はさらに強く蹴ってきた。怖くなって、ひとまず我慢したが、また蹴られたとき、やめてと言うと、細い目で睨まれ、頬を張られた。

日増しに、相手の暴力はエスカレートした。夫婦生活も無理やりとなって、風俗嬢と同じようにしろと求められ、倖世が拒むと、腹を殴られた。彼はときに、おれはこんな風じゃなかった、おまえがこんなおれにしたんだと、泣きながら暴力を振るった。「もういい、死のう」と彼が言ったのは、結婚一年が過ぎた頃で、「おまえを撃って、おれも死ぬ」と、決行の日まで決めた。

本気かどうか、相手の真意を探る余裕はもうなく、ここではないどこかとして思いついた唯一の場所が、東北の小さな町にある寺だった。手持ちのわずかな金と、寺を訪ねる理由として祖母と母の遺骨を持ち、倖世は北へ向かう電車に乗った。

「そのお寺で、朔也さんと出会ったの」

倖世の向かいには、静人がいる。だが、相手に聞かせているというよりは、嘔吐する代わりに言葉を吐き出している感覚だった。彼女の心はいま、朔也のいる寺へ向かう電車のなかにある。

彼女は電車を乗り継ぎ、人に道を聞き、ようやく寺の前までたどり着いたものの、あとどうすればよいのかわからなかった。両手に骨壺《こつつぼ》を収めた紙袋を提げ、門前の参道を行きつ戻りつしているうち、「どうされました」と声をかけられた。寺に隣接する葬祭センターへ通じる参道脇の道から、仕立てのよい黒いスーツを着た男性が歩み寄ってくるところだった。

男性は、僧侶のように髪を短くし、整った目鼻が小さな顔の中央に集まって、均整のとれた体形とともに鋭く締まった印象があった。彫りの深い二重瞼《ふたえまぶた》の目に強い光をたたえ、「寺の者ですが、お困りですか」と優しく話しかけてきた。のちに聞くと、この寺は暴力を受けている女性が逃げ込むためのシェルターを設けており、倖世もそうした女性の一人と思われたらしい。

倖世は、骨壺を見せ、墓のことを説明した。男性は、彼女を境内へ案内し、過去帳を調べ、寺の裏手にある墓所へ連れていってくれた。数年前に日当たりのよい寺の南側に新しい霊園が開発されたが、昔からの墓所は北側の一角にあると言われた。倖世の先祖の墓は、男性がすぐに見つけてくれた。きれいに掃除されていたため、参る人がいるのか尋ねたところ、「大切な方が眠っておられる場所ですから、しっかり管理させていただいています」と答えが返ってきた。

供養料などはどうなっているのか尋ねようとしたとき、彼が倖世に手を差しのべてきた。そのときは晩夏で、倖世はふだん外出の際は長袖のカーディガンで痣のある腕を隠していたが、逃げ出すことで頭がいっぱいで、部屋にいたときの半袖のワンピース姿のままだった。

男性の指は、細くて長く、独立した生きものを思わせる存在感があった。爪は清潔な桜色で、繊細な羽を持つ蝶が花に止まるように、倖世の腕の花びらの形に似た痣の近くに指が置かれた。

指は静かに滑り、ワンピースの袖を押し上げ、彼女の肩の痣にもふれた。倖世は思わず目を閉じた。痛みとは別の、これまで感じたことのない、むずがゆいような感覚がからだの芯で芽生え、全身へ広がってゆく。不意に指が離れた。倖世は声を上げそうになった。まだ離れてほしくないのに……。すぐに後れ毛《おくげ》にふれられる気配がして、声を抑えた。うなじに指が置かれる。そこには、倉貫の醜い指で引っかかれてできたかさぶたがある。かさぶたの上を指が動いてゆく。着ている物をすべて脱いでしまいたい衝動に駆られた。自分のからだに残された忌《い》まわしい痣やかさぶたに漏れなくふれてもらいたい。男性の、微熱を帯びた指のなめらかな動きによって、暴力の痕《あと》はすっかり消え、幼い頃の無垢《むく》な裸身が再生する幻想を抱いた。「この傷は誰に」と、思いやりに満ちた声が耳もとで響いた。自分でも不思議に涙があふれ、「夫です」と答えていた。

甲水朔也に事情をすべて話したのが、墓所でだったか、シェルターになっている葬祭センターの従業員宿舎に移ってからだったか、倖世には記憶がない。離婚したいですかと問われて、はいと答えたのは覚えている。考えた末ではなく、あのとき朔也には何を言われても、はい、としか答えられなかったし、答えたくなかった。ではわたしに任せてくれますか。はい。ここで働きながら暮らしますか。はい。お線香が燃えると何になりますか。はい、と答えて、朔也が軽く笑ったため、全身がほてるほど恥ずかしかったが、彼の笑顔が見られて、嬉しくもあった。

倖世は、葬祭センターの従業員として、通夜や葬儀の進行を手伝い、霊園の清掃もしながら、同僚から朔也の人となりについて聞いた。朔也に関することならどんなことでも知りたかった。

幼くして神童と呼ばれ、将来を嘱望《しょくぼう》されながら、実家の寺を再興するために戻り……と、話を聞くうち、自分のような人間とは元々出来が違うのだと思った。ただ一つ、朔也が、現在の母親とは血のつながりがないと知り、彼の両親も離婚したのだと思って、親近感を抱いた。

だが詳しく聞くと、離婚ではなく、檀家の家から嫁入りしていた実母が、朔也が五歳のとき、男と駆け落ちしたのだった。男も檀家の出で、かつて二人は高校時代に付き合っており、男が寺に出入りするうち、恋が再燃したらしい。半年後、二人の心中遺体が遠く離れた町で発見された。

翌年、朔也の父は再婚し、のちに朔也にとって弟となる男子も生まれた。

彼がその博愛的な行為で仏様の生まれ変わりなどと呼ばれながら、ときおり目に昏《くら》い光を宿し、人を寄せつけない雰囲気を漂わせるのも、こうした過去が影響しているのかもしれない。

朔也が複数の女性と関係を持っていることも時間の経過につれてわかった。男女を問わず多くの者が彼にひかれていたから、和装あるいは洋装の美しい女が、夕刻になると彼が寝泊まりする寺の離れを訪れ、朝方頬を染めて帰っていくのを、誰もとがめないどころか、相手の女性を羨ましく思っている空気さえあった。訪れる女のなかには、夫の暴力から逃れて葬祭センターで働いていた女もいると聞き、倖世はからだにまだ薄く残る痣やかさぶたがうずく気がした。

倖世が寺へ逃げて三週間後、倉貫が現れた。寺側は、逃げ込んだ女の夫や愛人が怒鳴り込んでくることに慣れていた。朔也が彼と対峙《たいじ》した。細かい経過は倖世も知らない。倉貫の仕事からして、簡単な話ではないと思ったが、朔也は県内外の警察関係者や法曹関係者にもコネがあり、まさに倉貫が警官であることを問題にして、家庭内暴力の事実を上司や監察官に知られても問題はないか、と話したようだ。朔也にすべてを任せたおり、倖世は近くの医院で診察を受け、日頃から寺と連絡を取り合っている地元の警官が立会いのもと、痣や傷痕の写真を撮られていた。倉貫はずいぶんごねたらしいが、朔也は東京へも出かけて話し合い、二ヶ月後に離婚が成立した。

これを機に、倖世のなかで朔也にふたたびふれてほしいと願う気持ちが強まった。はしたないと恥じ、朔也が自分など相手にするはずがないとわかっているから、想いはかえってつのり、朔也の笑顔と繊細な指を昼も夜も思い浮かべ、彼を見かけたときは、いつまでも目で追いかけた。そして、彼の指が動くのが視界に入ると、からだの芯でむずがゆいような感覚がよみがえった。

ある日、ついにそのむずがゆさに耐えきれず、無意識に左の二の腕を、右手の爪で引っかいた。

翌日の夕方、彼女は左腕に包帯を巻き、古い墓所を掃除していたところ、「それはどうしたんですか」という声を聞いた。背後に朔也がいた。初めて彼にふれられたのと同じ場所だった。

倖世が何も言えずにいると、彼は手を伸ばし、彼女の包帯を外した。まだかさぶたにもならない四筋の血がかすかに浮いた傷に、朔也がふれた。「誰がこれを」と彼が訊く。正直に打ち明けるつもりだった。なのに口が勝手に、「あなたです」と答えていた。「わたしが？」と、彼は眉を曇らせた。彼の指が傷の上を動いた。痛みは残っているのに、温かい湯に浸されたような心地よさが傷口から内側へしみ渡る。倖世は目を閉じた。「わたしが？」と、彼がもう一度訊き、その直後、傷に爪が突き立てられた。痛みより驚きに声を上げそうになり、倖世は懸命にこらえた。嘘をついたことで彼に罰せられている気がして、そのぶん彼との関係が深まる想いに、喜びのほうがまさった。倖世は目を閉じたまま、「そうです、そうです」と、うめくように答えた。

この夜、倖世は朔也の寝所《しんじょ》である離れに呼ばれた。ろうそくの灯のもと、彼に抱きしめられ、生まれて初めて自分から相手を抱き返した。無垢ではないのに、何も学んでこなかったことで、うまく応えられないことがもどかしく、ぶざまにしがみついて、悦《よろこ》びと恥辱の果てに涙した。

朔也を失望させたに違いなく、二度と声はかからない、そう覚悟した。だが翌日の昼、例の古い墓所へ呼ばれ、そこで彼から、「わたしと結婚してくれませんか」と言われた。

これ以後、倖世は自分では制御できない乗り物に乗せられた感覚で、天へ一気に上ったかと思えば、地面に叩きつけられるかというほど落下し、境遇も感情もめまぐるしく揺さぶられた。

さしたる長所もない高校中退の離婚歴がある女との結婚に、朔也の周囲の反対はすさまじかった。多くの良縁も持ち込まれたが、彼は一切聞き入れない。そのため倖世に対する説得や嫌がらせが増えた。朔也がすぐに察して、周囲を説き伏せて回り、理解されないなら、町を出てもう戻らないとまで言ったらしい。倖世は彼につかまって落とされないように祈るほかなかった。

結婚式は、朔也の希望で盛大におこなわれた。彼の呼びかけに応え、県外からも数多くの名士が参列した。誰が誰かもわからぬまま次々と紹介される際、朔也の後ろに自信なく立つ彼女に、

「きみのそういう慎み深さがいい。そうした面をみんなに見てもらうんだ」と、朔也は言った。

ほめ言葉だと思っていた。新婚旅行へは行かず、翌日から倖世はこれまで以上にまめに働いた。周囲の人々に朔也の妻として、甲水家の嫁として認められるよう、できるかぎり努めた。

朔也は優しい夫だった。働き過ぎだと、川べりへ散歩に連れていってくれたり、町内の名所を案内してくれたりした。桜や花火を一緒に眺めたときには、彼のほうから手を握ってくれた。

夜は、優しいばかりでなく、ときに荒く扱われることも悦びに転ずると知り、彼の言葉通りに動くことで、奉仕する悦びにも目覚めた。全身の産毛《うぶげ》の先まで朔也を想っていることを意識して、人を本気で好きになるとはこういうことなのだと、生まれてきたことに初めて感謝した。

やがて周囲も倖世の努力を認め、朔也の妻として、甲水家の嫁として、彼女を受け入れはじめた。倖世は彼の腕のなかで幸福感に満たされ、あなたのためなら何でもしますと誓った。

彼女が寺に来てほぼ一年、ある夜、朔也が懐中電灯で道を照らしながら、彼女を古い墓所へ連れ出した。頼みがあると彼が言う。どんなことでもしますと答えたところ、彼は冷静に言った。

「いまここで、わたしを殺しておくれ」

5

朔也の言葉を口にしたとたん、倖世は胸が苦しくなり、境内の隅にある手水所《ちょうずどころ》に駆け寄った。石の鉢に溜まった水を柄杓《ひしゃく》ですくって手を洗い、その手に水を受け、口をすすぐ。

「大丈夫ですか」

顔を起こすと、静人がハンカチを差し出していた。礼も忘れて受け取り、顔に押し当てる。

自分の人生がすべて悪い冗談に思える。あのときも朔也の冗談かと思い、からかわないでくださいと言った。彼は、からかってやしないと、隠し持っていた包丁の柄をこちらに向けた。

倖世は離れに駆け戻り、こわごわと就寝の用意をした。朔也はふだん通りの態度で戻ってきて、無言で眠りについた。倖世は一睡もできずに夜明けを迎えた。彼がいつもの清々《すがすが》しい表情で起きてきて、心は決まったかなと言った。何のことか尋ね返すと、わたしを殺すことさと答えた。やめて、と倖世は叫んだ。これ以上からかわないで、いじめないでください。すると朔也は、困ったなあ、きみと結婚したのはそのためなのに、と人懐っこい笑顔を見せた。

まるで自分のほうが心臓を突かれたように言葉を失う倖世に、わたしはゾウリムシのできそこないなのさ、と、彼はふだんの高潔な印象とは違う、くだけた調子で語りはじめた。

「わたしは寺に生まれ、常から他人の死体と同じ屋根の下で眠り、墓のそばで遊んで、死体にすがる者、祈る者、邪険に扱う者を見てきた。死体はモノに過ぎないと、幼い頃にはもう理解していた。だが生きている者たちは、死体を言葉や物で飾り、飾りつけの華やかさで死者を永遠化しようとしたり、その人生をランク付けしようとしたりする。人間が生きる理由は、愛も夢も関係ない。細胞の力だ。原生動物と同じ細胞の貪欲な生命力が人を生かしている。ヒトという種を残すために発達した脳が、いわば副作用としてゾウリムシと同等なのを恥じ、愛や仕事のために生きているだの、神仏や聖なる存在に生かされているだのと、愚かな言い訳を創造したのさ。ニュースを五分も見れば、そんな言い訳がどれだけ見当違いか理解できるだろう。人間の根幹を成す細胞の働きは、欲しいものは奪うか、奪われないよう先に攻撃するか、ということだ。こんなことは大昔から証明済みの事実なのに、いまなお人々は妄想へ逃げ込み、生をもっともらしく語り、死を飾る。たぶん犬死を怖がっているんだろう。死そのものではなく、自分の死が無意味だということ、懸命に生きてきた人生が原生動物の死と同じものに帰す、という真実が怖いんだ。

うちでは木彫りの人形を御本尊と崇《あが》めるが、裏側の取り外せる部分から内をのぞけば、あんな張りぼて、ただの商売道具とわかる。あんな物にすがらずにはいられない人間の弱さに、父親のような俗物さえ付け込み、子であるわたしは生活してきた。この現実を知ったときの絶望ったらなかったよ。きみはわたしの評判を聞いたろ。ばかげた話さ。学校の成績なんて、記憶と思考に適した細胞の働きが機能したに過ぎない。運動も、脳の或る部分が活発に働き、肉体組織がそれを支えただけだ。さらに絶望的なのは、しょせん田舎町での評判をわたしが遠ざけなかったことさ。テストを白紙で出すなり、遅く走るなりしてもいいのに、自分より生存に適していない細胞どもに負けるのが我慢ならない。ゾウリムシのプライドさ。自殺も考えたが、下等な細胞どもに憐《あわ》れまれるかと思うだけでうんざりした。弟に寺を押しつけ、東京へ出たが、同じことだった。人に金を出させて外国も回った。どこでも人々は死者を美辞麗句で飾り、天上の妄想を崇め、自分の死が原生動物の死と同じところへ行き着く恐怖から逃れようとしていた。いっそ汚辱にまみれて生きるかと断種《だんしゅ》の手術を受けて放蕩《ほうとう》に暮らしてみた。虚しさはかえってつのるばかりだった。しかも何千年とつづいてきた多細胞社会のシステムは、くだらないなりに力を持ち、金なり権力なりを保持するには、軽蔑すべき連中にもときには頭を下げる必要があると教える。お願いしますを繰り返すバカになりきる根性も、わたしには足りなかったということなのさ。

実家の寺がすたれてきたと聞き、また愚かなプライドが頭をもたげた。わたしがいるのに実家が傾いたと愚か者どもに笑われたくない。つくづく自分がいやになりながら、寺の再興のために動いた結果、仏様の生まれ変わりと呼ばれたのには笑ったよ。格安の霊園は、地主のばあさんをだまして土地を買い叩いたから、安く売っても利益が上がっただけだ。葬祭センターも金儲けだし、ＤＶのシェルターは、暴力を受けている娘の相談を檀家から受けて、思いついた。そういう女たちなら安く雇えるだろう。寺の宣伝にもなるしね。じいさん、ばあさんを受け入れたのも、寺の宣伝と、金儲けの隠《かく》れ蓑《みの》さ。面倒な世話は、逃げてきた女にやらせればいい。そして年寄りの死は、何よりわたしへの刃《やいば》となった。どれだけいい気になって暮らそうと、おまえもいつかはぼけて、垂れ流し、みじめな死を迎えるんだ、とね。

死とは、細胞の再生が尽きることだ。脳細胞も死滅し、無となる。わたしにもいつそれが訪れるかわかりはしない。正気を失ってからでは遅い。だが自殺は、負けだと言う奴もいる。人々が呆然とし、運命も裏切れるような死はないか。しかも、神だの仏だのが完璧に嘘っぱちと証明できる死が望みだった。思いついたのが、妻に殺されるという方法さ。仏様の生まれ変わりと呼ばれる男が、愛を誓った妻に殺される……。到底そんなことをしでかしそうにない女なら、さらにいい。何人かの女を観察しながら計画を練り、これという相手に出会わない日々がつづいたのち、きみが現れた。すべてに自信なさげで、人を愛したことはなく、好きでもない男を受け入れては、暴力を振るわれていたと告白した。人生を嫌い、何かを変える気持ちも萎《な》えていた。こんな女とわたしが結婚するなど、神も仏も運命として用意できはしない。わたしがそうすると強く意志を持って動かぬかぎり、この縁は結ばれない。しかも、この女がわたしを殺す？　どんな聖なる存在も、こんな筋立ては創れない。わたしが意志を貫くことにおいてのみ可能だ。

いいかい、これは命令じゃない。共感を求めてるんだ。人々も世の中も愚劣で、欺瞞《ぎまん》に満ちている。だがわたしもその一部だ。同じようにつまらないゾウリムシと同等の生き物さ。それに気づいた以上、もう普通には生きていけないし、普通にも死ねない。自分をもてあまして苦しんでいる。だから妻として、夫に心を寄せ、何でもすると約束した通り、どうか殺しておくれ」

それじゃあ……嘘だったんですか、わたしを愛してくれたのではなかったのですか、と倖世は悲鳴に近い声で尋ねた。朔也は、利《き》かん気な幼児を見るように、眉をひそめながらほほえんだ。

「愛なんて、人やモノへの執着に過ぎないよ。それを巧みに言い換えたものさ。きみに執着したかと問われれば、イエス。きみほど、わたしを殺すのに意外性を感じさせる女はいなかった」

いやです、わたしはあなたを愛している、心から愛しているんです……。倖世はその場に泣き崩れた。朔也は何も言わずに出ていった。彼は病気なのかもしれないと疑った。躁鬱《そううつ》病などでは、あらぬことを口にするそうだし、飛び抜けて頭がよい人は神経を病む可能性も高いかもしれない。今後何があろうと、決してあの要求に応じてはならない。暴言を吐かれたり暴力で迫られたりしても、耐えていれば、朔也の病もいつかは収まり、我に返ってくれるに違いない。

だが、この日以降も、朔也は優しい態度で彼女に接した。例の要求も口にしない。ただ、夜のことだけ変化があった。それまでは三日にあげず誘われたのに、彼の手が伸びてこなくなった。一週間が過ぎ、二週間が過ぎる頃、恐れが生じた。要求を拒んだことを怒っているのか。三週間が過ぎた。朔也は我慢できるのか。注意していると、彼は外出先から帰宅したとき、風呂上がりのように上気していたり、倖世の使わない香水が匂ったりした。わざと浮気の証拠を見せつけられているようで、かえってとがめられなかった。浮気の有無を問いつめれば、彼はあっさり認めそうだ。そしてなぜ浮気をするかと言えば、倖世が自分の求めに応じないからだと、例の話を蒸し返す気がする。こらえていれば彼はきっと元に戻ると念じ、倖世は動揺を抑え込んだ。

恐ろしい告白から三ヶ月目の夜、朔也の手が突然伸びてきた。ああ、ようやく……と抑えていたぶん一気に全身が悦びに目覚めた。朔也と出会うまでは愛を感じないからだだった。彼によって、産毛の先さえ歓喜にふるえると教えられた肉体だった。指先でふれられただけで、全身が波打ち、いかに強く自分を抑えつけていたか、耐えつづけていたかを知った。恥ずかしさと悦びと、彼への恨みと、いとおしさから、からだの深奥まで開く想いで、飛びつくようにからみついた。彼のからだが自分の内部に存在するのを感じたとき、涙がこぼれた。元に戻った、愛が戻った。

どれだけ激しくされても、それが彼の想いの強さだと受け止められた。しかも彼は激しく動いたあと、次には丁寧な奉仕を始めた。ほったらかしにされた三ヶ月間の償《つぐな》いのように、倖世に対する奉仕はこまやかで隅々にわたり、恥ずかしさを通り越し、このまま永久に我を失うかもしれない、それでもいいと感じた。目を閉じているのに、幾度もめまいがした。とりわけ大きいめまいが襲って、ゆっくりと鎮《しず》まりかけたとき、今度は自分が奉仕しなければと思った。自分のすべてで奉仕し尽くさなければ、彼に悦んでもらわなければ……。倖世は、身を起こし、彼にふれようとした。とたんに、腕をねじられ、顔を突き放された。冷たい声が耳を打った。

「よせ。おまえにはさせない」

朔也は裸のまま寝室を出ていった。彼が服を着て外出する音を聞きながら、倖世は何が起きたかわからないまま、冷えてゆく布団の上で、ただ茫然としていた。

翌日の昼、朔也の態度に変化はなかった。そして夜、彼の手がまた伸びてきた。

朔也は優しかった。愛撫する手の動きも柔らかい。しぜんと倖世は、昨夜のことは自分が何か失敗したのだと思い、彼のからだを受け入れる悦びに浸《ひた》った。彼の奉仕がまた熱く始まった。医者にもさわらせないであろうところまで奉仕を受け、何かせずにはいられない高ぶりに突き動かされた。恐る恐る彼にふれようとした。伸ばした手が一瞬で払いのけられた。

「言っただろ。おまえにはさせない」

刑の宣告にも似た口調で朔也は言い、寝室を出ていった。倖世はこらえきれずに泣き伏した。なのに、次の夜も朔也が手を伸ばしてきたときは、恐怖におびえた。朔也の行為はなめらかで温かく、逃げ出す隙のようなものもない。抱きしめられると、受け入れたい想いのほうがまさり、あらがう力も抜けてゆく。彼の愛を信じたい願いがあふれ、もうあんなことはやめてと求める声は、祈りのように響いた。わたしにも愛させて、尽くさせてと、自分の足のあいだにうずくまる朔也の背中を抱きしめる。「やめろ」と、厳しい声が彼女を突き放した。高ぶりが冷め、心が凍る。どうしてです、と涙ながらに訴えた。なぜわたしに尽くさせてくれないんです？

「おまえにしてほしいのはそんなことじゃない」

言葉の意味がわかり、倖世は激しく首を横に振り、両手で顔をおおった。

「尽くすだけ尽くさせて、わたしの願いはきかないのかい？　じゃあ、別の女に求めるしかない。きみにはもう二度とふれない。今後は別の女に奉仕しよう。その女がわたしに奉仕を返してくれるとき、彼女がわたしの最も大切な女になる。きみは当然わたしの心から永遠に消える」

倖世は、彼の言葉を頭のなかで繰り返した。彼はもうわたしにふれず、別の女に奉仕する……。その女が彼の最も大切な女になり、わたしは忘れ去られる……。恐怖でか、怒りでか、胸の内側が焼けただれるような痛みを感じた。もう相手は決まっているの、と倖世は訊いた。

「わたしの願いを聞き届ける者が、わたしの本当の妻だ」

朔也はそう答えて、寝室を出ていった。倖世は朝まで泣きつづけ、いっそ死にたいと願った。包丁も手にした。自分が死ねば別の女が彼の奉仕を受けるだけだと、思いとどまった。

窓の外が白む頃、朔也を殺して、あとを追えばよい、と心を決めた。

夜、自分も死ぬことは話さずに、あなたを殺してあげます、と朔也に決心を伝えた。彼は倖世を抱きしめた。何度も強く抱きしめてくる力に、これまでにない愛情を感じ、この悦びを逃がしたくない、もう引き返せないと、また涙した。その夜も彼の奉仕を受けた。慈《いつく》しむような奉仕に、胸は苦しいのに、骨まで溶けるかと思うほど高ぶりに酔った。彼を殺すと決めたからは、自分が奉仕を返すことも許されるかと、手を伸ばしたところ、やんわりと押し返された。

「きみの奉仕は、最も大事な瞬間まで取っておくんだ」

次の夜も、また次の夜も、奉仕を受けつづけた。倖世は自分のなかに〈悪〉と呼ぶしかないものの存在を感じた。彼を殺す前提でほどこされる奉仕を、肉体のすべてと心の一部は悦んで受け入れている。つらいからやめて、と言ってもよいのに、彼の奉仕を愛ととらえ、もっともっとと求めている。この内面の〈悪〉は、彼への愛によって呼び覚まされたのだと思い、殺人の代償としての彼からの奉仕を、当然なことのように慣れてゆく自分が怖くもあった。

朔也は実行のプランを話した。「シェルターを作った男が、暴力夫だったというのは皮肉が過ぎるかな」と苦笑しながらも、倖世にかける迷惑を抑えたいのだと説明した。彼は、倖世のからだに痣ができるよう細工し、ときには人前で罵倒したり、平手で打ったりした。凶器となる包丁を目立つように買い、「倖世を殺す」というビデオ映像も残した。過剰防衛でも四、五年の刑だろう、と彼は言った。倖世はあとを追うつもりでいたから、まともに聞いてはいなかった。

当日は雨だった。朔也は、人目を避けられるからかえってよいと言い、倖世を車に乗せ、かつて廃棄物処理場があった公園へ向かった。彼が人けのない外の場所を選んだのは、自宅では不意に誰かが訪ねてくる可能性があり、倖世の心変わりも恐れたようだ。山の中腹の公園なら逃げ場はなく、いざとなれば何をしてでも倖世に計画通りにさせるつもりだったのだろう。

広い園内に街灯はわずかで、雨に打たれる地面を底なしの沼のように照らし出していた。

朔也が車を止め、倖世に笑いかけた。夫に殺されかけて、抵抗するうちに刺してしまった……という筋書きに合わせ、「我慢するんだよ」と彼は言って、頰に結婚指輪が当たるように倖世を殴った。痣と擦過傷《さつかしよう》が残された。ヘッドライトをつけたまま、二人は雨のなかに立った。

倖世の手に包丁が握らされた。朔也は空を見上げ、「ほら、いないだろ」と言った。


「そして、わたしは刺した……彼に、夫に、求められるまま……」

倖世は腰から力が抜け、その場に座り込んだ。嘔吐が体力を奪うのと同様に、誰にも話さずにきた事実を、いま言葉にして外へ出し、立っていられなくなった。

大丈夫ですかと声が聞こえるが、応じられない。吐き残しがあるかのように、腹部が痙攣《けいれん》する。こらえるうちに、吐き残しは腹の底へ戻っていった。顔を起こし、ここが小さな寺の境内で、静人が心配そうにこちらを見ているのを確かめた。あられもないことまで話したのに、恥ずかしさは感じない。酔って戻した嘔吐物を通行人に見られても、だから何よと居直るのに似て、これが夫殺しの女よと、ぼんと投げ出して相手に見せつけている感覚だった。

「そのあと、血を流す彼の姿に動転して、携帯電話で救急車を呼んだの。彼に助かってほしかったから。やがて救急車が来て、わたしも運ばれ……もう死ぬどころではなくなった。四年間、刑務所で暮らした。これからどうすればいいのか、彼の死の実感もなく、ひとまずあの場所へ行ってみたら、あなたがいたの……。おしまい。愛なんて、ろくでもないとわかった？」

静人が、手水所の水で濡らしたタオルをこちらへ差し出す。倖世は、苛立たしく払いのけ、

「どうなの。あなたの勘違いをただすために話したのよ。愛は苦痛の源だとわかったでしょ」

静人は、倖世の話のあいだに下ろしていたらしいリュックの側面にタオルを掛けて、

「あなたが、どれほどつらい想いをしてこられたか、お話を伺って、正直驚いています。安易な慰めなど失礼だろうと思います。確かにお話を受け止めました、と申し上げるだけです」

「じゃあ、もう人を悼まないで。少なくとも愛なんて言葉で覚えないで。朔也さんへの悼みも、いまの話で変わるでしょ？　真実が新たにわかれば、悼みも変えてゆくって言ってたものね」

倖世は、相手が悄然と改心を表明する言葉を待った。だが静人はしばし考えていたのち、

「甲水さんの真意がどうあれ、多くの人に感謝されていたことは事実ですよね……。それに、あなたが甲水さんと桜や花火を見て幸せだと思われた頃、愛は善きものだったのでしょう？」

「全部彼の罠だったのよ。彼の言葉を伝えたでしょ。愛なんてものは、ただの執着に過ぎない」

「定義など、どうでもよい気がするんです。執着だろうが、錯覚だろうが」

意外な答えに混乱し、倖世はすぐに言い返せなかった。静人は別段表情を変えることもなく、

「人への優しい振る舞いや感謝される行為が一つでもあれば、十分です。ぼくには、人を裁く権利も、真実が何かを見極める能力もありません。ぼくの悼みは、ごく個人的な営みですから」

と言い、ふだん通りの動きでリュックを背負った。そのまま外へ向かって歩きはじめるため、
倖世は驚き、どうするつもりなのかと訊いた。彼は振り向いて、当たり前のように答えた。

「旅をつづけます。日暮れまでに着いておきたい場所があるので、そろそろ行きます」

「わたしを……ここから先は、連れて歩かないってこと？」

「いいえ。歩かれるなら、どうぞ。それは奈義さんの自由です」

「……わたしのことが、怖くないの？　言ったでしょ……人を殺したのよ、夫殺しなの」

「でも、ぼくを殺そうと考えてらっしゃるわけではないんでしょ？」

彼なりの思いやりなのか、静人はわずかに頰をゆるめて言うと、寺の境外へと歩きだした。

《本当に話したんだね。他人に向かって、恥ずかしげもなく。》

話のあいだ背後に潜んでいた朔也が、肩の上に現れた。

「真実を知ったのに、あなたのことを善き存在だったと悼むですって……。彼、あなたに少し似ていませんか。考え方は真反対でも、自分の想いを強引なまでに行動に移している」

《ハハ、きみも嫌みを言うんだね。あんなおめでたい男と似ているとは光栄だが……判断が早過ぎないか。第一きみは、最後までわたしの話をしきらずに終わらせてしまったじゃないか。》

朔也は、さっき倖世が話を中断したときに、腹の底へと戻った吐き残しのことを言っている。つまり、実際に朔也を刺した場面のことだが、つぶさに思い出してゆくのは、やはりつらい。

《最期のとき、わたしがきみに伝えた言葉の意味も、まだ理解できていないのだろう？》

「それが……あなたが現れた理由ですか。心残りがあるというのは、それなんですか」

朔也は黙って背後に下がってゆく。待ってと引き止め、問いたかった。あなたはどう思うの。わたしはやっぱり、ただの人殺し？　もしかして、善き存在ということもあり得るの……？

第七章　捜索者　（蒔野抗太郎――Ⅲ）

1

初秋の晴れた朝の空気は冴えざえと澄み、ビルの谷間から富士が望める。蒔野抗太郎は、四階建ての団地の最上階の踊り場から、向かいの民家を見下ろし、缶ビールに口をつけた。

民家の前には警察車両が数台止まっている。一週間前、当家の十八歳の長女が、兄に借金を断られて暴れる叔父に、包丁で胸を刺された。今朝はその現場検証がおこなわれている。

蒔野は、両親や妹の慟哭《どうこく》、人であふれた葬儀の模様など、大勢に愛されていた存在が一瞬でこの世を去った理不尽を、三日前に記事に仕上げた。だが、デスクからはボツを言い渡された。

「悪いがキノさん、この程度じゃもう枠は取れないよ。被害者重視の記事は人気急落だしね」

被害者に新たな光を当てるかたちの蒔野の記事は、一時は人気が出て、周囲の評価も高かった。それが次第にマンネリ化し、どんな被害者も罪なき善人として描くのは、偽善だ、感傷的だと読者からも批判が届くようになった。編集部に寄せられた読者の声に、蒔野は既視感《きしかん》をおぼえた。

ホームページの静人のサイトに寄せられた批判に似ているのだと、のちに気づいた。

海老原に原稿をボツにされた日の翌日、蒔野は静人の実家を訪れた。どうして静人のような人間が生まれたのか。家族や周囲の環境を通して、知りたいと思った。静人の母親は体調を崩しているようだったが、物おじしない毅然《きぜん》とした態度で話した。息子を信じていることは伝わったものの、彼が人の死を悼むようになった理由は、彼女も実のところよくわかっていないのを感じた。さらに追及しようとしたとき思いもよらないことを言われ、言葉につまった。彼女は、人物の分析よりも、その人と会って自分が何を得たかが大切ではないか、と問いかけてきた。

「静人は、あなたにはどう映ったんです。あなたには、何を残しましたか」

帰路についてから反発心が戻ってきた。あんな奴から何も得ないし、何も残るものか……。

しかし、静人の言動を投影して書いた記事が評価されたのは事実だった。そして調子に乗ってつづけたところ、批判を受けた。エログロの「エグノ」と言われてきた自分が、偽善だ、感傷的だと言われるようになるとは思いもしなかった。自分は何かが変わったのか……。

いや、変わっちゃいない。朝食代わりのビールを胃に流し込み、庭に向けて缶を投げ捨てた。

犯人逮捕後の事件に人々の関心は薄く、現場検証がおこなわれている家の周囲に記者の姿はなかった。実はここから十分ほど歩いた目と鼻の先に、マスコミ関係者はたむろしている。

社会派で知られるニュースキャスターに、若いタレントとの不倫騒動が発覚した。日頃の番組で政治家の倫理低下を責めていた人物だけに、波紋が広がり、昨日から番組を休んでいる。

立派な門構えのキャスターの邸宅の前で、記者たちは所在なげに新聞を読んだりメールを打ったりしていた。蒔野が歩み寄っていくと、新人の成岡が電信柱の陰から手を挙げた。

「お、エグノの旦那《だんな》。コロシでもないのにどうした。あんたの筆の振るいようもない話だろ」

顔見知りのベテラン記者が声をかけてくる。蒔野は苦笑し、お互いさまだろと言い返す。

「まあな。並のコロシじゃ、もう誰も食いつかねえや。ところで、息があるのに火をつけられた十八歳の娘、身元不明のままで起訴、決まりだぞ。検察が、裁判官からOKをもらったらしい」

発端こそ衝撃的だったが、犯人が翌日に逮捕されたことと、被害者の身元が割れないことで、社会の関心は早々に薄れ、蒔野でさえいつのまにか忘れかけていた事件だった。

次の瞬間、「出てきた」と誰かが叫び、全員がキャスターの自宅へ殺到した。フラッシュが焚《た》かれ、シャッター音が鳴り響く。蒔野も、カメラを構えた成岡の背中を前へ押しやった。「家政婦だ」と前方から聞こえ、舌打ちとともに人の波が引くのに合わせ、蒔野も電信柱の陰に戻った。夕刻、キャスターの事務所から、明日会見を開くと連絡が入り、記者たちは解散した。

蒔野は、成岡を帰して、埼玉県警へ向かった。夕刊紙時代に知り合った捜査一課の強行犯係長に連絡し、生きたまま燃やされた少女に関する捜査状況を、本部内の人けのない廊下で尋ねた。

被害者が身元不明のままでの送検は、警察も忸怩《じくじ》たるものがあると、強行犯係長は独り言としてつぶやいた。だが、あらゆる照会が空振りに終わったあと、検察が裁判官と掛け合い、証言などで被害者の存在が証明できるなら、殺人事件として公判維持の保証をもらったことから、いまは捜査陣にもあきらめムードが生じているという。遺体の始末について蒔野が問うと、起訴後に地元の福祉事務所で荼毘《だび》にふされ、遺骨は同事務所と協力関係にある寺へ納められると聞いた。

経費で買ったビール券を三十枚、打ち上げで使ってくださいと、係長から離れた場所の椅子に置く。係長はそう言えばと、被害者が持ち歩いていたキャリーケースに、熊か兎かわからない妙なぬいぐるみが入っており、右足の裏の白い部分に『クグ』とマジックで書いてあったとつぶやいた。その名前でも幾つかリストを当たったが、やはり何も出ない。ぬいぐるみの写真を、係長がビール券と交換で同じ椅子の上にしばらく置き、蒔野は一応確認した。なるほど妙な生き物で、手作りかもしれない。また、少女は興奮したときなど方言が出たらしいが、どこの言葉か誰にもわからず、彼女の出身地を知る者はなかった。主犯の男は、少女と言い争ううちに彼女が狂ったように暴れだしたので、かっとして殴り過ぎたと供述している。何がきっかけで少女は急に暴れだしたのか……蒔野が理由を問うと、ヤクの影響さ、と係長は吐き捨てた。

「で、いまさら何なの。この被害者にこだわる理由さ。ネタがあんなら、隠しなさんなよ」

どうして彼女にこだわるのか、蒔野自身もよくわからなかった。もう一人の十八歳の少女の死も影響しているのかもしれない。同様に殺されながら、一人は家族や友人たちに悲しまれ惜しまれ、大勢に見守られて荼毘にふされた。だがもう一人は、誰にも悲しまれず惜しまれず、遺骨は無縁仏をまとめて祀《まつ》る大きな墓石の下の穴へ放り込まれるに違いない。自分も死ねば……と、蒔野は想う。やはり無縁仏用の深い穴のなかへ放り込まれて、誰の悼みも受けないだろう。

県警を出て、酔うためだけに酒を飲んだ。頭のなかで同じ言葉が繰り返し響いている。おまえが死んでも誰も見向きもしない。いや、おまえはもう死んでいる。息子は顔も覚えちゃいないんだ……。路地に入って少し吐き、抱けそうな女へ電話を掛けて回る。手帳を繰るうち、ピンクの名刺が出てきた。連絡すれば中学生ともやれる、と旧知の暴力団員にもらったものだ。蒔野にそっちの趣味はない。手当たり次第掛けてみたが、相手は出ないか、名乗っただけで切られた。

深夜に自宅に戻り、キッチン脇に置いた電話の赤いランプの点滅を、酔った目がとらえた。

あの男の死を知らせる言葉が吹き込まれていることを想像し、緊張して再生ボタンを押す。

「本当に危ないらしいの。虫の息で、抗太郎、抗太郎って、呼んでるのよ」

父親の愛人の理々子《りりこ》が訴える。無性に腹が立ち、途中で切った。

仕事机の前に腰掛け、パソコンのスイッチを入れ、息子のブログにアクセスする。

思い切って、『おまえの本当の父親は、生きているぞ』と、メールを送ろうかと思った。

おまえの父親は、優秀な記者なんかじゃない。品性下劣で、仕事も中途半端、出会う人間全員に嫌われている。それでも、ちゃんと生きてはいるぞ、と。重い病気になったために会いたいなどと、泣き言を言ってきた父親と似たようなものだ……その想いだけが蒔野を押しとどめた。

自分のホームページを開き、静人のサイトへつなぐ。彼の悼みを目撃した女子大生の言葉から、サイトのタイトルを『悼む人』に変えていた。寄せられたメールは、相変わらず批判や中傷がほとんどだ。目撃談も、傍観者的なものばかりで、人違いも含まれている。最近の情報では、東北地方を南下しつつあるようだが、『女と二人連れだった』というのは、明らかに別人だろう。

読み進めてゆくうちに、『彼に会いたい』という文章を見つけ、手を止めた。

三十年間連れ添った妻を亡くした男は、送信するにあたり、何日も迷った末に、自分の気持ちを整理するために送ることにした……と、長い前置きののち、次のようにつづけていた。

『あの日の夕方、急の雨で、妻は傘を持ってわたしを駅へ迎えにいくとメールをくれ、歩道を歩いていました。そこへ過積載《かせきさい》のトラックがスピードを落とさずに曲がってきて、荷台の鉄骨が彼女の上に崩れ落ちたのです。二年前でした。いまも怒りと悲しみと、迎えにこなくてもいいと彼女へメールを打たなかったことの後悔に、身を裂かれる想いです。妻は耳が聞こえませんでした。でもどんなことでも健常者と同じか、よりうまくできました。わたしの両親が相次いで倒れたときも、献身的に介護してくれて、両親は彼女に手を合わせ、心安らかに逝きました。残念ながらわたしたちに子どもはできませんでしたが、いつまでも一緒に暮らして、耳や目に障害を抱えている子どもたちのために、ボランティアで何かしようと話し合っていたところでした。

なのに、一瞬の出来事で彼女を失うなんて。時間が癒してくれるというのは大嘘です。怒りも後悔も時間とともにつのります。ときおり人から明るくなってきたなどと言われます。そんなときは、明るく見えたという自分の顔を刃物で切り裂きたくなります。いっそ彼女のあとを追うことも考えました。でも、生まれつき障害を抱えながら、常に前向きに生きてきた彼女だからこそ、それだけは許してくれない気がするのです。ネットで手慰みに〈追悼〉や〈哀悼〉などのキーワードを検索するうち、このサイトに出会いました。皆さんの書き込みを読むと、〈悼む人〉は確かにおかしな人物だと察します。面白半分か、教団の布教活動か……。

それでも……もし彼が、妻の話を聞いてくれるなら、わたしは話したい。妻の細い指が優雅に動くその手話の美しさ。手話で「愛してる」と告げられたときの喜び。私が手話で愛を伝え返そうとすると、唇を読むからと、あえて口で「愛してる」と言わせたときの彼女のいたずらっぽい瞳の輝き……。知ってほしいのです、本当に素晴らしい女性がこの世界に存在していたということを。できるだけ多くの人に覚えていてもらいたいのです。なのに、みんな自分のことで忙しく、妻が次第に忘れられていくのを、ただ無念に思ってきました。だから、もし本当にいるのなら、わたしは〈悼む人〉と話したい。他人だからこそ、もし覚えていてもらえるなら、そのぶん彼女の存在が、永遠性を帯びる気がするのです。彼が実在するなら、亡くなった人を訪ね歩いているのだから、いつか会えるはずですよね。妻が亡くなった歩道に、毎日立って、一時間ほど待つようになりました。彼はいまどこですか。会いたいと切実に願っています。

でも、嘘かもしれないんですよね。実在しない可能性もあるんですよね。

だったら、ああ、だったら誰か……誰でもいい。〈悼む人〉に、なってくれませんか。』

翌々日、蒔野は矢須《やす》と会った。新聞社に同期入社の元同僚で、いまはフリージャーナリストとして世界の紛争地を回っている。彼のほうから酒をおごりたいと連絡があり、蒔野は不倫を犯したニュースキャスターの会見記事を嫌みたっぷりにまとめたあと、夜の十時に待ち合わせた。

矢須の記事は、大国や企業のエゴで生じた悲劇が、人々の無関心によりさらに拡大している現実を熱く訴えているものばかりで、軽い読み物が好まれる昨今、容易に買い手はつかない。本にしてくれるところはないかと蒔野は訊かれ、知り合いの作家を介して、編集者に引き合わせた。その作家には、マリアという異国の少女を抱かせた貸しがあり、こうしたかたちで借りを返してもらうのも、皮肉が利《き》いて面白いと思ったのだ。結果、新書での刊行が決まったらしい。

場所は裏通りの居酒屋で、値段の安い新書を紹介したからだ、と矢須が笑い、おまえの本なんかひと月で絶版だ、と蒔野は応じた。しばらく矢須が本になる経緯を話したあと、

「ところで蒔野、おまえの記事、少し前に幾つか読んだよ。人気があるそうじゃないか」

いかつい髭面にからかいの色はなかった。「路線を変えたのか。何かあったのかよ」

蒔野は、見透かされるのを嫌って、表情を隠し、

「契約更新のために、売れ線の記事を書いてみただけさ。感傷的な記事で、笑ったろ？」

「そうか。いや、おれはわりと面白く読んだ。人や社会の醜さ、汚れをよく知るおまえだから、あえて被害者の、その人特有の美質を掘り起こした記事には、生身の人間の匂いがしたな」

蒔野はジョッキを口に運ぶ手を止めた。店内には、煙草の煙と雑多な笑い声が満ちている。

「おまえにほめられるとはな。てっきり、甘ったれた話だと言われると思ったぜ」

「おれの悪い癖だ。外国を回ってる程度でつい大層な口をきくから、誤解されちまう。こないだ、難民支援の専門家の息子が自殺した。難民のために毅然と戦ってた人が、葬儀でおいおい泣いていた……。おまえの記事は、そうした人間の裏の息づかいを感じさせる。つづけたらどうだ」

嬉しい反面、苛立ちも生じる。記事は誰の影響か。誰かが何かを残したから、書けたのか。

「無理だね。あの方向性はもう読者に飽きられちまった。また、エグノに戻るさ」

「まあ、何を書くのもおまえの自由だ。今回の原稿のコピー、ざっと読んでみてくれないか」

テーブルの上から差し出された分厚くふくらんだ大判の封筒を、蒔野は受け取り、中身を出してみた。三百枚を超すだろう原稿の下に、アラビア語らしい文字を書き連ねた書類の束がある。

文字の隣に、数字も書かれている。これは何だと尋ねた。矢須は、焼き鳥を口に運びながら、

「ああ、赤新月社《せきしんげつしゃ》……知ってるだろ、イスラム圏の赤十字。そこからもらった死亡者リストさ。日付が入ってるだろ。一番上は、間違って空爆された民家のなかにいた人たちだ。次のは、今年の七月、車に仕掛けられた爆弾が市場で爆発して、一般市民が巻き込まれたものだな」

あとの事件は蒔野もうっすら記憶がある。自爆テロで五十名死亡、と報道されたものだろう。

「あのとき死んだ人間の、名前がわかってるのか……」

蒔野は信じられない想いで訊いた。矢須は笑みを含んだ吐息をつき、さらに焼き鳥を頬張って、

「家族や身近にいた者の証言で、おおかたどこの誰で、何歳かってのは知れている。職業もおおまかだが、労働者、警官、主婦、学生とわかってるさ。こういうリスト、初めて見るのか？」

蒔野はリストに目を落としてうなずいた。記者歴は長くとも、国内の事件やゴシップばかりを担当してきたため、海外の情報に関しては一般人の知識とさほど大差はない。

「じゃあ戸惑うのも無理ないな。おれも最初は驚いた。誤爆で二十人死亡、テロで百人死亡って数字だけだった死者の、名前も年齢もわかってると知ってさ。本当は当たり前のことなのにな」

「ここに並んでる名前を、原稿に書いてあるのか」

「よせよ。外国人の名前が延々書き連ねてある本を、誰が読む。これはあくまで内部資料さ」

「この人たちに、家族がいたとか、何かで人に感謝されたことがあるとか、それはわかるのか」

「あの町この町と人づてに聞いていきゃあ、わかるかもな。で、おまえがそれをするのかい？」

矢須が笑いながらトイレに立った。蒔野はリストを繰りつづけた。文字は判読できないから、

34や22などの数に、人間の証《あかし》を読み取る。0がある。9と記された数は蒔野の息子と同い年ということか。前回、矢須に静人のことを話し、百人も千人も死んだ現場ではどうする気だと問われ、その夜に見た夢を思い出す。静人は、砂漠に似た荒れ地に膝をつき、悼みの姿勢を繰り返していた。何をしているのかと問うと、ここで一万人の人が亡くなったのです、と彼は答えた。

「おい、小便してて、気がついたよ。例の、死者を訪ねて旅をしてるって男の話さ」

矢須が、いかつい顔に似合わない、子どもっぽい笑みを浮かべて戻ってきた。

「あれ、おまえのことだろ？　フリーになって取材の旅をするつもりなんだな。そうだろ？」


朝まで痛飲して、マンションの部屋にいつ戻ったかも定かでなく、仕事が休みのため何度か目覚めてはまた横になり、仕事部屋が西日に照らされる頃、ようやく身を起こした。

台所で水をコップに二杯飲み干す。電話が鳴り、ぼうっと何も考えずに受話器を取った。

「もしもし……もしもし？　留守電じゃないの？　抗太郎さん、いるのね、もしもし？」

理々子だった。切ろうと思えば切れたが、声の切迫感がそれをさせなかった。

「今日いっぱいだろうって。会わせるべき人には、会わせておくように言われたの」

蒔野はカレンダーに目をやった。べつに祝日でも大安でもなく、特別な日ではないのに、憎みつづけてきた男が、今日この世を去るという。少しも実感が湧かなかった。

「会いにきても、あの人を許したことにはならないわよ。それがいやなんでしょ？」

わかったようなことを言うな、と言い返したいが、喉がひりつき、声が出ない。

「彼を許したら、憎んで生きてきた日々が、むだになる気がするんでしょ。でも、来てみてよ。顔なんて骨に皮が一枚張ってるだけみたい。憎むの怨《うら》むのって、もう虚しく感じるから」

蒔野は、受話器を叩きつけるようにして電話を切った。いたたまれず、外出の支度《したく》をする。外はもう暮れかかり、風が冷たい。近所に行き場はなく、地下鉄に乗った。酒を飲むにも早く、着いた駅で降り、また乗ることを繰り返すうち、父親の入院する病院の最寄り駅で降りていた。

いっそ奴をベッド脇から見下ろし、ざまをみろと笑ってやるか。病院まで歩き、そのままの勢いで院内に入った。理々子から聞いたフロアまでエレベーターに乗る。箱が大きく揺れ、扉が開く。照明の落ちたホールが目の前に広がった。暗い廊下の先に、奴がいる。妻にひどい真似をし、息子をあざけった男が、いまは憐れを誘う姿で横たわっている。息子の許しを待っている。

蒔野が北海道に就職が決まり、東京のアパートを引き払うとき、理々子のところへ入《い》り浸《びた》りの父に、荷物を取りに来るよう求めた。父は面倒くさそうに部屋を見回したあと、あれはどうするんだ、と一方を指差した。台所とつづきの板の間の、天井に近い角に、作り付けの棚がある。母が神棚にして、厄除《やくよ》けの御札《おふだ》などを祀っていた。母は、両親の看病のために帰省したきりだから、神棚の始末はつけていない。蒔野が背伸びをして御札を取ると、小箱が一緒に落ちてきた。指輪でも入っていそうな上等の箱で、なかには干からびた肉のかけらのようなものが入っていた。父は見るなり、「ごみだ。捨てろ」と言った。蒔野はひとまず母に見せたほうがよいと思い、御札とともに取っておこうとしたが、「どっちも役立たずだ」と、父は御札と小箱を取り上げて、ごみ箱へ投げ入れた。北海道に渡ったあと母に報告すると、彼女は表情をゆがめながらも、涙はもう涸《か》れた印象で、首を何度か横に振り、こっちへ持ってきておけばよかったのに悪かったね、と蒔野に謝った。父が「ごみだ」と言って捨てたのは、蒔野のへその緒《お》だった。

エレベーターの扉が閉まる。蒔野は一階のボタンを押した。

ひどい真似をしたい。あの男が死ぬというときだから、わざとあくどい行為をしたい。それが奴をおくるのにふさわしい。タクシーで病院から離れ、にぎやかな街なかのホテルに部屋を取った。酒を飲み、手帳にはさんであったピンクの名刺の番号へ、ホテルの電話から掛ける。

三十分後、部屋の電話が鳴った。ホテル内の喫茶ラウンジで、現役の証拠を見せる、目印は紫のスタジャンと、か細い声が伝えてきた。下りてゆくと、隅の席に少女と若い男が座っていた。少女は、紫のスタジアムジャンパーにジーンズという格好で、黒い髪を長く伸ばし、痩せて、顔が病的に青白い。若い男は、坊主刈りにした側頭部にZ字の剃《そ》り込みを入れ、サングラスをし、襟首に毛のついた革ジャンを着ている。二人の前にはジュースが置かれていた。

彼らの前に座った蒔野に、マネージャーですと男は言った。前歯がなかった。

「これが現役の中学生の証拠っすから。半年前の、入学のときの集合写真っすよ」

蒔野がウェイターにビールを頼んだあと、男がテーブルに写真を置いた。教師を中央に四十人前後の生徒が並んでいる。男が指差す先に、目の前の少女が制服を着て写っていた。

「じゃあ、一時間、ゴム付きのHのみ。おしゃぶりなしで十万円。で、いいっすか」

蒔野は鼻で笑った。電話では二万円の約束だが、顔を見られて、びびる客もいるのだろう。

「そこらの家出娘と十回以上やれるじゃねえか。ふざけるなら、とっとと帰れ」

男がサングラスを取り、顔を突き出す。濁った黄色い目を剝《む》き、すごんでみせる。

「客を脅すようじゃあ商売にならんな。誰の紹介で、電話したと思ってんだ」

蒔野は、席を立ちながら財布を出し、屈辱に鼻の穴をふくらませている男に二千円を放った。

「ビールもおごってやるから飲んでけよ。約束通りでいいなら、五分後に女だけ上がってこい」

と、番号を言い置き、部屋に戻った。十分ほどして、少女が部屋を訪ねてきた。

なかにはまだ入らず、先にお金をと、にきびだらけの額に皺を寄せて不機嫌そうに言う。

「あとに決まってるだろう。先に渡したら逃げてこいと、あのヤク中に言われたのか」

うっせえよバカ、と少女が入ってきて、ジャンパーを脱いだ。蒔野は、後ろから少女の髪をつかみ、ベッドに引き倒した。驚いて起きようとする相手の胸に手を当て、マットに押しつけ、

「なめた口きいてたら殺すぞ。おれでなくても、いまにおまえなんか誰かに殺されるんだ」

「……暴力振るったら、アッ君に言うからね。あんたなんか、ボコボコにされるんだから」

少女がおびえながらも懸命に言い返す。

「あのバカにシンナー買ってやるために、こんなことしてんのか。シャブもやってんのか、え」

「……関係ないじゃんよ。誰が何しようと、あんたの知ったことじゃないでしょ」

「ああ、知ったことか。おまえがいまにあのアホに殺されたって、誰も何も思やしない」

蒔野は、少女の上にまたがり、Tシャツを脱がした。貧相な胸があらわになる。誰かにわしづかみにされた爪あとが、平たい乳房の周りに残っている。

「乱暴にしたら、絶対ボコボコだよ。アッ君、切れたら、上の人の命令もきかないからね……」

少女は言い返しながらも、蒔野が下を脱がせにかかると、尻を浮かせた。下着も取って、病気かと思うほど細い、まさに児童の脚を、膝をつかんで広げる。内股にも中年女のような青黒い痣がある。少女は枕元に放ったジーンズのポケットからコンドームを取り、蒔野に投げつけた。

あの男が死にかけている、だからひどい真似をする……。胸の内で呪文のように唱える。だが、下半身は思うようにならない。蒔野は下着を下ろさぬまま、少女の胸に置いた手を上に滑らせ、細い首に当てた。少女が身を起こそうとする。馬乗りになって、真上から少女の首を押さえた。

「おまえは、いつかこうして死ぬんだ。そのとき、あのヤク中は、おまえの死を悲しむと思うか。おまえを想って泣くと思うか。いいや、代わりをすぐに見つけて、三日もすれば忘れるさ」

少女が首を横に振ろうとする。蒔野は、細い首に当てたままの両手に力をこめた。

「おまえがいまここで死んでも、誰も涙ひとつこぼさない。誰も悲しまない、惜しまない。いなくなっても、忘れられちまう。いつか川原で燃やされて、骨も残りゃしないんだ」

蒔野はようやく彼女から下り、二万円を彼女の裸の胸に投げた。

少女は泣いていた。幼な子のようにしゃくり上げながら服を着て、二万円をしまい、

「……顔を覚えたからね。殺されるから。ボコボコにされて、埋められるからね」

と、蒔野を睨みつけて言い、絨毯《じゆうたん》の上に唾を吐き、部屋を出ていった。

蒔野は、ここに泊まる気にもなれず、チェックアウトして、一応用心のために裏口から出た。

深夜まで飲み、マンションの部屋へ戻る。電話に録音が残されていた。再生ボタンを押す。

「いま、亡くなりました。ご満足？　これでも来ないなら、会社に遺体を送りつけるから」

2

病院の霊安室は、灰色の壁に四方を囲まれた六畳ほどの殺風景な空間で、部屋の中央に白布《はくふ》の掛かった遺体が安置されているほかは、一方の壁につけて長椅子が一脚あるだけだった。付き添いの者の姿はなく、案内してくれた夜間受付所にいた若い警備員は、遺族が休憩したり、簡単な通夜をおこなったりする畳敷きの別室が、二つ隣にあると教えて、出ていった。

蒔野は遺体の大きさを目で測った。思っていた以上に小さい。からだの厚みもなく、人違いではないかと疑った。白布を取ればはっきりするだろうに、漠然とした恐れから、近づけない。

「どうしたの、顔を見ないの？」

部屋の入口に、理々子が立っていた。昨日から父親につきっきりだったのだろう、髪は乱れ、目が赤い。服は普段着なのか、地味な色合いで、皺が入り、妙に所帯《しょたい》じみて見える。

「食いつきゃしないから。そんな余力も残せないほど、精根尽き果てて息を引き取ったの」

彼女も体力を使い果たしたのか、嫌みを言う声に力はなく、ため息のようにかすれた。

「どうでもいい……これでもう、終わったんだ」

蒔野は自分に言い聞かせた。もうこの男のことで思い煩《わずら》わされることはない。

すると理々子が、鼻から荒く息を吐いて笑い、こちらへ歩み寄ってきた。

「ばか言わないでよ。ご遺体はどうするの。ひとまず、おたくのマンション？」

「え、いや、うちは困る……」

「お葬式は挙げなくても、焼かなきゃいけないのよ。いろいろと手続きが必要だし、ご遺体を運ぶ車の手配だっている。死んだら終わり、で済まないのが世の中でしょ」

「だったら、おたくが……おたくは、この男と長年……」

「あなたが生まれたとき、この人も手続きはしたろうし、成長するまでに、いろいろ手は貸したんじゃないの？　ほら、しっかり目を開いて見なさい。あなたが憎み怨んできた男の最期よ」

蒔野が止める間もなく、理々子が遺体の白布を取った。看護師がからだを清めて着せたのか、遺体は白い着物に包まれ、胸の上で手を組んでいる。母親の遺体も見ているが、彼女は若くして亡くなったため生前の姿を残し、眠っているだけのように見えた。しかし父親の遺体は、頭髪が抜けて額がはげ上がり、眼窩《がんか》はくぼみ、頰はこけて唇が突き出たようになって、表情には苦悶も悲嘆もなく、ただ痩せ衰えて、干からびるようにして死んだことを思わせた。記憶のなかの父親と少しも結びつかない。蒔野は、足元から力が抜け、長椅子に腰を落とした。

「誰でも、いつかはここに行き着くの……。それって、公平なのかしら、不公平なのかしら」

いたわるような声音で理々子が言い、長年一緒に暮らしてきた男の額に手を置いた。

遺体は、理々子が引き取ってくれることになった。蒔野の父親は、彼女の店がある町で十年以上生活し、それなりに人との付き合いがあるという。

「けど、お見送りには来てもらうから。あと、お骨《こつ》はそっちだからね」

蒔野は、通夜と葬儀への参列と、遺骨を引き取ることを求められ、渋々ながら承諾した。

葬儀社の社員と理々子が話し合ったところ、店の二階は階段が急で棺桶が上がらないらしい。

「じゃあ、店の奥のテーブルを祭壇にして、来た人にはカウンターで飲んでもらおう」

理々子の提案で、昼前にようやく遺体が運び出された。彼女は一睡もしていないため、今日はやすむと言い、蒔野も会社に休みを取り、部屋に戻って眠った。目覚めたときはもう夜だった。

父の死を親戚に連絡すべきか迷った。長く関係を絶ってきた間柄ゆえ、伝えないことにした。では別れた妻へは……。机の前に座り、彼女のホームページを開く。新しい夫と作った美術書の宣伝などが書かれていた。息子のブログを見る。学校での出来事が無邪気につづられている。

いまさら彼女らに伝える言葉もなく、パソコンのスイッチを切り、ベッドに戻った。

翌日、午前中に用を済ませ、午後に喪服を着て理々子の店を訪ねた。『玩具荘』という名前は、父親がボードレールの別荘から取ったと聞いたが、あの男に詩ごころがあったとはいまだに信じられない。『忌中』と書かれた紙が貼られた重い扉を開けると、店内には笑い声があふれていた。カウンターの椅子に喪服姿の男女が腰掛け、カウンターの内側に理々子がいる。髪を整え、化粧も客を迎えるのに十分なあでやかさで装い、和装の喪服姿さえ店のコスチュームに見える。

「あら、いらっしゃい」

という呼びかけも、霊安室での翳《かげ》りはみじんも感じさせない陽気さで、趣向の変わったスナックに遊びにきたのかと、錯覚しそうだった。理々子は、手を打って周囲の注目を集め、

「皆さん、本日の主賓《しゅひん》のご登場よ。実は喪主なんだけど、その呼び方も辛気《しんき》くさいからさ」

カウンターにいた人々が、蒔野を振り返る。地元の人間だろう、皆、五十代から六十代の年頃

で、人が良さそうであり、小ずるそうでもある、あか抜けない顔が並んでいた。

このたびは御愁傷さまでした、お父さまにはいろいろお世話になりまして、うちらもみんな残念でしてね……などと言葉をかけられ、蒔野は会釈だけして、理々子が指差すまま奥へ進んだ。

テーブル席があったところと、奥の物置のような場所を使い、祭壇が設けられていた。中央に棺桶が置かれ、数年前の父だろう、髪は白く、皺も増えていたが、快活に笑った写真が飾られていた。蒔野の記憶のなかには、こんな人好きのしそうな顔で笑う彼は存在しない。いやな心持ちとなり、目をそらした。祭壇には花が飾られ、電灯式の灯籠《とうろう》が灯り、ろうそくの火が揺れ、線香の煙が辺りにくゆっている。狭いなりに祭壇の前に立って手を合わせられるスペースもあった。

蒔野は、人々の視線を感じながら、あえて手を合わさなかった。カウンターの祭壇寄りの席が空いていたのは、蒔野のためらしく、座るように理々子に言われ、コップにビールがつがれた。

「ここで主賓の言葉をいただくところなんだけど……故人とこの人、いろいろあったのよ」

理々子が人々に言う。「察してあげてね。とにかく故人を偲《しの》んでパーッと騒ごう」

年配者ばかりだからか、彼女の言葉を理解して、ことさら蒔野に話しかける者もなく、彼が来るまでにしていたらしい話のつづきに戻った。蒔野の父親が、あんな面白いことを言った、こんな失敗をした、詩のほかに古い映画にも精通していた、下ネタ好きで、人の相談事にもよく乗る楽しい人だった……と、こうした席だから、いわゆる「いい人」だったという声が耳に入ってくるのは、蒔野も覚悟していたものの、やはり気持ちは乱れ、誰のことだよと叫びたくなる。

入れ替り立ち替り人が訪れ、蒔野の背後で祭壇に手を合わせていった。夕方以降はカウンター内にも人が入り、理々子に代わって多くの女が酌《しゃく》をして回った。料理も運ばれ、酔いしれた者、調子外れに歌う者も出る。理々子がときおり蒔野のそばへ来て、二言三言話していった。常連の友人ばかりか、町内会の者や、なじみの薄い客も混じっているという話で、疲れたら二階で休めばよいと言ってくれた。だが二階は父親が理々子と寝起きしていた空間だと思うと、足を踏み入れたくなかったし、何より動くのが面倒で、同じ椅子に掛けたまま、酒の杯ばかりを重ねた。

夜が更け、理々子はいったん二階へ仮眠をとりに上がった。蒔野もカウンターに伏せて寝た。やがてどこからか耳に心地よい声が聞こえてきた。胸の底に重しを置いたように落ち着き、優しく説き聞かすように、哀感をこめて問うように、文字で表された心情や風景を美しい形に立ち上げてゆく声が、頭の上で響いている。蒔野は夢かと疑い、顔を起こした。カウンターにいる人々が目を閉じて、店内に響くその声に耳を傾けている。蒔野の隣に、細面の男性が腰掛けており、

「中也《ちゅうや》ですよ。以前ここで、詩の朗読会を開いたときに、録音しておいたものです」

と、ささやいた。自分に向けて言ったらしいと蒔野は気づき、半ば寝ぼけて、

「あ……じゃあ、これは、あなたの朗読ですか。なかなかいいですね」

と、慣れない愛想を口にした。相手は眉をひそめてこちらを見返し、

「何を言ってるんです。あなたのお父さんの声じゃありませんか」

眠気が一瞬で去り、耳に神経を集中した。何ごとも断定的に押しつけてくる傲慢な話しぶりと、嘲笑まじりに皮肉を言うときの口調しか蒔野の記憶の表層に残っていないが、いま一語一語を大切に朗読する声を聞いていると、記憶の深部に残っている父親の声と確かに重なってくる。

この町で理々子と暮らし、陽気なママとうだつの上がらぬ亭主と見られながら、知識が豊富なことに一目置かれ、詩を人に教えることもあった男……下ネタ好きで、他人の相談によく乗り、遺影のような快活な笑みを浮かべていた男……理々子が子どもを産めなくなったとき、二人で仲良く暮らせばいいと一晩中慰め、病に倒れて気管にメスを入れる前には、まだ見ぬ孫へ向けて、振りしぼるようにテープにメッセージを録音した男……声を失ったあと病床で、スケッチブックに抗太郎に会いたいと涙ながらに書いた男……その姿が、蒔野の眼裏《まなうら》に次々と浮かんでくる。

この声から逃げたかった。席を立ったが、足がよろける。人の手を断り、つる草模様の壁紙を引っかくようにして進み、扉を開けてもらって、外へ出た。目の前に現れた電信柱にしがみつく。からだの内側が痙攣して、思わず戻した。おれはあの男を許さない、おれとお母さんには悪党だった、それで十分だ、ひとりぼっちで死んだお母さんも許すはずがないじゃないか……。

ともかくここから離れることだと足を動かし、何かにつまずいた。地面の冷たさが心地よい。このまま起きたくないと目を閉じる。しばらくして寒さがからだの芯まで凍らせ、歯が鳴った。

路地のような場所にいるとわかって這い出すと、『玩具荘』の裏手だった。まだ空は暗く、閉まっていた店の扉を開け、なかをのぞいた。照明は落とされ、カウンターの内にも外にも人の姿はない。店の時計は四時を回っている。祭壇に飾られた灯籠内の電球の光が、白木の棺桶と父親の遺影を浮かび上がらせている。ともかくいまは寒く、羽織るものを求めて、カウンターの奥ののれんをくぐった。二階へ上がる階段が見えた。毛布か何かを借りようと、階段に足を掛ける。

二階は二間あるらしく、手前の部屋には箪笥《たんす》などが並び、理々子の喪服が衣紋《えもん》掛《か》けに掛けられていた。奥の閉まった襖《ふすま》の隙間から温かい空気が流れてくるのを感じ、引き寄せられるように歩み寄り、襖を開けた。常夜灯《じょうやとう》だけの暗い明かりのもと、布団を敷いて理々子が横になっていた。彼女が寝返りを打ち、掛け布団の外に右腕のつけ根まであらわになる。暗くても、肌の白さが目を引く。銀座のバーで、父親が彼女にさわりながら蒔野を侮辱した夜、彼は風俗の店で、相手の女を理々子と想って抱いた。父親の女を犯していると思うことで、受けた屈辱を晴らそうとした。以後も何度か風俗の女を相手にしながら、理々子を想像した記憶がよみがえる。

「寒いでしょ」

涙でかすれた声が耳を撫でる。理々子がうるんだ目を開けている。不思議に驚きはなかった。疲れのせいか、現実感が乏しい。手を取られ、身を横たえる。相手の温もりにすがりつく。

「こんなに冷えて……どこにいたの。服が湿ってる。ほら、脱ぎなさい。風邪をひくでしょ」

甘やかしを含んだ叱《しか》る声に従い、裸になって身を丸める。相手の肉に顔をうずめる。手を、足を、背中をさすられ、からだの芯の凍えが溶け、全身に熱いものがしみ渡る。あなたは本当はお母さんに怒ってたんじゃないの？　と耳もとで声がする。違う違うと、からだであらがう。相手の脚のあいだに迎え入れられる。お母さんはなぜあんな男を愛したのかと心の底で怨んだんでしょ、でもお母さんを好きだから、お父さんをいっそう憎んだのね……。違う違う、とからだをぶつける。落ち着くようにと背中を優しく叩かれる。お母さんが北海道へ戻ったことにも寂しい想いをしたんでしょ、捨てられた気がしたんじゃない？　やめろやめろ、とぶつかってゆく。頭を抱えられ、責める力が、抱擁に吸収されてゆく。お母さんを許してあげるのよ、彼女も若かったし、お父さんを愛したことは罪ではないでしょ、あなたを置いていったことも悪く思っていたはずよ、でも余裕がなかったのよ。違う違う、親父が全部悪いんだ、あいつさえお母さんを捨てなきゃ……。人は完璧ではないもの、あなただって人に誠実でなかったことがあるでしょ、あなたは、お父さんを最後に見限ったお母さんのことを、むしろ悔しく想ってたのじゃない？　あなたも完璧でなかったから置いていかれたんじゃないか、という想いとつながるから……。

蒔野は、言葉が出ず、まっすぐからだをぶつけることを繰り返す。頭を撫でられ、怒りがしぼんでゆく。寛容に受け入れられていることに、いつしか自分の実体がなくなり宙へ浮かんでゆくような心地よさをおぼえる。お母さんを取り戻せばいいの、お父さんに取られたとか、置き去りにされたとか思わないの、口にしなかっただけで、いつでもあなたのことを想っていたのよ。

相手のからだの厚みと重みによる存在感に安堵して、自分のなかの怒りや怨みや寂しさ悲しさ、その何もかもを外へと解き放つ。からだの中心にしこっていたかたまりも消散し、あとの隙間に温かい水が流れ込む。母を想って泣く涙だった。本当は、自分も母を見捨てた。母が両親の看病のために北海道へ戻るとき、彼は転校を嫌うふりをしてついていかなかった。試したのだ。母は自分のために残ってくれやしないかと。嫌悪したのだ。いまさら逃げるなら、どうしてあの男を愛したのだと。北海道に就職後も、母と同居しなかった。母がひとりでよいと言ったからだが、そのように言わせる雰囲気を作ったのは自分だ。そして、母はひとりぼっちで死んだ。

完璧な人間なんていない、あなたも本当はいい子なのよ……。そうささやく声は誰のものか。許されたような心持ちとなり、死も受け入れる覚悟で、すべての力をゆるめた。

お坊さんよ、と聞こえた。車の音。もう一度大きく、お坊さんが見えましたよぉ、という声。

蒔野はからだを起こした。小さな部屋の布団のなかにいる。二日酔いで頭が痛む。夜明け前の出来事はあいまいに記憶に残っている。だが本当のことなのか。布団の下を確かめると裸だった。じゃあ……と考え込む余裕もなく、始まりますよぉと、理々子の声が下から届いた。

蒔野は急いで枕元に置かれた喪服を着て、階段を下りた。祭壇前の椅子に、僧侶が腰掛けて経を上げ、理々子は喪服姿で隣の椅子に掛けていた。カウンターには、昨日の昼間見かけた人々が並び、立ったままの人もいる。理々子がこちらを振り返った。今日は化粧は控えめにしている。カウンターの上を目で示す。数珠《じゅず》が置かれていた。蒔野は黙って手に取った。

僧侶が帰ったあと、理々子が集まった人々に礼を言い、言葉の最後に蒔野のほうを振り向いた。逆らえない感覚で、「本日は、ありがとうございました……」と、蒔野も頭を下げた。

常連客が火葬のあとの骨揚《こつあ》げにも参加して、理々子と二人きりになる時間はなく、夜明け前に彼女とのあいだで起きたことについて聞けないことが、もどかしくもあれば、ほっともした。

病気に長く侵されていたせいか、父親の骨はとても崩れやすかった。骨壺は桐箱に収められ、蒔野に渡された。これですべて終わりなのか。理々子は常連客と話しながら、そのまま去っていきそうである。葬儀の費用のこともあり、声をかけようとしたとき、理々子がこちらを見た。

「ご苦労さまでした。いろいろ大変でしたね」

と、よそゆきの笑みを浮かべて、歩み寄ってくる。彼女はいつのまにか手に提げていた紫色の風呂敷包みを、どうぞと蒔野に差し出した。何ですか、と目で尋ねる。

「スケッチブック。筆談に使ってた。お墓の場所も、結局はこれに書き残したみたい。わたしは見てないから。カセットテープも入ってる。お孫さんへのメッセージ。たわいのないものだけど、わたしが持っておくものじゃないし、捨てるなら、あなたが捨てるべきだと思うから」

蒔野もいまはそれを押し返す気にはなれない。片手に骨壺を抱え、風呂敷包みを受け取る。

「費用のことは、彼へのささやかなお礼のつもりだから」と、理々子が言った。

二度と会えなくなる気配を感じ、夜明け前のことを問おうかと口を開きかけた。

理々子が一瞬厳しく彼を睨み、すぐに柔らかくほほえむ。つまらないことを口にするなと言われた気がした。蒔野は、骨壺と、スケッチブックの入っている風呂敷包みに目を移し、

「この墓に、あなたは入られる気はないんですか。一緒のほうが、喜ぶでしょ」

すぐには返事がない。顔を上げると、理々子は寂しげに遠くを見つめていた。

「ありがとう。だけど、最期は自分の田舎に戻れたらって思ってるの。両親のお墓があるから。もし入れてくれないようだったら……無縁であきらめようかな、なんて」

「そうですか……でも、もし気が変わったら、いつでも、言ってください」

蒔野はもっと別のことも言いたかった。だが玄関のほうから常連客が、ママさーん、と彼女を呼ぶ。理々子は、そちらに大きく手を振ってから、蒔野に「じゃあね」と口の動きだけで伝え、すたすたと喪服の裾をきれいにさばいて歩き去った。

蒔野は夕方自宅に戻り、西日に照らされていた仕事部屋の本棚の上に、父親の遺骨を置いた。

3

埼玉県警捜査一課の強行犯係長から、少女の出身地がほぼわかったと連絡があった。

生きたまま火をかけられた自称十八歳の少女の身元は皆目見当がつかずにいたが、昨日、殺人の共犯者である十六歳の少年が、夏の高校野球の決勝戦を仲間と見ていた際、台所で酒を飲んでいた彼女が、高校紹介をするテレビをちらと見て、「こんなとこが残ったの。うちらの中学がみんな滑り止めに受ける、アホ学校って有名だったのに」と、つぶやいたのを思い出した。

少年がほかの三人にビールを取ってこいと言われたときのことで、彼しか聞いていない。仲間内で最も若いため、少女も気を許し、出身地に関わる話を洩らしたのかもしれない。事実、少年は言葉の意味を悟らず、警察に彼女の出身を問われても、これまでは知らないと答えてきた。

「留置係の警官と高校野球の話をしていて、思い出したらしい。当時の決勝を戦った高校を調べて、少年に確認した。愛知の豊橋《とよはし》市の線で、まず堅いだろう」と、係長は言う。

身元もそこから明らかになるのか、と蒔野が問うと、相手は電話越しに苦笑を響かせた。

「行方不明者を当たってもらえないかと愛知県警へ一応連絡はしたが、素顔の写真がないんじゃ、無理な話だな。検察は、中途半端な情報は邪魔だと無視する肚《はら》だ。やはりこのまま起訴らしい」

悲惨な死を同情されることもなかった少女のことを、蒔野はもう一度調べてみたくなった。

彼女を殺した主犯の男の弁護士は、蒔野が週刊誌記者と知り、警戒感をあらわにした。被害者の身元がわかったほうが弁護しやすくなるはずだから、マスコミのネットワークを利用するのも手だと蒔野は提案し、依頼人が知っている情報を教えてもらえないかと求めた。具体的には、少女の身元を割り出せそうな話なら何でも。そして、蒔野がずっと気になっていたことで、

「言い争いの途中、彼女が突然狂ったように暴れだしたので、彼もつい我を忘れた、と供述しているようですが、なぜ彼女が急に暴力的になったのか……そのきっかけを知りたいんですよ」

弁護士は、男性と相談の上でお答えしたい、と即答を避けた。

蒔野は、父親の死の後始末を理由に、もう数日休暇をもらい、少女が出入りしていた店をあらためて取材した。交遊関係は一通り洗ったはずだが、比較的仲のよかった女友だちの存在を初めて耳にした。妊娠して、事件の一年も前から店に来ていないことで、取材対象から漏れたらしい。真っ赤に染めた髪をぼさぼさに伸ばし、赤ん坊を腕に抱えたジャージー姿の娘は、すでに警察から事情を訊かれていた。アパートの玄関先で質問する蒔野に、警察へは何も知らないと答えたし、嘘ではない、と彼女は話した。ただ殺された少女には同情的だった。あんな死に方はあんまりだよ、かわいそうだよ、と涙声で言う。少女の知り合いのなかでは珍しい気がして、

「大体みんな、彼女を嫌っていたようなんだけど、きみは違うね」

と、蒔野は言った。彼女は、目尻の涙を手の甲で拭き、腕のなかの赤ん坊をあやしながら、

「うちもさぁ、あの子のことそんなに好きじゃなかったけど……一度、ここを訪ねてきてさ」

「え、この部屋に。何しに来たの？」

蒔野は、台所と六畳一間だけの狭い室内を見回した。

「わかんない。うちは子どもができて、連中とは切れた気でいたから、超びっくりした。手みやげまで持ってきてさ。なのに全然話さないの。赤ん坊のほうをぼうっと見て、一時間もいたかな。死んだの、そのすぐあとだから、相談でもあったのかな、かわいそうだったなぁ、と思ってさ」

赤ん坊が泣きだし、娘は、パ、パ、パンダとお買い物ぉ、と楽しげな歌を歌ってあやしたが、機嫌が悪いのか、なかなか泣きやみそうもないため、蒔野は礼を言って部屋を出た。

翌日、少女を殺した男の担当弁護士から連絡があった。男は、裁判で有利になるなら何でも協力する、と言っているらしい。しかし現実には、彼も被害者のことをよく知らなかった。

「飲み屋で彼女に声をかけて、そのまま一緒に暮らしはじめただけで、本名とか出身とか気にもしなかった、と。何も知らないほうが別れるとき都合がいい、くらいに考えていたようですね」

ヒントになりそうなことさえ思い出さず、死んだ少女が急に暴れだしたきっかけについては、覚醒剤を打っていたので、薬の影響による暴力衝動ではないかと答えたという。

「だから、その衝動が何がきっかけで目覚めたのか……。やはりわからないですか」

「はあ。何度も聞いたのですが要領を得なくて。彼が夕食どきに帰宅すると、彼女は何も作っておらず、鼻くそを……失礼、彼の言葉です。それを、指先でもてあそびながらニヤついていたので、ヤクをやったと思って言い争いになった、と。そして腹立ちまぎれにそれを捨てた、と」

「捨てた？　つまり、その、鼻くそと呼んでいるものをですか」

「ええ。汚いものは捨てろと言ったところ、彼女が背後へ隠そうとしたため、腕をひねって取り上げ、窓の外の川へ捨てたそうです。すると彼女は悲鳴を上げて暴れだし、殺してやると叫び、台所へ包丁を取りにいこうとした、と。だから、発端は正当防衛的な面もなくはないんですよ」

「待って……待ってください」

父親が蒔野の手から或る物を取り上げて、ごみだと言って捨てた場面が脳裏をよぎる。

弁護士に、今日は依頼人とまだ接見していないなら、できれば行って、一つどうしても聞いてほしいことがあると頼んだ。蒔野自身は、乳児を抱えた赤い髪の娘を再度訪ねた。

「亡くなった彼女だけど、きみの赤ん坊について、何か言ったり、したり、したかな？」

蒔野の問いに、娘は何のことかと首をひねりかけ、途中からあいまいにうなずいた。

「何か言うってより、この子のことばっかり見てたよ。うちを無視して、本当にずーっとさ」

「赤ん坊を抱きたがったりしなかったかい。世話に慣れている様子はなかったかな」

「へえ、よくわかるね。口では言わなかったけど、すごく抱きたそうでさ。抱く？　って訊いたら、超嬉しそうな顔をした。上手だったよ、抱き方。この子も全然いやがんなかったし」

娘は、腕のなかの赤ん坊をあやして、パ、パ、パンダとお買い物ぉと楽しげに歌い、

「そうだ。このパンダの歌も彼女に教わったんだ。うちがトイレへ行ってるあいだに泣きだしたこの子の面倒を見てくれてさ。歌いながら、ほっぺや鼻にさわってたら、ちょっとのことでは泣きやまない子が、楽しそうに笑うから、繰り返し歌ってもらって、うちも覚えちゃった」

夕方、蒔野は弁護士から電話をもらった。彼の依頼人が、被害者から取り上げて川へ捨てたものは、パチンコ玉程度の大きさの、干からびた貝柱のようなかたまりだったという。

蒔野は、埼玉県警の強行犯係長に連絡した。

「へその緒ですよ。大事にしてたわが子のへその緒を捨てられて、気が狂ったようになった……。彼女には子どもがいる。たとえば離婚をして、子どもを取り上げられたんじゃないですかね」

自分の身の上と重ねて、蒔野は語った。相手は興奮するどころか呆れた口調で、

「全部あんたの思い込みじゃないの？　万が一、子どもがいたとしても身元はわからんだろ」

すでに送検した件であり、警察が動くことはないと聞き、蒔野は仕方なくデスクに掛け合った。惨殺された身元不明の十八歳の少女に、子どもがいた……。このキャッチコピーに海老原は興味を示した。ただし確実な証拠はないため、蒔野に与えられた時間と費用は五日分に限られた。

翌朝、蒔野は愛知県豊橋市に向かい、市内の中学校を訪ねた。卒業生で現在行方不明の者がいないか尋ね、入手した少女の写真を見てもらう。卒業年度を逆に問われ、十八歳が事実か怪しいため、おおむねしか答えられない。学校側は卒業生全員の行方までは把握しておらず、写真の少女も厚化粧をしていることから、市内すべての中学校を回ったが、空振りに終わった。同窓会の幹事の連絡先も教えてもらい、できるだけ訪ねてみたが、誰もが首を横に振った。

彼女が子どもを産んでいることを前提に、産科医に話を聞こうとした。医療者には守秘義務がある上、そもそも多忙で会うことさえ難しい。二、三当たってあきらめ、市役所を訪ねた。重大事件の解明に協力してほしいと話し、出生届《しゅっしょう》を受け取った可能性のある戸籍係の何人かに少女の写真を見てもらった。年齢だけでなく、出産もいつ頃か不明のため、反応は鈍かった。地元の警察とも接触したが、やはり望んだような返事はもらえなかった。

またたくまに四日が過ぎ、最後の一日、蒔野は朝を迎えてもホテルの固いベッドから出られな

かった。半分寝ぼけて、わが子のことに想いをはせる。いまは別れた妻に妊娠を告げられたときは、複雑な心境だった。あんな父親の息子である自分に、子どもを育てられるか不安だったし、仕事の足手まといになることも危惧《きぐ》した。喜ぶ妻を見て、まあいいかと思った程度だ。検診だ何だと多額の金が必要なのにも腹が立った。助成金で出産費用がいくらか戻ってくると人から聞いて、少しは怒りもやわらいだが、妻が個室に入ったために差額ベッド代もかかった。

それでも子どもが生まれたときは、さすがに胸が熱くなった。出産後間もない小さな指が、蒔野の指をぎゅっと強く握ったときには……。と、ようやく行くあてが見つかった。

ふたたび市役所へ出向き、出産の助成金を受けられる場所を尋ねた。福祉課内の子育て支援室で申請を受け付けていると聞き、部屋にいた職員たちに少女の写真を見てもらった。写真の少女が素顔だったら……と相手方の想像力にまですがったものの、期待した答えは得られなかった。疲れと落胆から、近くの椅子に腰を落とした。隣に、赤ん坊を抱いた若い母親がいた。髪が黒く、化粧気もない。殺された少女は、もしかしたらこのような地味で優しげな母親だったのかもしれない。隣の若い母親が、赤ん坊をあやすための童謡を歌った。赤ん坊が笑うのを見て、

「あの……失礼ですが、あなた、パンダと買い物をするって、童謡を知りませんかね」

と、彼女に尋ねてみた。相手は知らないと答えた。子育て支援室のカウンターに戻り、

「どなたか、パンダと買い物をするって童謡を知りませんか。この地方の歌かもしれない」

誰もが首をひねった。では、少女はどこであの歌を覚えたのか。出身はここでも、子どもを産んだのは別の場所、ということだろうか。あきらめかけて、なお万が一を願い、

「こんな歌なんですがね……パ、パ、パンダとお買い物ぉ……」

音程が外れているのを自覚しつつ、恥を忍んで歌ってみせた。離れた場所で苦笑する者もいる。するとあのぉ、と奥のほうから女性職員が立ってきた。

「パン屋じゃないですか。いまの節回しで、パン屋でお買い物をするという遊び歌があります」

新生児とその母親のための母子教室で、保健師や保育士が、母と子のスキンシップを目的に、そうした遊び歌を教えているという。母子教室は毎月二回開かれているが、今日は実施日ではなく、教室を開く主体である保健センターで尋ねてみてはどうかと言われ、場所を教わった。

蒔野は、子育てをほとんど妻に任せていたから、母子教室や保健センターのことなど考えも及ばなかった。すぐに保健センターへ向かい、受付で歌のことを訊いた。確かにパン屋で買い物をする遊び歌があると、保健師の女性が答えた。サンドイッチと歌って、赤ん坊の頬を両手ではさみ、メロンパンと歌って、目を指さし、チョコパンと歌って、ちょこちょことくすぐる。

蒔野は職員に集まってもらい、少女の写真を見せた。

「彼女はこの町で子どもを産み、育てていた可能性があります。よく見てください。髪は黒かったかもしれない。化粧はたぶんこれほど濃くなかったでしょう。心当たりはないですか」

職員たちは、蒔野の言葉に応えて、熱心に写真を見てくれた。だが誰もが首を傾げる。

外出中の保健師や助産師もいると聞き、蒔野は待った。一人、二人、と帰ってくる職員に、先にいた職員が写真を見せ、尋ねてくれる。終業時間となり、職員は全員戻って写真を見た。願っていた答えは聞けなかった。子どもがいたという蒔野の推測自体が間違いか、出産場所が違うの

か。しぜんと肩が落ち、足を引きずるように去る彼を、気の毒と思ってくれてか、

「女性の下の名前もわかりませんか。子どもの名前はどうですか、何々ちゃんだけでも」

と、職員の一人が声をかけてきた。蒔野は、強行犯係長に見せてもらった写真を思い出した。

被害者が持っていた妙な生き物のぬいぐるみの足の裏に、文字が書かれていた。人の名前にしてはおかしく、ぬいぐるみの名前だと思っていたが、この際だめで元々とやけくそ気味に、

「クグ。名前というより愛称かもしれません。クグという名前に心当たりはないですか」

職員全員に聞こえるよう、クグです、クグ、と声を上げる。職員たちはおかしげな名前に眉根を寄せながらも、口のなかでその言葉を繰り返し、記憶を探ろうとしていた。

「くぐみ、ではないですか。くぐみちゃん」

思いがけない声が返ってきた。早い時期に写真を見てくれた保健師の一人だった。

「くぐみなら、心当たりがありますか」と、蒔野は彼女に歩み寄った。

「空が暮れて美しいと書いて、空暮美。きれいな名前だから印象に残ってます。夕日がとてもきれいなときに、ご夫婦が結婚の約束をしたので、生まれた子どもに名付けたと聞きました」

「写真の少女が、母親ではないですか。似てませんか。面影はないですか」

「ええ。おとなしい子で雰囲気も全然違います。ずいぶん前の話で、記憶も不確かですけど」

「名前は覚えていらっしゃいますか。それから実家の住所。たぶん離婚して、子どもを手放し、東京のほうへ出たと思うんですが、前の夫と娘とが暮らしている場所はわかりませんか？」

「確か彼女の実家は母子家庭で、彼女が結婚して一年後くらいにお母さまが亡くなったので、も

う実家というものはないはずです。空暮美ちゃんとお父さんも、もういません」

「引っ越したんですか」

「亡くなったんです。三歳だった空暮美ちゃんが川に流され、お父さんは助けに走って、でも、結局二人とも下流の岸で別々に……。そうだ。空暮美ちゃんの写真があります。ご葬儀を終えて、ひと月後に、お見舞いに伺ったんです。お母さんがあまりにかわいそうで、様子が気になって」

彼女は保健師として赤ん坊の一ヶ月検診のおり、初めて相手の家を訪ねたという。赤ん坊がアトピー性皮膚炎を患い、小児科医を紹介するなど、以後も何かと相談に乗り、三歳児検診の際にアトピーが少しよくなったことが確認され、彼女も母親とともに喜んだ矢先、事故は起きた。

「訪問の帰り、写真を渡されました。空暮美を忘れないでって。数ヶ月して訪ねてみると、彼女は引っ越していました。家具なども処分して、行き先を誰にも告げず……。五年前のことです」

写真は、彼女の年度別の仕事用ファイルに納められていた。蒔野は渡された写真を見た。

三歳くらいの女の子だけが写っており、母親の姿はない。ただ女の子は、熊か兎かよくわからない奇妙な生き物の、手作りらしいぬいぐるみを大事そうに抱き、頬ずりをして笑っていた。

栂地《つがち》さゆり。それがこの女の子の母親の名前だった。少女とは言えない。実際の年齢は、今年で二十六歳になるはずだという。十八歳は、彼女が娘を産んだ年齢だった。

蒔野は、保健師の説明を受けながら、写真を見つめ、こう訊かずにはいられなかった。

「この女の子の母親は、誰に愛されていましたか……誰を愛していたでしょうか……どんなことで、人に感謝されたことがあったでしょう」

4

栂地さゆりは、中学校の上級生だった少年と恋をし、高校二年のときに妊娠した。彼にそれを告げると、海に面した岬の展望台で夕日を見ながら結婚しようと言われた。彼は進学せずに電気設備会社に就職し、彼女も高校をやめ、アルバイトをして出産資金を貯めた。双方の親は反対したが、二人の意志は固く、やがて娘が生まれ、夕日を見ながら誓った想いを娘の名前に刻んだ。子どもの誕生で親たちは軟化したものの、翌年さゆりの母親が以前からの病気が悪化して亡くなった。落ち込む彼女を、彼が支え、幼い娘も支えとなった。彼女は娘のアトピー性皮膚炎を治すため、食べ物や掃除に注意した。ぬいぐるみもダニがアトピーの原因となるため、自分で作って娘に与えた。そして娘の三歳児検診の日、アトピーが少しよくなっていると確認され、喜ぶ大人たちの姿に、娘もはしゃぎ、母親の頰に何度もキスをした。その直後、川辺へハイキングに行った家族を悲劇が襲った。夫の両親は、二人を見殺しにしたと彼女を責め、葬儀後、二人の遺骨を強引に引き取っていった。しばらくして彼女は町を出た。捜索願など出す者はいなかった。

「いい子なんです、本当にいい子なんですよ。どうして殺されたんです？　子どものアトピーに悩むほかのお母さん方に、経験者として親身にアドバイスして、とても感謝されていたんです」

保健師のその言葉も引用して、蒔野は徹夜で記事の草稿を書いた。自称十八歳の少女は、決して殺されても仕方のない人物ではなかった。夫と娘を愛し、また愛され、二人から、そして周囲からも感謝されていた、深く悼まれるべき女性だった。そう締めくくり、早朝、デスクへ送った。

海老原からはすぐに返事があり、枠を取るから、早急に確認を取るよう求められた。

蒔野は、空暮美という幼女の写真のコピーを弁護士へ送った。その日のうちに返事があった。被疑者は、写っているぬいぐるみが死んだ少女の持っていたものと同じだと認めた。

それを受け、埼玉県警の強行犯係長に連絡をとり、経緯を告げた。被害者にまず間違いない女性が直接手でふれた写真と、押収している被害者の所持品に残された指紋を照合すれば、この件の裏は取れる。記事の載った週刊誌が世に出るまで、警察がそれを確認する時間はある。警察側がこの情報を無視しても、指紋照合の話を削るだけで、記事が載ることに変わりはない。

「検察が週刊誌を見て再捜査を指示する前に、係長が先に検察の鼻をあかしちゃどうです？」

翌朝、係長と部下が豊橋を訪れ、蒔野は案内に立った。次の日には、被害者は栂地さゆりだと警察内部で断定され、即座に検察へ報告された。蒔野にも連絡が来て、海老原へ報告、三日後の週刊誌発売に合わせ、広告の右トップで記事が宣伝されることが決まった。

その夜、蒔野は自分の部屋で別れた妻からの電話を受けた。

数時間前、京都にある美術書の専門出版社へ電話を掛け、彼女の現在の夫に自己紹介し、身内の不幸を彼女に伝えたいのだが、と話した。相手は恐縮し、彼女に電話をさせると約束した。

もしもし、と呼びかけてくる彼女の声は、鎧《よろい》を身につけているかのように硬く重かった。

「突然お電話をして申し訳ありませんでした。いきなりでご迷惑をかけたかと思います」

蒔野はぎごちないなりに敬語を心掛けた。「やはり伝えておきたいと思ったものですから」

「お身内に不幸があったそうですけど……」

「ええ。父親が、死んだんです。喉のところにできた腫瘍が転移して」

彼女が息をつめる気配が伝わる。その息がゆっくりと吐かれ、

「ご愁傷さまでした。いつですか。おいくつでしたの？」

蒔野は、相手の問いに短く答えて、

「子どもの誕生祝いを持って訪ねてきた女性を覚えてませんか。彼女が看取ってくれました」

「仲直り、なさったんですか？　だって、もう亡くなったと、前におっしゃってたでしょ」

「……いや、仲直りはしてません。いまも許しちゃいない。ただ、許さなくても、弔うことはできるかもしれないと思ったものだから……。父親は、手術で声を失う前にテープにメッセージを吹き込んだんです。まだ見ぬ孫へ向けて、という想いで」

相手は黙っていた。形のよい眉のあいだに皺を寄せているのが見えるようだ。

「あの子に聞かせてほしいわけではありません。おまえのおじいちゃんはもう死んだと、わたし自身が教えたのですから。……わたしのことも、どう伝えられているか、知っています」

「……もしかして、ブログを？」と言う彼女の声は、後ろめたさを含んでいた。

「読みました。仕方がないことだと思っています」

「あなたのことは忘れさせないと、いまの夫《ひと》に悪いと思って……」

それだけでなく、彼女は裏切った蒔野にずっと腹を立てていたのだろう。

「ええ。わかってます。それはいいんです。ただ……いつか、話してやってもらえないですか」

「あなたが……本当は、生きているということを？」

「わたしが嘘をついたということをです。おじいちゃんは生きていたということ。そう言わないと、わたしが苦しかったということを。きみの誕生を喜び、プレゼントを渡そうとしたし、亡くなる前に、きみにたくましく生きていくようにと言い残したということを」

息子が産まれたとき、生命のかたまりが目の前に存在する強さに圧倒された。産まれて間もなく、蒔野の指をぎゅっと握ってきたときには、胸の内が熱いもので満たされた。自分はわが子を愛した瞬間がある……そう伝えたい想いが突き上げるが、ただの身勝手だと思い、自制した。

「わかりました。いつか、時機が来れば……お約束はできませんけど」と、彼女が答える。

「ありがとう。こちらの都合ばかり言って、失礼しました。では、ごきげんよう」

蒔野が電話を切ろうとすると、あの、と呼び止める声がした。はい？　と聞き返す。

「あなた……蒔野さん……お変わりに、なりましたね」

彼女の声は、鎧を少しだけ脱いだかのように聞こえた。それがかえって心苦しく、

「いや、何も変わっちゃいないです。変わるような人間じゃありません。じゃあ、失礼」

電話を切ったあと、酒をグラスにつぎ、理々子から渡されたスケッチブックを開いた。『水をのみたい』『足がかゆい』『おなかがはる』『おむつキライ』などの言葉が書かれ、初めは太く叩きつけるような字だったが、『抗太郎をよべ』『抗たろうはなぜ来ない』『抗タローに会いたい』と書かれた字は次第に細くなり、『抗、つれてきて』『抗、はなしたい』という字はふるえ、かすれたところは涙の跡のように見えた。そして唐突に、霊園名と、園内のものらしい地図があらわ

れた。線はゆがんで、よくわからないが、霊園事務所で聞けば、たぶん確認できるはずだ。渡されたテープもこの際聞いてみることにした。妻や息子にした仕打ちを忘れ、しゃあしゃあと孫に愛情を伝え、思いやりを大切になどと、あの男らしいインチキを語っているのだろうか。しばらく雑音がつづいた。さあいまか、このあとかと待っても、声はしない。怪しく思って、先へ進めたが、最後まで声は入っていない。裏面を聞いても同じだった。理々子がわざわざこのようなテープを渡すはずがなく、考えられるのはただ一つ、録音を失敗したのだ。

蒔野は笑った。ばかだな、これで最後って肝心のときに……。あんたはとことんだめな奴だ。テープを初めから掛け直した。雑音だけを聞きながら酒を飲む。テープが終わり、かちり、とレコーダーのスイッチが上がったとき、声が洩れそうになり、口もとを手で押さえた。

このテープは捨てずにおこうと、そのとき思った。これなら持っていられる。

これだけが、あの男にも善いところがあったとゆるせる唯一のものだから。

蒔野の記事は評判を呼んだ。生きたまま火をつけられた少女の映像がセンセーショナルだっただけに、人々の記憶に強く残っていたのだろう、彼女が実は愛する夫と娘を亡くした成人女性で、自暴自棄の余り流転《るてん》し、ついには恐ろしい悲劇に見舞われたという事実は、同情や好奇心をそそってか、駅売りの週刊誌は初日だけで前号比一・二倍の売れ行きを示した。蒔野が彼女の同級生を捜し当てて借りた、彼女の結婚写真と、ぬいぐるみを抱いた娘の写真も利《き》いたらしい。各テレビ局のワイドショーから編集部に問い合わせがあり、早々に記事の第二弾掲載も決定した。

蒔野は、海老原からのその連絡を、父親が買った墓の前で聞いた。

霊園の一番隅で、古い物置小屋をつぶして去年売りに出した場所だという。墓石ももう建っていた。小さく目立たず、安い石だと一目でわかる。確かめに来ただけで、遺骨は持ってきていないが、こんな場所に骨を埋《うず》めることに父親がこだわったかと思うと、妙にもの哀しかった。

栂地さゆりは、無縁仏の穴にはまだ入っていないと、埼玉県警の強行犯係長から聞いた。故郷に実家の墓があるらしいが、できれば夫や娘と同じ場所で眠らせてあげられないだろうかと、さゆりの夫の両親に、彼の上司が事情を聞くついでに、それとなく話す予定があるという。

彼女を殺した主犯の担当弁護士からは、苦情の電話があった。ああした記事では依頼人の心証が悪くなると、声が冷たかった。記事の第二弾を考えるなら、弁護士との協力関係は保っておくべきだが、彼女のことはもう書き終えた気がする。それよりいまは東北へ飛びたい。

ホームページの『悼む人』のサイトに寄せられた最新のメールで、静人が宮城県の仙台あたりまで下りてきているのがわかった。どうやら女と二人連れというのは本当らしい。

彼は石巻《いしのまき》の港で目撃されていた。近くの海上で漁船が転覆し、三人が死亡していた。静人と思われる男は、その三人のことを聞いて回り、なぜ知りたがるのかと訊いたメールの送り主である漁協職員に、「悼ませていただきたいのです」と答えた。同じようにリュックを背負った若い女がそばにいたと、メールには書かれていた。男が桟橋《さんばし》に膝をつき、海と空へ向けて手を差しのべ、その手を胸に当て、こうべを垂れるあいだ、女は彼の行為をじっと見ていた。

蒔野は、この漁協職員にメールで質問し、返ってきた答えによって、年格好からも男は静人だと確信した。だが女は誰かわからない。ジャーナリストか、彼の信奉者か。まるで影のように静人と一緒に歩き去ったという女のことを、蒔野は知りたかった。いや、それよりもまずは静人と話したい。彼としばらく旅をしてもいいかもしれない、とさえ思った。

おりよく、と言っていいのか、岩手で暴力団幹部が拳銃で数発撃たれて死亡した。この件を取材したいと海老原に申し出た。即座に反対された。いまさら暴力団同士のいざこざなど記事にならない。だが蒔野は、豊橋へは成岡を行かせればよいとゆずらなかった。結局、蒔野が電話で成岡の動きを指示し、記事のチェックもすることを条件に、岩手での取材が許された。

蒔野は、自宅へ戻って、静人に数日ついて歩く準備をした。もしかして、そのままずっと奴と歩くなんてことにはならないだろうな……と、独り言を口にして、思わず苦笑した。

暴力団関係者の取材も一応はおこなわねばならず、裏世界で何が起きているのか、夜になって古い付き合いの暴力団員を雀荘に訪ねた。一緒に卓を囲んで、適当に当たり牌《パイ》を振り込みながら、東北での抗争について訊く。相手の受け答えから、内々のやり取りにとどまって、拡大の気配はないと察せられた。そのとき、蒔野は背後に視線を感じた。

振り返ると、店主がカウンターから玄関のほうへ向けて、「待ってよ。煙草を買ってきてほしいの」と言う。ドアからちょうど人が出ていくところだった。黄色いシャツと長い黒髪が、蒔野の目に残る。店主は、「何よ、いま来たばかりなのに。やっぱりウリにしか使えないね」と、蒔野の卓にいる暴力団員を見た。彼は蒔野の捨て牌を食いながら、「使ってやれよ。オトコが中毒だから、金が要んだろ。しかしまあ、どっちも二十までは生きられねえな」と、鼻で笑った。

二時間ほど打って、安めの上がりばかりを提供し、外へ出る。一段と冷え込み、冬が遠くないことを感じさせた。この寒空の下、静人と一緒に歩くなら、用意している服だけでは凍えそうだ。厚手の下着に、上着も寒冷地用のジャンパーに替えて……。蒔野は突然、横腹に衝撃を受けた。息がつまり、腰を折る。目の前にワンボックスカーが止まり、スライドドアが開いた。尻を蹴られて、車のなかへ転がり込む。つづいて人が乗り込み、ドアが閉まって、車が走りだした。

蒔野は髪をつかまれ、窓に二度顔をぶつけられた。跳ね返る勢いで、座席に座らされる。

「よお、やっとこさ見つけたぜ。うちのヨメに、ずいぶんなめた真似をしてくれたらしいな」

目の前で、坊主頭の若者がにやついていた。前歯がなく、側頭部にZ字の剃り込みが入っている。痛みの底で記憶が揺れるが、人違いだと言い返す。唇が切れて、うまく発音できない。

「はあ、ヒロチガイ？　何言ってんのおっさん。よお、こいつで間違いねえよな？」

若者が蒔野の髪をつかんで、後ろのシートのほうへ顔を向けさせた。厚手のジャンパーの下に黄色いシャツを着た、長い黒髪の少女が腰掛けていた。青白い顔と暗い表情に見覚えがある。

「うん。こいつ。あたしの首を絞めて、おまえが死んでも、アッ君はすぐに忘れるって笑った」

「ざけんじゃねえぞ。ヨメの首は絞めるわ、おれの悪口は言うわ。おっさん、あんた死刑だ」

蒔野の鼻に、若者がいきなり頭突きをした。骨の折れたような音がして、顔全体がしびれた。

車は明るい道をしばらく走ったあと、暗い脇道へ入り、裏道を何度も曲がり、また直進して、白いフェンスが片側にずっとつづく人けのない道の端で止まった。

下りろ、と若者が言う。運転席と助手席にいた十代らしい少年が下り、スライドドアを開けた。

蒔野は恐怖を感じて、首を横に振った。痛みをこらえ、発音に気をつけて、

「おれはいま、あんたたちの上にいる人間と遊んでた。彼女も見たろ。付き合いが長いんだ」

「ばーか。死んだら終わりだよ。死体のために、誰が何をしてくれる？」

若者は覚醒剤でも使用しているのか、へらへら笑って、太くて鋭い針が何本も突き出した凶器を拳にはめ、予告もなく、蒔野の顔に叩きつけてきた。鋭い痛みとともに、視界が閉ざされた。失明の恐怖も重なり、悲鳴を上げて必死に暴れる。若者に代わって少年たちだろう、足をつかまれ、引っ張られた。宙を飛んだ感覚のあと、路面らしき場所に全身を打ちつけ、息が止まる。

「ほら、立って歩けよ。声を出したら、いまここで腹ぁ刺すぞ。ドブんなかで死にてえか」

引きずり起こされ、財布や携帯電話の入った上着を脱がされて、尻を蹴り飛ばされた。目を手で押さえたまま、助けて助けてと口のなかで繰り返し、足を動かす。フェンスをはがすような音がして、頭を押さえられ、前へ突き出された。足の下が、土の地面に変わったのがわかる。

「ここは古い団地を壊したばかりで何もない。建設は春からだから、それまで誰も来ない。穴もいっぱい開いてるから、おっさんを埋めりゃ、新しいビルの下敷きで、永遠に出てこれねえよ」

若者の声が、どこにも反響せずに空へ抜けていくように聞こえた。車の往来の音も遠い。

「悪気はなかった、許してくれ。彼女にもひどいことをした。反省してる、許してください」

懸命に懇願する。「共犯の子たちも、一生刑務所で暮らすことになるから、もうやめてくれ」

「ごちゃごちゃうるせえ奴だな。おまえなんか消えても、誰も捜査なんかしねえよ」

若者の声が急に耳もとで聞こえ、脇腹に熱い棒がずずっと入ってくるのを感じた。あっと声が

洩れ、力も一緒に流れ出てしまったように立っていられなくなった。膝をついたところを、蹴り放され、穴らしい低い場所に落ちた。さほど深くないようだが、からだを動かせないので、どうにもならない。手だけを伸ばす。穴の縁にどうにか届く。しばらくもがくうち、足の上にざざっと音がして、砂利らしきものが落ちてきた。板切れのような感触のものも落ちてくる。

「何をする気だ。やめてくれ。頼む、助けて。何でもします。お願いです、許してください」

目が見えないので、ともかく上を向いて両手を合わせ、小刻みに前後に振る。

するど、胸に鈍い衝撃があった。石をぶつけてきたらしい。うっせえんだよ、と若者の声がして、腹部に衝撃が来る。次には顔の近くで石のはねる音がして、恐怖が増した。

「ヒヤ、泣いてやがら。おまえも石をぶつけろよ。おまえが首を絞められたんだ。ほらやれよ」

少女が石を拾うのが、痛みで開かないはずの目に見える気がした。そちらへ向かって、助けて、と首を振る。そのとき、目が本当に一瞬開いたのか、光に似たものが見え、ぼんやりと少女の姿が浮かんだ。髪を金色に染めて濃い化粧をし、炎に包まれながら、静かにこちらを見つめている。

ああ、きみか……きみも、こんな想いのなかで死んだのか……さぞ悔しかったろうな。

「……ひど過ぎる、間違ってるよ……こんな風に死ぬなんて、本当に恐ろしかったろうね……」

蒔野は少女に語りかけた。彼女の姿が透けて、黒い髪の中学生と重なってゆくように見えた。

「何言ってんだ、こいつ。おい、早くぶつけろよ。やらねえと、あとで可愛がってやらねえぞ」

若者の声に光が失せて、視界がふたたび闇に閉ざされた。蒔野は中学生の少女に呼びかけた。

「きみ……聞こえるかい。きみに、或る女性が想いを届けてきてる。そんな気がするんだ……。

せめて、死んだときには誰だかわかるような、そんな生き方をするんだよ、って」

「おいおい、おっさんとうとう狂っちまったよ。ほら、その持ってる石を早くぶつけろって」

「聞いてるかい。きみが死んだとき、誰かわかれば、悼んでもらえる。覚えてもらえるんだよ」

「うるさい。誰にも覚えてなんてほしくない」

少女の悲鳴に近い声がしたかと思うと、蒔野の額に硬いものがぶつかった。笑い声が周囲で起き、大当たりぃと若者が拍手した。蒔野は、雑多な廃棄物で身をおおわれてゆくのを感じた。

「適当でいいよ。どうせ誰も来ねえんだ。おっさん、あんたはこの世から永遠に消えたぜ」

若者たちが嘲笑を残して去る気配がした。その気配も消え、静けさが辺りを満たす。

本当にもう終わりなのか。突然過ぎて、いまだに現実感が乏しい。蒔野が取材してきた事件や事故で亡くなった大勢の人々も、多かれ少なかれ、こうした感覚を抱いたのかもしれない。なぜ、どうして、と。これは本当のことか、現実なのか、いやだ、助けて、自分がどんな悪いことをしたのか、と。でも、どうしても逃れられないと悟ったとき……彼らは何を想っただろう。

蒔野は、別れた息子を想った。おれは死ぬらしいよ、おまえはもう死んだと聞かされていたようだけど、本当は生きていたんだよ。でも今日、本当に死んでしまう。会いたい、会って謝りたい。ずっと一緒にいればよかったのに、ばかだった。おまえに指をぎゅっと握ってもらったとき、本物の幸福に包まれていたんだと、いまはわかるよ。でも、許してくれないだろう……。おれは結局誰にも愛されなかった、愛していたのに伝える術《すべ》を知らなかった。死体が来年の春、運よく見つかったとしても、そのとき、おれは骨だ。身元を証明するものは何もない。悪いこともしたし、嘘をつき、人も裏切った。でもそのときどきはおれなりに懸命だったんだ……なのに、生きている者にとっては、もうただの死体だ。ただの名もなき白骨死体にしか過ぎなくなる。

いや。いやいや……。一人いる。この世にたった一人だけいてくれる。〈悼む人〉よ、おまえは、白骨で見つかったおれのことを知り、いつかここへ来てくれるんだろう？　そして、この人も、きっと誰かに愛され、誰かを愛し、何かで人に感謝されたことがあった人物だと、悼んでくれるんだろう？　膝をつき、おれがまだかすかに感じている風の流れを右手に、おれが埋められているこの土の匂いを左手に受け、胸の前で重ねて、おれのことを覚えようとしてくれるんだろう？　どこの誰かわからなくても、おまえはきっと、善きところもあった人物が、懸命に生きていたはずだと……かけがえのない人間が存在していたのだと……覚えてくれるんだろう？

おまえが生まれた理由がやっとわかった気がする。おまえが〈悼む人〉になったのは、家族とか生い立ちとか、人生で受けた傷とか、いろいろあったかもしれないが、それだけじゃない。おまえもきっと知らない。おまえもわかっていない様子だったものな。おまえを〈悼む人〉にしたものは、この世界にあふれる、死者を忘れ去っていくことへの罪悪感だ。愛する者の死が、差別されたり、忘れられたりすることへの怒りだ。そして、いつかは自分もどうでもいい死者として扱われてしまうのかという恐れだ。世界に満ちているこうした負の感情の集積が、はちきれんばかりになって、或る者を、つまりおまえを、〈悼む人〉にした。だから……おまえだけじゃないかもしれない。世界のどこかに、おまえ以外の〈悼む人〉が生まれ、旅しているのかもしれない。見ず知らずの死者を、どんな理由で亡くなっても分け隔てることなく、愛と感謝に関する思い出によって心に刻み、その人物が生きていた事実を永く覚えていようとする人が、生まれているのかもしれない。だって、人はそれを求めているから……。少なくともいまおれは、おまえを求めているからだ。ああ、もし生きていられたら、おれはそれを語っていくのに。目が見えなくても、誰も耳を傾けてくれなくても、きっと〈悼む人〉のことを語っていくのに。

不意に、蒔野は数人の声と足音を聞いた。一人の足音が、すぐそばまで近づいてきて、

「あっ、いた。本当にいた……。おーい、ここに埋まってるぞー。あ、動いた。生きてるぞー」

蒔野は、自分のからだの上から石や板切れが払いのけられる感触を得た。大丈夫ですか、どこか痛みますか、お名前は、と声をかけられながら、腋《わき》の下や腰の下を支えられ、穴の底から持ち上げられるのを感じる。どこかへ運ばれ、背中が安定する。温かい空気がからだを包み込む。

「助かった……？」と、相手へというより、自問するようにつぶやいた。

「意識が戻ったー」と、頭の上で誰かに報告するらしい大きな声がして、「ええ、助けますよ。いますぐ病院へ運びますからね。お名前、言えますか」と、同じ声が語りかけてくる。

蒔野は、意識を失う前に、早口で名前と職場を伝えた。相手が復唱したので安心して、

「あの……どうして、わたしが、あそこにいると……なぜです」

「ああ、通報があったそうです。あの場所に人が埋まっている、いますぐ行けば助かるかもって。名前は言わなかったけど、若い女の子の声だったそうですよ。目撃者ですかね」

サイレンが鳴り、車の走りだす振動が伝わってきた。蒔野はこう答えようとして、嗚咽《おえつ》がこみ上げ、言葉にならなかった。いい子なんです……本当はいい子なんですよ。

第八章　介護者（坂築巡子──Ⅲ）

1

在宅でのホスピスケアを選択した時点で、もう病院の世話になることはないと覚悟を決めた。万が一、病院へ行くとしたら、たぶん自分はすでに意識のない状態だろうと考えていた。

「へえ、山隅《やまずみ》先生、ここの医大に入るのに二浪したの？　見かけによらず苦労してるんだね」

坂築巡子は、水色の検査着姿で寝台に腰掛け、足をぶらぶら揺らしつつ、現在の主治医である山隅泰介《たいすけ》に笑いかけた。山隅は、小柄で童顔ながら四十二歳、この大学病院で学んだのち、幾つか病院を渡り歩き、二年前に在宅診療所を開設して、主に末期がんの在宅療養患者を診ている。

「先生も、山隅先生と同期ってことは、ここの医大でしょ。現役で受かったんですか」

巡子は、山隅の隣でモニターの点検をしている内視鏡《ないしきよう》検査担当の医師に尋ねた。

いやぼくも二浪ですよ、と相手が笑って答える。巡子は、さらに大きく足を振り、

「そっか。お互い苦労したのを知ってるから、こうした無理も聞いてくれるんだ。あ、笑える謎

掛けを思いついた。いい？〈わたしの胃袋〉と掛けて〈ここの医大受験〉と解く。はい」

「そのココロは？」と、すでに巡子との問答に慣れた山隅が、苦笑を押し隠して訊く。

「そのココロは、〈わりと通りにくいでしょう〉って、どう？」

山隅は、一瞬の間を置いて噴き出し、呆気に取られた様子の検査担当の医師に、いつもこんな感じなんだと目配せをする。相手もそれで安心したのか、くすりと笑った。

「あ、笑った。ね、先生、わたしこんなに元気なんですよ。検査は必要ないんじゃないかな？」

「坂築さん、そろそろ始めましょう。おとなしく横になってください」

と、事情を知っている山隅が優しくたしなめるように言った。

「でも、山隅先生。わたし、ホスピスケアを選んだのよ。治療はしないはずでしょう？」

「その点はご家族と話し合って、からだがいまどんな状況にあるかだけでも調べようと、納得されたでしょう。大切な時間を有効に使うためにも必要なことだと理解されたじゃありませんか」

巡子はついに観念して、大きく息を吐き出すとともに、からだの力を抜いた。

六日前のことだった。洗面所で、食後ずっとでっぱったままの腹部を軽い気持ちで押してみた。強い吐き気がこみ上げ、我慢できずに戻してしまった。しばらくは動くことすらできなくなり、夫の鷹彦や娘の美汐、一緒にいた甥の怜司も動転して、在宅診療所へ連絡した。駆けつけてきた山隅は、丁寧な診察のあと、病気が進行して胃の出口が狭くなった可能性が高いと告げた。

「ともかく検査をして確かめましょう。友人が内視鏡の専門家なので、融通《ゆうずう》がききます」

巡子は気が進まなかった。美汐の妊娠がわかり、孫をこの手に抱きたいという想いから、生活には張りが生まれた。余命宣告通りなら死の影がちらついてもおかしくない時期になっても体調はよく、もしかしたら奇跡が起き、病気がよくなりつつあるのではとさえ考えた。検査をすれば、そんなことは愚かな錯覚に過ぎないと、冷徹な現実を突きつけられそうで恐ろしかった。

（でも……本当によくなっていたら？　検査でそれが確認されるかもしれないじゃないの。）

自分にそう言い聞かせ、内視鏡が体内に入ってくる不快感を紛らわせる。洗面所で戻したあと、半日は気分が悪かったが、翌日にはすっかりよくなった。食事も、おかゆや栄養価の高いスープを、これまでと同じにとれている。問題があるとすれば、以前からつづく便秘だった。処方された緩下剤《かんげざい》を飲むと、少しは出るが、食べたものが下腹につまった感覚は常に残っている。

（そうそう、おかしかったのは……。）

美汐もまたいっそうの便秘で苦しんでいた。母娘《おやこ》でよく便秘の苦痛を食卓で語り合い、死も誕生もごく日常的な下《しも》のことで悩まざるを得ない姿に、偉そうなことを言っても仕方がない、人間はまず生き物なんだから、動物なんだからと、変なところで納得し、二人してよく笑った。

突然、んっ、と強い息づかいが、頭の上で聞こえた。つい目を開く。検査担当の医師の濃い眉が中央に寄っている。モニターの近くに立つ山隅の顔にも緊張が走っていた。

結果は、明日の往診のおりにと言われ、巡子は検査室を出た。山隅たちを笑わせる余裕はもうなかった。着替えてから、受付ロビーに出る。患者やその身内らしい人々が、思いつめた表情で診察を待っている。鷹彦もたぶん同じ表情で待っているだろう。巡子が嘔吐したとき、彼の顔色のほうが悪く見えた。検査を受けることも、ふだん口数の少ない彼が、「受けてほしい」と言うので承知した面がある。なのに今日ここへ来るまでおどおどとして落ち着かず、病院へ入ってからはいまにも帰りたそうな顔をしていた。そばに誰かがいればよかったが、美汐は妊娠七ヶ月目なのに、いまも仕事に出ているし、玲司ももちろん仕事だ。考えてもどうしようもないが、あの子がいてくれたら……と、本来頼りにしたい長男のことを思わずにはいられない。

つらくなって視線をさまよわせるうち、ロビーの隅の観葉植物を置いてある近くに鷹彦の姿を認めた。無防備な背中をさらして立ち、窓辺に顔を寄せ、横顔にはうっすら笑みを浮かべている。予想していた表情とは正反対の顔のゆるみに、巡子は裏切られたような想いがした。憤然として歩み寄り、声をかける前に、背中をどやしつけてやろうと背後に立つと、

「そうすればいいんだ……ああ、そうすればいいんだよ……」

彼は、笑みを含んだ独り言を口にした。巡子は、腹立ちに不審も重なり、

「何をどうするつもりよ」

と、からだごとぶつかるように彼の背中を押した。

鷹彦は、驚きからか痛みからか、身を硬くして、無表情を取りつくろう。

「また入院させるつもり？　悪ければ、入院させればいいと思ってんの？」

鷹彦が目をしばたたく。問いつめるほど相手が黙り込むのは知っている。結婚前は、彼のそうした性癖を、幼い兄が空襲によって亡くなった衝撃の影響だと同情し、口数の少なさは、思慮深い性格ゆえだと好感を持った。だが結婚後は、生活上必要な場合でさえはっきりものを言わないことに苛立ち、他人に対してこちらに権利があることでも要求しないため、家族が損をすること

もあり、いい加減にしてと怒ったことは数かぎりない。次第に慣れはしたが、主張や反論をしてほしいとき、ただ目をしばたたいて黙られると、いまでもどうかすると腹が立つ。

「どうだったとか、大丈夫かとか、心配ないよとか……言うことはいろいろあるでしょ」

巡子の言葉に、鷹彦が口を開いた。だが、そのどれを言葉にすれば妻の気持ちに沿うのか思いあぐねているらしい。彼女は、いっそ相手をいじめてやりたいような衝動をおぼえ、

「もういいよ。あーあ、もっとしっかり自分の気持ちを話せる人と結婚すればよかった」

と捨てぜりふを残し、タクシー乗り場へ向かって歩きはじめた。

その日は、家に戻ってからも腹立ちがおさまらず、検査の疲れや、悪い結果が予想されることの不安も、すべて鷹彦のせいにして、帰宅した美汐に対して彼の表情や言葉のことを告げた。

「いざとなればさ、入院させればいいと思って、平気で笑ってんの。それとも、わたしのお葬式のことを考えていたのかしら。お葬式は、最低のクラスにすればいいんだとかって」

むろん鷹彦がそんな人でないのは承知しているが、誰かを責めるようなことを口にしていないと気が滅入《めい》る。美汐が、本当なの、と鷹彦に確認した。彼は庭の花に水をやりに立った。

翌土曜日、仕事が休みの美汐と三人で、往診に訪れた山隅の話を聞いた。怜司は急の仕事が入り、片付き次第に駆けつけるという。ほかには訪問看護師の浦川《うらかわ》も同席した。

山隅は、巡子が余命宣告を受けていることから、検査結果も隠さずに話したいと言い、巡子もそのようにお願いしたいと答えた。

「やはりがんの進行により、胃の出口付近が狭窄《きょうさく》しています。内視鏡が途中で止まり、或る場所

から奥へは入りませんでした。わずかにまだ隙間が残っていて、現在は細いものとか水分などは通ります。ただし、早い時期に、この隙間も閉じてしまう可能性が高いと思います」

「その隙間がなくなったら……？」と、巡子は尋ねた。

「出口がないので食事をとれなくなります。つまり、生きるのに必要な栄養が摂取できません」

山隅は、持参した紙に胃や腸の絵を簡単に描きながら、こうした場合は胃の途中から小腸へつなげるバイパス手術がおこなわれるが、巡子については別の検査で腹水があることがわかっているため、手術はできないと話した。あとは、ステントを留め置く処置が考えられるという。

「いわばホースのようなものを胃の内側に残し、狭窄が進んでも、胃で消化された食事が、そのホースのなかを通過して、腸へと流れる……そんな道を造る処置です」

「そんなことをして、いまのわたしに危険はないんですか」と、巡子は質問を重ねた。

「坂築さんの胃は、狭窄の具合がややねじれた感じになっているので、うまく留置できるか、実はやってみないとわかりません。また出血、穿孔《せんこう》、感染の可能性があり、処置自体は成功しても、調子を崩されて、以後はずっと入院生活を送らねばならない場合も、ないとは言えません」

「じゃあ……その処置がうまくいけば、あとどのくらい生きられます？」

巡子は率直に訊いた。山隅は言い迷っていたが、巡子がうなずくと、覚悟を決めたらしく、

「胃の問題だけなら、この処置により、あと三ヶ月は……と期待しています。ただし黄疸《おうだん》が出ていらっしゃいますし、ほかへの転移も考えられますので、正直、はっきりとは申せません」

と、苦しげな表情で答えた。巡子は、頭のなかで天秤《てんびん》ばかりが揺れているような気がした。

「では……処置を受けなかった場合は、あと、どのくらい？　一般論はいいの。先生が診てきたわたしの状態からして、いつ頃にそれが来るが、はっきり聞かせてほしい」

「……個人差のある病気なので、誤差はありますが……ひと月、と思われたほうがよいかと」

なお、黄疸については、がんの転移による肝機能障害の場合は薬による治療法はなく、現在の病期では、とくに治療はしないことを告げて、山隅たちはいったん帰っていった。

三人は、それぞれ考えをまとめるためしばらく黙っていた。鷹彦が先に話すわけもなく、巡子が切り出すか、美汐が口を開くか、お互いをどう説得するか、牽制《けんせい》し合うような間があって、

「わたしは、このままでいいかな。処置は受けないで、やっていくよ」

巡子が先に、わざとさばけた口調で言った。答えを予期していたのか、すぐに美汐が、

「待ってよ。よくなる可能性があるんだよ。受けたほうがいいと思う」

「よくなるわけじゃないでしょ。ほんの少し、残り時間が延びる可能性があるってことよ」

「それだっていいじゃない。命が少しでも延びるんだもの。有り難いことじゃないの」

「短くなる危険もあるのよ。病院から二度と出られなくなることも、考えられるんだから」

巡子に迷いがないわけではない。だがいまは台所に立てる。庭に出て、好きな花の植え替えもできる。自分の足で行きたいところへ行けるし、何よりトイレに一人で行ける。ベッドに縛り付けられるようにして亡くなった彼女の母は、排泄のことが最もつらそうだった。おむつをつけることになって、悔しがり悲しがり、それをきっかけに痴呆が進んだようにも見受けられた。

「孫の顔を、見たくないの？」

美汐が言う。いわば卑怯な殺し文句で、美汐もそれを理解しているのだろう、顔を伏せた。

「もちろん見たいよ……初孫だもの。だからさ、がんも待ってくれるかもしれないでしょう」

巡子は、娘の気持ちを思いやって、言い返す調子でなく、むしろ相手を励ます想いで言った。

美汐は、切なげに顔をゆがめ、なお納得しきれないのか、

「お父さんは、どうなの？」

と、鷹彦に意見を求めた。巡子もそれは知りたい。だが、彼はふだん通りの表情で、

「お母さんが、そう決めたんなら……」

と、ごく平静な声で答えた。巡子は肩をすかされた想いで、

「そりゃそうよ。わたしのお葬式の算段をしてる人なんだから、文句があるはずないじゃない」

と、憎まれ口を叩いた。鷹彦は困ったように、白髪の増えた頭をしきりに掻《か》いた。

「それより、美汐……おなかの子はどうなの。まだ心音は聞こえてこないのかしら」

巡子は、身をかがめて、ワンピース姿の娘のおなかに耳をつけた。じきに二十六週を迎えるおなかは、ずいぶん前にせり出してきた。服を通しても豊かな丸みが感じられ、頬に心地よい。

耳を当てる場所をいろいろ変えるうち、不意に、トクトク、と聞こえた。思わず顔を起こし、美汐の顔を見る。娘の心音のわけがなく、もう一度耳をつける。トクトク、トクトク……。

「聞こえたっ。心臓の音が、聞こえたよ」

かすかではあるが、まるで海の底で息づく生命の鼓動が、波を小刻みにふるわせて届くように、巡子の鼓膜もふるわせる。美汐も驚き、どんな感じか尋ねてきたり、巡子が鷹彦にも聞いてみる

ように勧めたりするうち、ちわーっすと玄関から空元気《から》を感じさせる声を発して怜司が現れた。彼は、医師がもう家におらず、巡子たちが晴れやかな表情でひとつところに集まっているのを見て、緊張していた表情をゆるめ、おー、よかったぁと吐息をついた。

「やったねぇ、伯母さん。おれもそうだろうとは思ってたのよ。検査結果、よかったんだ？」

翌週、巡子は体調がよいこともあり、美汐の定期検診に、タクシーに同乗してついていった。病院の玄関からは、美汐のいまの歩幅が巡子にはちょうど合い、二人してゆっくり歩いた。秋祭りの実行委員会の会議と重なる日で、鷹彦に出席を頼んだ。欠席でもよかったが、先日の鷹彦の不審な独り言へのわだかまりが残り、彼に対する罰、と巡子なりに考えてのことだった。

美汐は、診察前に血液検査と尿検査を受け、計測室で各種の計測と、胎児の心音を確認された。胎児の心音は機械を妊婦の腹部に当てて聞くらしく、巡子が部屋の外で待っていると、シュワ、シュワ、シュワ、と水中で大きな泡が弾けるような音が、廊下まで聞こえてきた。

小児科を併設した産科専門病院は、周辺地域から多くの妊婦や患児が集まるため常に混雑しており、診察予約は午前十時に入っていたが、二時間近く待っても順番が来ない。巡子はさすがに疲れて、ロビーの椅子に沈み込むようにして待った。先に帰っていればと美汐が勧める。大丈夫と首を横に振った。孫が無事に育っていることを、担当医の口から直接聞きたい。男でも女でもよい、どうか五体満足で健康に生まれてちょうだいと、心のなかで何度も祈った。

正午過ぎ、ようやく名前を呼ばれた。担当医は五十歳前後の太った男性で、前に会ったおりの

丁寧な説明と鷹揚《おうよう》な態度に、巡子は信頼を置いていた。彼は、パソコンで検査結果を確認し、

「血液にも尿のほうにも悪い数値は出てないし、順調ですね。どう、つらくなってきたかな？」

医師の質問に、美汐は正直につらいと答えた。つわりや便秘のほか、階段の昇り降りがきつく、寝ていて足が攣《つ》ることもあるという。医師は、太い顎《あご》を引いてうなずき、

「どれも仕方のないことばかりだなぁ。からだのなかで、新しい命が育っている証拠だからね」

その言葉を聞いて、巡子は不思議な感慨をおぼえた。民間病院のがん病棟で知り合った患者たちに聞いた話だが、巡子のなかで育っているがんも、『新生物』と呼ばれるという。この病気で亡くなれば、死因分類上は、『悪性新生物』という用語を使われるらしい。すでに亡くなったが、同室だった未婚の患者が、もう立てなくなったある夜、新しい生物を宿すなら赤ちゃんがよかったのになぁ、と寂しげに言ったとき、巡子は何も答えてあげられなかった。

「ねえ、お母さん、そうだったでしょう？」

声をかけられ、我に返った。産科医がこちらを見ている。

「これから、赤ちゃんがどんどん動きだしたら、もっともっとつらくなるって話ですよ」

「あ、ええ、そうですよね。もっと大きく育ってくれれば、本当にきつくなるんだから」

美汐を脅すように言いながら、自分の病気とも重なると思うと、笑みがつい途中で固まった。

診察が終わり、美汐が支払いを済ますのを巡子はロビーの椅子に座って待った。

並びの椅子に、ベビーカーを押してきた若い男女が腰を下ろす。美汐や怜司と似た印象のカップルで、どんな赤ん坊かと、巡子は力を入れて身を起こし、ベビーカーのなかをのぞいた。

赤ん坊は障害を抱えていた。脳にダメージがあるのか、頭部の形が一般とは異なり、目も見えていないかもしれない。だが、両親であろう若い男女は明るい表情で、「よかったなあ」と男性が嬉しそうに言い、女性も「本当よねえ」とほほえむ。「光に反応したもんな。全然見えない可能性もあったんだから、すごいよ」と男性はうなずき、女性はそっと赤ん坊の頭を撫でた。

巡子は、からだを戻し、顔を両手でおおい、その手を祈る形で唇の前で合わせた。

ごめんね、ごめんなさい、と胸のうちで謝る。わたしは浅ましい人間だ、どれだけ恵まれているか、すぐに忘れてしまう。静人はここにいなくても、蒔野という記者の話では、元気に旅をしているという。美汐のおなかに宿った命は順調に育っている。わたしは、その命の心臓の音を聞くこともできた。それだけでもありがたいのに、生まれてくる子に、どうか五体満足で、と祈ってしまう。どんな子でも、親であれば可愛く、いとおしいはずなのに……。去っていく若い両親と赤ん坊の乗ったベビーカーを見送りながら、どうぞおすこやかに、と巡子は祈った。

「お母さん……どうかしたの、どこか痛むの？」

いつのまにか美汐がそばに立って、心配そうに彼女を見ていた。巡子は目もとをぬぐい、手を伸ばして娘のおなかにふれた。どんな姿でもいいの、この世界に生まれてきてちょうだい、と語りかける。美汐が、その手の上に自分の手を重ね、

「お母さん、あのね……わたし、ずっと迷ってたけど、いまさっき決めたよ」

と言う。美汐は、さらに巡子の手の上から、自分のおなかへ向けてそっと力をこめた。

「この子……家で産む」

2

巡子も鷹彦もそれぞれ自宅で産まれている。かつては誰もがそうだった。高度経済成長の前後だろうか施設での出産が増え、巡子も病院で静人と美汐を産んだ。それがここ数年、自宅で出産する人が増えつつあるという。巡子なりによいことだと思っていたが、しょせん他人事《ひとごと》だった。初産《ういざん》だし、これまで診てくれた病院で産むほうがよいと、巡子は自宅に戻るあいだずっと反対した。美汐はかたくなに家で産むことを主張してゆずらず、はっきりした理由も言わない。

鷹彦に応援を求めたところ、彼は何度も目をしばたたき、美汐に対して、

「……いいのか」

とだけ問うた。美汐はすでに心を決めているらしく、迷いなくうなずいた。

「じゃあ……」

と、鷹彦はダイニングの椅子で休んでいた巡子を振り向いた。彼女は呆《あき》れて天を仰ぎ、

「じゃあ、って何よ。ここで、この場所で、娘が出産する気なのよ。わかってるの？」

「ひとりで産むんじゃないよ。助産師さんについてもらうんだから」と、美汐が言い返す。

「四六時中、看《み》てくれるわけじゃないでしょ。赤ちゃんが出てくる予定日には、その頃には」

（言ってしまえ、言ってしまったほうがスッキリする。）

「わたしは、もういないんだよ」

何かが爆発しやしないかとさえ恐れた。だが家のなかは静まり、美汐は表情のない横顔をこちらに向け、鷹彦はうつむいてじっとしている。沈んだ空気に、巡子自身が耐えきれず、

「だって、実際その可能性のほうが高いんだから……。ねえ、病院で産みなさいよ」

「……いやよ」

美汐は短く答えて、話を打ち切るように、おなかに手を置いて二階へ上がった。

巡子は、怜司を応援に呼んだ。仕事を終えて駆けつけてきた彼は、巡子の意見に賛成した。

「先輩の奥さんは、麻酔で痛みをやわらげて産んだってさ。わりと楽だったらしいよ。ちょっと膝をすりむいたくらいでビービー泣いてたミシには、そういうほうが合ってんじゃないの」

「うるさいよ、怜司。あんたこそ、犬のふんを踏んだだけでギャアギャア泣いたじゃない」

ばか言え、おまえこそ……嘘つき、あんたは……と言い合う二人を見て、学校が長い休みに入ると怜司がわが家を訪れ、静人と美汐の三人で仲良く遊んでいた日々を、このあいだのことのように思い出す。同い年の二人が喧嘩をするたび、静人が取りなしていた。彼が怜司に、美汐はああ見えて怖がりだから守ってやれと話しているところや、美汐に対し、怜司は一人っ子だから寂しいんだとさとしているところを、巡子は見たことがある。そんな彼を頼もしく思っていた。

「……静人がいてくれたらな」

ふだんは気をつけていた。美汐が恋人に別れを切り出されたおり、理由にされたのが、世間から見れば怪しい旅をつづける静人の存在だった。美汐にとって、いま静人の話をされるのは、生乾きのかさぶたを剝《は》がされるような想いかもしれない。といって、このまま黙るのもおかしく、

「ほら、つまり、あの子がいれば、もう少し考えるようにって、言ったと思わない？」

「お兄ちゃんなんて関係ないでしょ。いない人が何を言うかなんてわかるわけないし。とにかく助産師さんと話してみる。受け付けてもらえるか、まだわかんないし、話はそのあとにしよう」

美汐は、苦しくなったのか、大儀《たいぎ》そうに息をつき、居間の壁にもたれて、おなかを撫でた。

「大丈夫なの？」

巡子は、娘に近づこうとソファから立った。急な動きに腹部の内側で何かが揺れ、むかつきをおぼえる。こらえるために口を閉じ、息をつめた。鷹彦がこちらを振り返り、視線が合う。彼が座卓の前から立ってこようとする。巡子は、座っているようにと目で伝えた。

「なんだかおなかが減り過ぎて、気持ちが悪くなってきちゃった感じ」

美汐が目を閉じたままで言う。怜司も合わせて空腹を訴えた。二人とも巡子の状態には気づいていない。彼女はそっと息をついた。内側の揺れは痛みにも嘔吐にもつながらず、小石を放られた水たまりのように波紋を広げただけで、胃の底に滞留《たいりゆう》する感覚だった。明るい声を心がけ、

「いっけね。夕食を作んの、忘れてた。有り合わせでいいよね、パッパとやっちゃおうか」

言葉とは裏腹に、体内の水たまりを揺らさぬよう、ゆっくり動きだす。怜司が気づかってか、

「冷凍もんを温めたんでいいよ」と言うが、「新鮮さがウチの売りっすよ」と巡子は台所へ立ち、

「我慢できない」と美汐も台所へ来てパンをかじる。「何か手伝うよ」と言う怜司と、無言で食器を出しはじめた鷹彦と、気がつくと全員が集まり、「狭いのに何なの」と巡子は苦笑しつつも、人の体温は心地よく、皆も同じなのか、しばらく狭い空間に身を寄せ合うようにしていた。

土曜日の夕方、助産師が訪ねてきた。年齢は三十代後半か、顔もからだも余分な肉のついていない陸上選手のような印象で、瞼の薄い切れ長の目の底に、堅忍《けんにん》な意志が感じられる。髪は後ろでひっつめ、アクセサリーは身につけておらず、左目の下の泣きぼくろが唯一の飾りに見えた。

姜久美子《かんくみこ》というその女性は、居間の座卓の前に座り、向かいに美汐が、巡子は居間の窓際に置かれたソファに、鷹彦はソファと座卓のあいだに座って、怜司はダイニングの椅子に腰掛けた。

美汐によれば、施設に勤めず自宅出産だけを扱う助産師を出張開業と呼ぶらしい。インターネットで調べた結果、近くに老齢の開業助産師がいたものの、病気で休んでいた。また、離れた地域で出張開業をする助産師のほとんどが、美汐がすでに妊娠七ヶ月であることに難色を示した。或る助産師はその時期はもう手いっぱいと言い、別の助産師は早くから自分のプログラムに従ってもらわなければ無理だと断った。都内で活動する姜には、当初は地理的に遠いことで断られたが、美汐は再三頼んで、話だけでも聞いてもらえることになったという。

美汐は、超音波検査のおりに撮られた写真や、母子手帳への書き込みなどを姜に見せ、胎児の成長が順調であることを伝えた。確かに美汐は安産だろうと、巡子も聞いていて思った。

「病院でお産みなさい。そのほうがあなたにはいいですから」

姜は、表情も変えず、冷淡にさえ感じられる声で言った。

「でも、母体は健康ですし、問題はないと思うんですけど」と、美汐が不審そうに問い返す。

「問題はあります。一つは時間が経ち過ぎていること。通常は十五、六週までに面談し、以後の出産計画を立てます。それに、ここまでよく診てくださった病院に対する礼儀もあるでしょう」

「病院のほうへは、わたしが失礼のないように話しにいきます。わかってもらいます」

「最も大きな問題は」

と、姜が巡子を見た。相手の強い視線に、巡子はわずかにひるみを感じる。

「お母さまはここで病気の療養をなさってるんでしょ。そうした場所で陣痛を迎え、ひと晩、ときにはもっと、いきんだり休んだりを繰り返すのは、双方にとって大きなストレスになります」

美汐が何か言いかけ、あきらめたように顔を伏せた。姜がそれを見て、帰り支度をはじめる。

鷹彦が巡子を振り返った。その目が、いいのか、と問うている。美汐がなぜ自宅出産にこだわるのか……鷹彦と話し合ったことはないが、たぶん考えていることは同じだろう。

山隅の宣告以来、巡子はあと一ヶ月をどう過ごすか考えつづけてきた。在宅で過ごすことを選んでから、死後のことについては準備をつづけ、ほぼやり残しはない。預貯金の整理をし、遺書も書き、死後に投函《とうかん》してもらう身近な人々への礼状も書き上げてある。宣告から約一週間が経つが、胃の完全閉塞後もすぐに死ぬことはなく、維持輸液《いじゆえき》などを用いれば一週間前後はもつというから、ほぼあと四週間……。一週目は死後の用意の確認にあて、翌週は地域の秋祭りを手伝って、長年暮らしてきた町と、近隣の方々へのお礼の言葉に代えようと思う。三週目は滋賀へ旅行し、親友であり、鷹彦の妹であるみのりと会い、別れを告げたい。さらに四国の今治《いまばり》へ足を延ばし、鷹彦の父が亡くなった海に、もう一度手を合わせられたらと願っている。そして四週目、両親と兄の墓に参るほかは家でじっとして、平凡でも精一杯生きてきた生涯を振り返ろうか……。

こうしたことは鷹彦も考えているだろうし、美汐もだろう。彼らは肉体的な実感を伴わずに巡子の状態を想像するため、かえって当人よりつらく考え過ぎる場合もあるに違いない。

「あの、姜さん……少しお待ちいただけますか。わたしの話を、聞いていただきたいんです」

巡子は思い余って切り出した。姜が不審そうに顔を上げ、立とうとしていた腰を戻した。

「実は、わたしの病気は、末期のがんなんです。いまは平穏に過ごせていますけど、あとひと月くらいだそうです。だから、ご心配なくというか、出産の頃……わたしは、たぶんいません」

「……やめてよ」

美汐がかすれた声で止める。巡子は、娘と大きくなったおなかをいとおしく見つめ、

「娘はそれを認めたくないんです。願掛《がんか》けみたいなものかもしれませんが、家で産むとなれば、孫の顔見たさに、わたしがもう少し踏ん張るんじゃないかと、期待しているんでしょう」

姜が美汐に目を移す。美汐はうつむいたままでいた。鷹彦がまたこちらを振り返る。巡子は、夫の柔らかな視線を受け、うなずいた。やはりこちらが折れるしかないのだろう。

「怖がりの娘がそうまでして願ってくれるものなら……わたしも少し踏ん張ってみようかなって思います。姜さんのほうで、病人の存在がおいやでないなら、引き受けていただけませんか」

姜は、真意を見極めるかのように巡子をじっと見つめ、その目を美汐に移した。

「来週水曜日の午後、あいてますか」

彼女が美汐に言う。「いま診てくださっている病院が引き続きバックアップしてくださるのがベターですが、だめな場合、わたしの知り合いの産科医の診察を受けてもらいます」

美汐が顔を起こした。姜は持参したリュックから一枚のプリントを出し、座卓の上に置く。

「ただし、わたしが産ませるのでなく、あなたが産むんです。ここにある運動を毎日つづけ、栄養摂取の目安も書いてあるので注意してください。体重が増え過ぎたら、病院で産んでもらいます。子宮の収縮が起きやすくなるので、いまみたいな薄着もだめ。そちら、パートナーの方?」

彼女に見られて、怜司が背筋を伸ばし、意味がわからないのか、あいまいにうなずいた。

「いろいろサポートしていただきますから。ストレスは血液中のホルモンを通じて胎児に伝わるので、喧嘩は禁物です。夫婦生活はまだ可能ですが負担をかけないように。検査はしました?」

「え、おれ、が、ですか。え、検査って何?　大きさ?」

「菌などお持ちだと、胎児に感染する可能性があるでしょう」

姜がじれったそうに言う。美汐が説明しようと口を開くが、怜司がその前に椅子から立って、

「あ、はい、ですよね。検査しときます。この先、何があるかわかりませんもんね」

と、水に入る前のように手足を振った。美汐は言い返す気も萎《な》えてか、深くため息をついた。

姜が、厳しい顔だちのなかにうっすら優しさがにじむ表情で、巡子に対して、本当に大丈夫なんですか、と問うかたちで首を傾ける。巡子は黙って笑みを返した。


家のなかにいても、太鼓の音が響いてくる。

一年ぶりに出した法被《はっぴ》を羽織ってみて、ずいぶん重たく感じた。巡子の体型に合わせて婦人会で作ってもらった法被なのに、本来肩にあたるところが腕まで落ち、袖口から手が出ない。

去年までずっと婦人会の先頭に立って、彼女の暮らす地区の山車《だし》が進むルートを警察と話し合い、山車を引く若い衆を激励して、集会場では食事や酒をふるまうために働いた。今年その仕事は、婦人会のなかで振り分けられ、「巡子さんがいないと大変よ、早くよくなってね」と言われて嬉しく、「でも、みんなで協力してやってるから大丈夫よ」と言われて寂しくもあった。

今年は子どもたちの提灯《ちょうちん》行列の世話役を任されたが、「病み上がりだし、そばについて歩くだけでいいから」と言われ、幼い子どもが迷子にならないよう誘導するのが主な仕事となった。

鏡に向かって念入りに化粧をする。鏡のなかの自分が痩せていくさまを嘆いたのはしばらく前のことで、いまはもう慣れてしまった。黄疸の進行は幸い遅く、ファンデーションで隠せばまずわからないだろう。気になるのは、胃から出血の可能性もあると主治医の山隅に言われていることで、鷹彦がそばについてくれるが、念のために風邪予防と称してマスクもつけた。

午前中、町内の神社に関係者が集まり、御祓《おはら》いを受け、決まったルートを練り歩く。子どもたちは飾り提灯を持って、山車の前後で守《も》り立てる。近隣の五つの地区でも山車が出され、午後、街の中心部にすべての山車が集まり、行進する手はずになっている。元々の秋の収穫祭の意味合いは失せ、共同体のつながりを保つために有志がつづけている行事だった。山車は女人禁制ではなく、地域に貢献した女性や長寿のお年寄りを乗せ、山車を回して祝福することがある。

この五年、静人はどうしたのかと、彼が祭りに参加しないことを不思議がる声をよく耳にした。彼はものごころつく頃から提灯を持って走り回り、子どもが減って数年前に中止された子供神輿《みこし》も積極的に担《かつ》いでいた。中学に進むと子供神輿の世話役となって担ぎ手の子どもの面倒をみて、大学時代さらには就職したのちまで、この時期は家に戻り、山車を引くなどしていた。

（あんなお祭り好きが、どうして生命を謳歌《おうか》する祭りと正反対の方向へ進んだんだろう……。）

巡子は、提灯行列の子どもたちと歩いていると、時間が残酷なまでに速く過ぎてしまったことを感じずにはいられない。静人もかつてはこのような小さく愛らしい手をしていた。それが見る見る大きくなり厚くなり、ひょろりとした足も太くなって、すぐに巡子の身長を追い越した。

いまは成人して世話役の法被を着る男衆も、少し前まで巡子のことを可愛い声で「おばちゃん、おばちゃん」と呼び、中学や高校に入ると、道で会ってもちょこんと頭を下げればいいほうになった。それがさらに成長して、家業を継ぐ者が出ると、いつのまにか祭りの世話役の法被を着て、「今年もよろしくお願いします」などと、いっぱしの挨拶をする。

日々生活していれば、おのずとそうした容赦ない時の流れに身をさらし、いよいよ交替の時期が近づいたことを自覚せずにはいられない。ただ、痛みを鎮める薬や、がんによる閉塞症状に効果があるとされる薬のおかげか、倦怠感《けんたい》こそあるものの、体重の減少はここしばらく止まって、死はまだ遠くに控えている感覚だ。焦燥感《しょうそう》も、退院して家に帰ってきた直後のほうが激しかった。とはいえ本当にそのときが迫れば、じたばた騒いだり、悲鳴を上げたり、家族や友人を悪《あ》しざまにののしったりしないか……。準備のしようがないことゆえ、いまはそのほうが怖かった。

山車は決して急がず、ご祝儀《しゅうぎ》を出してくれる商店や個人の家の前で止まり、威勢のよい声を上げて二回、三回と回ってみせる。そのため巡子の足でもついてゆくことに障《さわ》りはない。一時間ほど練り歩き、山車はいったん休憩場所である銭湯の駐車場に止まった。巡子も疲れをおぼえ、駐車場の壁にもたれて休んだ。鷹彦が用意されていた折りたたみ椅子を運んできてくれて、その上にからだを預ける。婦人会がふるまうお茶をもらいに彼が立ったあと、深く息をすることを心がけ、からだの内側で水たまりが大きく揺れているような不快感が鎮まるのを待った。

視線の先で、法被を着た五、六歳の男の子が、地面に片膝をつき、蟻《あり》を指先でつついている。そのとき、頭上で小鳥がさえずり、男の子は顔を起こして、手を空へ挙げた。六歳の静人がヒヨドリの雛を悼んだときの姿勢を思い出す。巡子は試しに、椅子に腰掛けたまま右手をそっと宙へ挙げ、左手を地面に向けて垂らし、その両手を薄くなった胸の前で重ねた。

(静人……教えてちょうだい。どうすれば家族や周囲の人々に感謝し、また感謝されて、おだやかに逝《ゆ》けるの？　多くの人を悼んで、知ってるでしょ。お母さん、あと何をすればいい？)

背後で物音がして、振り返る。鷹彦がお茶の入った紙コップを持って立っていた。

「このお祭り……わたしは、最後になるんだね」

と、あえて口にしてみる。彼は黙っていた。

「静人、帰ってくるかしら……教えてほしいことがあるのよ、あの子に」

「……帰って、くるよ」

自分もそう信じているという想いのこもった声が、巡子の耳にしみる。

「おばさん、お久しぶりです。調子はいかがですか」

と、威勢のよい声が聞こえた。世話役の法被を着た若者が歩み寄ってくる。近くの商店街の和菓子屋の長男だった。彼の父親と鷹彦が同い年で、鷹彦のほうへも頭を下げる。

「うちの親父？　最近は寝込みがちで、店は引退してもらって、いまはおれがやってますよ」

と笑う若者に、先ほど蟻をつついていた男の子が、パパーと駆け寄ってゆく。

「静人のやつ、まだ旅に出たままなんですか？　あのお祭り野郎が何をしてんですかね」

男の子を抱き上げながら、若者が言う。静人と彼が小中と同じ学校だったのを思い出す。男の子が、父親である若者に甘え、山車の上に乗りたいと言った。若者は、だめだよと笑い、

「何度もお祭りに参加して、町の人のために働かないとな。そうだ、おばさん、山車に乗りませんか。病気が完全によくなるよう、回しましょう。ちょっとみんなに言ってきますよ」

ほどなく数人の顔見知りが集まり、巡子に乗るように勧めた。合わない法被にマスク姿できらびやかな山車に乗るのは気おくれしたが、鷹彦もうなずいているので、彼らの言葉に甘え、短い梯子《はしご》を掛けてもらい、祭りの世話役を長年務めながら、初めて山車の上に乗った。

下で見るよりもずっと高く感じるのを、恐れるより、わくわくする感覚で一番前まで進む。

少年少女の手による笛と太鼓と鉦《かね》の、祭り囃子《ばやし》が始まり、若者たちが山車の梶棒《かじぼう》に取りついて、

「ではぁ、坂築巡子さんの、健康をお祈りしてぇ」と、山車をその場で回転させてゆく。

ゆっくりなので危なげもなく、一回、二回、三回と回ったところで、山車は止まった。

若者の掛け声で、周囲にいた人々が巡子に向けて拍手を送る。巡子は、その場では立てないため、軽く腰を上げ、人々に心から頭を下げた。山車を下りてから、静人の同級生をはじめ世話役の若者たちに礼を言うと、皆が笑顔で、いやいやと手を横に振って言った。

「これまでずっとおばさんにやってきてもらったことの、お返しだから」

3

祭りのあと、胃か腸の柔らかいところを内側でぐうっと何かに押されるような、どうにもならない痛みが、鎮痛薬の効果が薄くなる頃を狙って、迫ってくるのを感じた。

山隅に相談したところ、経口《けいこう》の薬の量を増やしても、胃の通過障害が進めば効きにくくなると思うから、この際、座薬に切り替えてはどうかと勧められた。

「ごめん、山隅先生……座薬は堪忍して。母が入院先で受けて、つらそうだったの」

この病気になり、大事にしていたものや、隠しておきたかったことを、削られたり、人の目にさらされたりしてきた。ときにはそれが痛みよりもつらかった。誇りだ尊厳だと言う気はない。見栄《みえ》や意地の類《たぐい》だろうが、わずかでもそれらを残して死にたいというのは、わがままだろうか。

山隅は、では貼付薬《てんぷやく》を試す気はあるかと言った。薬量の調整は難しいが、絆創膏のように貼るだけで、便秘の副作用もやや少ないと聞き、巡子は同意した。便秘がいまも一番つらい。

翌朝、パッチと呼ばれる十センチ角の貼付薬を、左腕に貼って試したところ、モルヒネと変わらぬ効果があった。万一の場合はレスキュー用の座薬を使うことを条件に、旅行の許可も出た。

大学時代の親友で、鷹彦の妹、怜司の母でもある福埜《ふくの》みのりとは三年ぶりの再会だった。夫が糖尿病で倒れて以降、家業の運送会社は彼女が切り盛りしている。三年前も彼女は仕事で上京し、巡子たちの家に一泊しただけだった。静人のことは、彼女にも「自分探しの旅」と話していた。

新幹線での旅に不都合はなかった。車で送ると怜司が申し出てくれたが、道路の渋滞時に体調が悪化した場合は手の打ちようがない。荷物を先にホテルへ送り、鷹彦と手ぶらに近い状態で出かけ、エレベーターなどを利用すると、用意した杖もホテルまでさほど使うことなく済んだ。

みのりとは夕食を一緒にとろうとホテルの部屋で待ち合わせ、約束から三十分ほど遅れてドアがノックされた。鷹彦が立ってゆき、巡子は椅子に掛けたままで待った。ドアが開いたとたん、

「遅くなってごめんなさぁい。あら、お兄ちゃん、白髪が増えちゃって。老けたんじゃない？」

怜司の母親らしい屈託《くったく》のない陽気な声がして、学生時代より三十キロも太り、旅行前に電話で話したときは、さらに五キロ増しと笑っていた彼女が、派手な色合いのスーツ姿で入ってきた。

「ごめんごめん。出る直前に、新人が自損事故をやっちゃってさぁ。お久しぶりぃぃ」

と、巡子の顔を見るなり、彼女は息をつめた。瞳が驚愕と困惑に揺れ、やがて悲哀の色に変わってゆく。親友の反応を通して、自分ではまだ元気と思っていても、現実を思い知らされる。

「この肉泥棒め。わたしのお肉を、全部あんたが持ってっちゃったんでしょう」

と、巡子はほほえんでみせた。みのりが笑おうとして表情を逆にゆがませる。心中を察して、

「怜司から聞いてるんでしょ？　口止めしたけど、あの子が黙っていられるわけないもの」

みのりは、悲鳴をこらえるように口をふさいだ手の隙間から、ようやく声を出した。

「聞いてはいたけど……信じられなかった。だって、電話の声は全然明るいんだもの」

「実物を見て、信じられた？　スリムさだけならスーパーモデルにも負けないんだけどね」

巡子は手を差しのべた。みのりがその手を取る。同時に、彼女の目から涙がこぼれた。

「お兄ちゃん……そばにいて、巡子がこんなになるまで、何やってたのよぉ」

みのりは、巡子の手を撫でつつ、湧いてくる悲しみやつらさを鷹彦にぶつける。

「病院やお医者さんには、ちゃんとあれこれ交渉したの？　損をするのは巡子なんだよ」

鷹彦は、申し訳なさそうに頭を掻き、テーブルの前へ進み、ポットでお茶をいれはじめた。

「んもう。ねえ、巡子、病院や医者に言ってほしいことはないの？　わたしが言うからさ」

みのりが涙も拭かず、巡子の手をさらに強く握る。巡子は、指の先で彼女の頬を拭き、

「みのりが言うくらいのことは、わたしがずけずけ言ってきたって。仕方のないことなの」

「いまさらだけどさ、巡子はもてたんだから、こんな無口な男を選ばなくてもよかったのよ」

「うちの父親が死んだ隙を突かれちゃったからね……そういうタイミング、妙にうまいの」

「そう。しゃべらないから何も考えてないのかなって油断させて、実は腹黒く計算してんのよ」

「こないだ、わたしが検査を受けてるあいだ、この人、お葬式の算段だか、生前給付の保険金の使い道だかを考えて……そうすればいいんだなんて、ほくそえんでたんだよ」

まさかぁと、みのりが鷹彦のほうを振り向く。

「お兄ちゃんさあ、年取って、白髪ばっか増やすより、ちょっとは口数増やしなさいよ」

鷹彦が茶をいれた湯呑みを黙々と運んでくる。巡子はしぜんと彼の頭に目をやった。

（本当だ。自分の病気のことばかりで気がつかなかった。去年のいま頃は全然目立たず、十歳は若く見えるね、なんて言ってたのに……わたしの病気がわかったあと、増えたんだ……。）

「でもやっぱり親子ねぇ。老けてきて、だんだんお父さんに似てきた」と、みのりが言う。

「そうだ。明日、四国へ渡って、お義父《とう》さんが亡くなった海に手を合わせてくるけど」

「一緒に行こうかな。横浜に移ってからの子だから、その海、見たことがないのよ。でもさあ」

「おい……先に、食べないか」

鷹彦がぼそりと言い、巡子とみのりは思わず顔を見合わせて笑った。

みのりの予約した店へ行き、個室に案内され、食べられないものを言ってくれと彼女に気づかわれたが、巡子は離乳食を作るときに料理をすりつぶす平たいスプーンを持参していた。

「訪問看護師さんに勧められてね、これでたいていは食べられるの。赤ちゃんと同じようなものばかり口にしてて、どんどん年をさかのぼるみたい。もしかして生まれ変わる準備かしら？」

せっかくの料理をつぶすのは忍びなかったが、柔らかいものは自分で、やや固いものは鷹彦の手を借り、胃を通過しやすいようにしてから、十分楽しんだ。ゆっくりと時間をかけた食事も終わり、積もる話も一段落した頃、みのりが表情を硬くして、畳の上に正座をした。

「今日はさ、もちろん巡子の顔を見たかったのが一番だけど……二人に特別の話もあるの」

相手がいつになく真剣なため、巡子はからかうことを控え、つづきを待った。

「実は、怜司のことなの。知ってる、よね？　美汐の、その、おなかのことだけど」

なんだその話かと、巡子は緊張しかけた姿勢をゆるめた。それを見て、みのりは吐息をつき、

「やっぱり本当なんだ？　やだもう……うちの人が来るべきなのに、臆病風に吹かれちゃってさ、わたしに本当かどうか聞いてこいって押しつけて……。ごめんなさい、この通りです」

みのりが畳に手をつき、頭を下げる。巡子はよくわからず、鷹彦と目を見交わした。

「怜司から昨日電話があったの。てっきり巡子たちのことをよろしく、ってことだと思ったら、それだけじゃないって言ってね……実は、美汐にできたって。全部おれの責任だからって」

「……怜司が。そう言ったの？」

「あの子が美汐を好きなのは知ってたけど、兄妹も同然だし、美汐は怜司よりしっかりしてるから相手にされないだろって、たかをくくってたの……。で、重ね重ね失礼だけど、この際だから訊くね。美汐には、うちへ来てもらえるのかしら。怜司は一人っ子だから、家のことがやっぱりあってさ。そっちは静人がいるといっても、いまも旅でしょ？　どう考えてるのかなと思って」

巡子は鷹彦をうかがった。彼が意味を察したらしく、うなずくのを見て、

「みのり。怜司の気持ちは嬉しいけど、結局は、美汐も心苦しくなるだけだから……」

と、おなかの子の父親のことや、彼との別れにいたる出来事などを、すべて話した。みのりは終始驚いた顔で聞き、巡子が話し終えると、安堵とも疲れともつかぬため息をついた。

「そう、紹介した親友の……。バカね、そんな嘘ついたって、誰も幸せになれやしないのに」

「優しい子なのよ。いまもおなかの子のことでは、いろいろ気をつかってくれてるし」

「あの軽薄な子がね……。話してくれて、ありがとう。うちの人と相談して、よく考えてみる」

「……考えるって、何のこと」

「美汐を迎えることよ。もちろんあなたたちの考えも聞いてだけど。怜司はそうしたいと望んでんでしょ。いまどき子連れの人との結婚くらい普通だし、まして子どもは初めから怜司を父親と思うわけだから。一番の問題は、美汐が、あんないい加減な子でもいいと思うかどうかよね」

巡子は、こみ上げてくるものを指で押さえ、相手の視線を感じて、照れ隠しから、

「あんたみたいな鬼のもとへ美汐をやると考えただけで、不憫《ふびん》で泣けてきちゃったわよ」

うるさい、とみのりが言い返し、ともかく若い二人にはまだ何も話さずにいることにした。


翌朝、ホテルへ迎えにきたみのりと三人で、電車で大阪へ出たあと、空路四国へ渡った。空港から今治までは距離があり、みのりの勧めで、タクシーで直接目的地まで向かうことにした。

にぎやかに開けた市街を抜け、海辺へ出る。元々おだやかな内海《うちうみ》は、風がないため、波打ち際以外は動きがなく、海面を水鏡《みずかがみ》にして、晴れ渡った空の色のほか、海から高いところで動かない雲までのあいだに流れる透明な空気を、濃淡の青とゆるやかなきらめきにして映している。

落ち葉の季節に海辺で遊ぶ者の姿はなく、タクシーには待ってもらうことにして、堤防から砂浜へ向かってコンクリートの階段を下りた。ひと足ごとに潮の香りが強まり、漂流物の散らばる砂の上を進んでゆくと、乾いた砂がきしきしと鳴る。巡子は、杖が砂に沈むため、鷹彦に支えてもらって歩き、それでもバランスを失ったときは、みのりが手を差しのべてくれた。

義父の遺体の確認を求められた際、八歳の静人と三歳の美汐も連れて四国へ渡った。遺体を確認後、義父が入ったという海を四人で見た。その浜辺に二十四年ぶりに立つ。

「ここで、お父さんが亡くなったんだ……変わったところのない、普通の海だね」

みのりが淡々とつぶやいた。「家族が空襲を受けて、上の兄が亡くなったことも、お兄ちゃんがつらい目にあったことも、大きくなるまで知らされなかったの……。だから、両親やお兄ちゃ

んが、八月六日に手を合わせるのは、原爆の被害者の冥福を祈ってるんだとばかり思ってた」

原爆投下の約八時間前、広島の対岸となる今治でも大きな空襲があり、五時間近く火災がつづき、四百五十人を超す人が亡くなったという事実は、巡子も坂築家に嫁がなければ、たぶん一生知ることはなく、八月六日はヒロシマ、としか考えられなかっただろう。

義父が海に入ったのは、教師をしていた学校の同窓会があった八月六日で、二日後に巡子たちは遺体の確認に赴《おもむ》いた。真夏の砂浜は、海水浴客でごった返していた。裸に近い人々に囲まれて、強い陽射しのもと、スーツやよそ行きの改まった格好をした家族四人が立ち尽くしている姿は、さぞ異様なことだったろう。美汐は暑さでぐったりして、巡子が抱いていた。静人は半ズボンに白いシャツ、とっておきの革靴をはき、身じろぎひとつせずに海と向き合っていた。

(そうだ……静人はあのとき、ぽつりと言ったっけ。誰も知らないんだね……と。)

誰も目の前の海で二日前、自分たちが大切に想っていた人が死んだことを知らない様子だった。対岸の地に原爆が落とされたのと同じ日に、この町で大勢が亡くなったことを知る人も、どのくらいいただろうか。のちに自宅へ戻ってから静人は部屋にこもって泣きつづけたが、あの日の浜辺では、隣に立つ鷹彦の手を握りしめ、怒ったような顔で涙をこらえていた。

(もしかしたらあの子の心には、あの日の光景が刻まれているのかもしれない。注目されない死、かえりみられない死がある現実を知り、死それぞれの重さは変わらないのになぜ、という悲しみの心象《しんしょう》とともに……。それがいま、あの子を歩かせている、ということはあるかしら。)

ほかにも要因はあるだろう。祖父母の死や、小児病棟の子どもが亡くなってゆく現実を経験し、大切な親友も亡くなった。ただ、どんな人の死、どのような状況による死でも、等しく悼むべきだと考えるようになった最初のきっかけは、大勢の海水浴客の笑顔に囲まれるなか、ヒロシマを対岸に見はるかすこの浜辺で、こみ上げてくるように得たのかもしれない……。

「亡くなった福埜の母に聞いたんだけど、滋賀だって空襲を受けてんのね、大津《おおつ》とか彦根《ひこね》とか」

みのりが海に向かって言う。「でも、うちの若い連中は知らないし、わりと頭のいい子でも、広島と長崎と沖縄、大空襲のあった東京の四箇所しか、被害を受けてないと思ってるみたい」

（どの死は覚えておくべきで、どの死は忘れられても仕方がないのだろう……。静人、あなたが言いたかったことはそれだったの？　誰かの死を、忘れても仕方がないものにしてしまうなら、結局は、あらゆる人の死が、忘れられても仕方のないことになってしまうんじゃないか、と。）

「ねえ、慰霊碑……建ててみようか」

巡子は、転ばないよう砂の上に慎重にしゃがみ、足元の湿った砂を手でかき寄せた。鷹彦が、波打ち際に近い場所から、さらに湿った砂を運んでくる。みのりも加わり、五十八歳の女二人と、六十四歳の男が、まるで子どもに戻ったように砂遊びの要領で、砂を上へ上へと盛り重ね、砂の城ならぬ、砂の慰霊碑を造り上げてゆく。富士山に似た形となった砂山を、三人で叩いて固め、手がふれ合うと、いい年をして……と口にこそ出さないが、苦笑に近い笑みを交わした。

風が出たのか、白く泡立つ波が足元近くへ寄せてきた。三人は乾いた場所まで下がり、秋の陽を受けた砂がかすかに光を放ち、おごそかに見える慰霊碑に、手を合わせて瞑目した。

やがて大きく寄せてきた波に、砂の慰霊碑は呑み込まれ、三人の記憶に残るだけとなった。

4

「伯母さん、もしかしたらもしかすんじゃないの。奇跡って、やっぱりあるんじゃない？」

旅行から戻って二日後の日曜日、怜司の車で鷹彦と美汐も一緒に坂築家の墓に参り、巡子の実家の墓にも回った。生前に予定していた行動をこれですべて終え、ほっとして自宅の夕食の席についたところで、怜司が言った。美汐も熱望にうるんだような目で巡子を見つめている。

食事は細かくつぶしたものならまだとれているし、便通もある。痛みを鎮める貼付薬により、皮膚がかぶれて少しかゆみはあるものの、痛みは十分に取れ、そのほかの調子も変わらない。

隣の鷹彦をうかがうと、やはり奇跡を願ってなのか、テーブルの下で手を組んでいた。

だが喜んだとたん奈落に突き落とされるのじゃないかと、つい臆病にもなり、

「あのね怜司、前に人に聞いた話だけど、わたしの病気はただ悪いほうへ進むだけじゃなくて、症状が軽くなったり停滞したりする寛解期《かんかいき》って呼ばれる時期があるのよ。へんに期待しないで」

と、努めて冷静な表情を装い、そっけなく答えた。

次の山隅の往診日、巡子は現在の状況をいそいそと告げ、胃の出口がまだ閉じないのはどういうことだろうと、わざと不思議そうな顔をして尋ねた。相手は困ったように笑い、

「我々は平均の数字を口にしますから。余命を告げた医師を笑うかのように長生きされる方は、とても多いですよ。坂築さんも、あのときのお顔と比べると、断然調子がよさそうですものね」

ひと月余り前に彼女が洗面所で嘔吐したときのことを言っているのだとわかり、ずいぶん昔に感じた。秋祭りの準備を話し合う会に出たあとで、蒔野と名乗る週刊誌記者が訪ねてきた日でもある。あの日以降、何かと慌ただしく、蒔野のこともそれきりになっていた。

山隅が帰ったあと箪笥《たんす》の小引出しを調べ、蒔野の名刺を見つけた。数字と記号を記したカードも重ねてある。蒔野のホームページにつながる暗号のようなもので、そこで静人の情報を募集したと話していた。静人の行為に否定的な意見が多いらしく、当時は無理に見たいとは思わなかったが、気持ちに余裕が生まれたせいか、いまは静人のことなら何でも知りたい。怜司なら読める形にしてくれるだろうと思い、美汐に聞かせないよう、彼と二人だけの機会に事情を話した。

翌日、訪ねてきた怜司から、美汐が風呂に入っているあいだに、びっしりと文字が並ぶ紙の束を渡された。目撃談など静人に関する情報をすべて印刷に起こしたものだという。ざっと目を通しただけで、静人が多くの人の死を悼んで歩いている事実があらためて伝わり、感嘆するとともに、つらいだろう、大変だろうと、心が痛んだ。偽善者、不審者、と呼ばれることは、当人も承知の上だから仕方ないだろう。だが遺族から「馬鹿にされているように感じた」と非難されると、あの子に死者を冒瀆《ぼうとく》する気はないのです、と代わって謝りたい想いがする。

「静人兄ちゃんさ、〈悼む人〉って呼ばれてるみたいよ。なんかかっこよくね？」

巡子の沈んでゆく心を察してか、怜司が陽気に言い、その記述のあるページをめくった。

最近送られてきたメールのなかには、静人の行為を肯定的にとらえている人や、会ってみたいという人もいるらしく、それを読むと、身内としてはやはり救われる。台所で洗い物をしていた鷹彦を呼び、彼にもこれまでの事情を話し、一緒にメールに目を通した。

「でさ、これが一番のニュースなんだけど……静人兄ちゃん、女の人と歩いているみたいよ」

最新の情報の幾つかで、静人らしい人物が若い女性と歩いている姿が目撃されているという。

いったい誰だろうと、怜司がこちらに視線を向けるが、巡子もまったく見当がつかない。

「……恋人だと、いいね」

鷹彦がぽつりと言った。目に柔らかな笑みをたたえている。そうね、と巡子もうなずいた。

(あの子が好きな人と歩き、つらい旅を支えてもらっているなら、どんなにいいだろう……。)

怜司は、詳しい情報を求めてさらに検索を試みたが、蒔野のホームページが最近は更新されておらず、名刺の出版社へ電話してみたところ、蒔野は現在休職中と言われたとのことだった。

「だからもし伯母さんが、本当に蒔野って人に静人兄ちゃんのことを聞きたいなら、うちの会社、出版関係ともつながりがあるし、連絡のつけようはあると思うよ」

静人に好意的ではなかった蒔野の言動を思い出し、巡子はどうすべきか迷った。美汐が風呂から上がる音が聞こえる。無理のない程度に、と怜司に頼んだ。


家でじっと過ごすのも気づまりで、巡子は高齢者ホームでのボランティアを再開した。食事の介助は無理でも、傾聴《けいちょう》ボランティアなら可能だろう。施設長に話すと、ぜひにと言われた。

鷹彦にホームまで付き添ってもらい、施設内はひとりで杖をついて歩き、入居者に声をかけてゆく。部屋にこもりがちの人がいると聞けば、訪ねてゆき、何も話せなくなった人には、そばに座って相手の手を握った。夕方、ベッドに横たわったままの短髪で強面《こわもて》の男性の手を握っていて、彼の人生はどんな風だったのだろうと思った。有能な刑事？　もしかして暴力団員とか……。

夕方、鷹彦が迎えにきて、玄関まで巡子を送ってくれた職員に、先ほどの老人のことを尋ねた。職員は彼の若い頃の仕事は知らなかった。家族は妻ひとり、その妻も病気がちで、なかなか見舞いにこられない。代わりに週に一度葉書が届く。『元気ですか。もう秋よ。風邪ひかないで。』といった短い内容のものを、職員が彼に読んで聞かせる。反応はないが、葉書を心待ちにしている感じは伝わるらしい。素敵ね、と巡子が言うと、若い女性職員は、「会えなくても心は通い合うんだと、教えていただいています」と、頬を赤らめた。あの老人は寝ているだけの存在のようでいながら、老妻にいまも愛され、若い職員には感謝されている、ということだろう。

翌日から、巡子はホームの入居者との会話中、ちょっとしたゲーム感覚で、どんな人を愛し、どんな人に愛され、どんなことをして相手から感謝されてきたかを、教えてほしいと頼んだ。

入居者たちは「愛」という言葉が面はゆい様子だった。巡子がなおも求めると、慎ましやかに、誇らしげに、ある人はすらすら、ある人は口重く、答えてくれた。そうして得られた答えは、巡子には宝物に思えた。男女、家族、師弟、友人や同僚、亡き人、ときには名も知らぬ人とのあいだにも、愛は行き交っていた。そしてほとんどの人が、自分が感謝された経験ではなく、みずからの感謝の想いを口にした。いままで生きてこられたこと、いまここにいられること、これまで支えてくれた人たちへ……ありがとうございましたと口にした。そのつど巡子は、感謝の言葉は、告げた当人へ何倍ものかたちで返されるに違いないと信じられた。

怜司が、静人のことで蒔野に連絡を取ってみると約束した一週間後、珍しく暗い顔で訪ねてきた。美汐は食べ過ぎてやや太ったために散歩に出ており、鷹彦が付き添っていた。怜司が話しにくそうにしているので、蒔野のことかと巡子から切り出した。怜司はなお言いよどんだあと、

「その、蒔野って記者の人さあ……なんか、だめらしいよ」

彼の上司の同級生が、蒔野のいる出版社に勤めており、その人に電話で聞いたのだという。

「また聞きのまた聞きって感じだけど……蒔野って人、オヤジ狩りで刺されたんだって。一時は助かりかけたけど、手術後に炎症か何かを起こして、まずもたないだろうって話だよ」

巡子は蒔野の顔を思い出した。狡猾《こうかつ》そうで、ぶしつけな態度も取っていたが、彼の内面には憎しみを抱えた子どもが潜んでおり、言動にはその子どもの怒りが反映している気がした。

「……お見舞いに、行けないのかしら」

巡子は無意識に口にした。怜司は虚をつかれた顔で、病院名までは聞いてないよと答えた。

「その人、嫌われてるみたいでさ。話してくれた人は、バチが当たったのさって笑ってたよ」

「そんなこと……。ねえ、病院、やっぱり聞いてみて。できたら、お見舞いに行きたいの」

「いいけどさぁ、もうだめだって話だし。死んじゃってたら、どうする？」

(そのときは……静人のことを伝えてくれた人として、感謝を込めて、彼のことを悼もう。)

ほどなく美汐と鷹彦が帰ってきた。静人の同級生がいる和菓子屋で水羊羹《みずようかん》を買ってきたという。

「あら、痩せる目的で散歩に出たんじゃないの？　ブーちゃんはわが家で出産できませんよ」

巡子は、娘をからかいながら包みを受け取った。お母さんが食べられると思ったからでしょ、

と美汐が言い返す言葉を聞き流し、テーブルで包みを開く。不意にへその裏のあたりが引きしぼられるような感覚をおぼえた。おいしそうねと作り笑顔で言い残し、何気ないそぶりでトイレへ入る。壁に手をつき、一時的なものに過ぎないと、自分に言い聞かせて不快な感覚に耐えた。

三日後、夕食を半分食べたところで、鷹彦と美汐の見ている前で流しに戻した。これまでの吐き気とは違うのを理解しながら、心の一部はそれを認めず、大したことじゃない、スープと栄養ドリンクさえとってれば十分だから、山隅を呼ぶ必要はないと、鷹彦たちに言い張った。

さらに三日後、スープを吐き、栄養ドリンクは匂うだけでつらくなった。平気よぉ平気よぉ、と幼な子のように訴える自分の心の声に我を忘れ、山隅を呼ぼうとする美汐を、「やめてっ」と感情的に怒鳴った。やがて、からだがふらつき、立てなくなった。鷹彦が山隅を呼んだ。脱水症状を起こしていたらしく、点滴を受けると、ふらつきは消え、立てるようにはなった。

翌日、病院で検査を受けた。胃の出口がほぼ完全に閉塞したと言い渡された。延命を望まないなら、一、二週間のうちに最期を迎えるという。血圧が徐々に下がって傾眠《けいみん》傾向となり、ほぼ眠ったような状態で苦しむことなく逝けるはずだし、そのように努めると、検査の翌日往診に訪れた山隅が、居間に正座をして、あえてだろう淡々と説明した。

「で、よろしいでしょうか」

山隅の声は、最後になって少しかすれた。同席している訪問看護師の浦川も顔を伏せている。

残酷な問いかけだった。治療が始まって以来ずっと、どうします、どっちにします、と選択を求められてきた。常に選択肢は少なく、実質的なつらさは変わらない場合がほとんどだった。

今回はもう選択とも言えない。長くて二週間、それであきらめるよう求められているに等しい。

ソファに深く腰かけた巡子の耳に、壁掛け時計の秒針の音がやけに大きく聞こえる。

「中心静脈栄養法《ちゅうしんじょうみゃく》を、母にお願いします」

山隅らの向かいに座った美汐が言った。彼女は、山隅から巡子のほうへ視線を移し、

「調べたの。食べられなくなっても血液内に直接栄養を送るようにすれば、まだ大丈夫なのよ」

巡子は半信半疑で山隅を見た。彼は困惑の表情で、隣の浦川とも視線を交わしてから、

「中心静脈から栄養を入れる方法は確かに延命を期待できますが、末期になれば患者さんの苦しみを長引かせ、高カロリーの輸液が苦痛ともなるので、我々は積極的にはお勧めしていません。もちろん、ご本人とご家族がどうしてもとおっしゃるなら、処置はいたしますが……」

「受けてよ、お母さん。簡単な処置だから安全だって言われてるし。そうですよね」

美汐の問いかけに、山隅はその点は問題ないと答えた。

「どんなものだか詳しく調べてみたの。そしたらさ、怜司が思い出したの。ねえ、話してよ」

ダイニングのところにいた怜司が、緊張した面持ちで椅子から立った。

「えっと、ミシと専門書を見てて、その中心静脈とかって方法を知ったんだけど……栄養を送る管と血管とをつなぐために、皮膚の下にポートって小さなリザーバーを埋めるん、ですよね？」

怜司が山隅をうかがうように見た。山隅がうなずく。怜司はつづけて、

「ポートの写真が本に載ってて、おれ、あっと思ったんだ。静人兄ちゃん、医療機器メーカーの営業だったでしょ。おれ、就職の相談に行って、どんな仕事をしてんのか訊いたとき、扱ってる

医療機器のパンフを見せてもらって、そのときこのポートが確かにあったと思ったんだよ」

「お兄ちゃんの部屋に残されてる会社の資料を探したの。そしたらあった。中心静脈栄養法で使うポート。ね、お兄ちゃんが扱ってたものなのよ。だったら、からだに入れてもいいでしょ？」

美汐と怜司が懸命な視線を向けてくる。山隅と浦川も巡子を見る。また選択を求められる。どっちを選んでもつらいのに、さあさあ、とせっつかれているようで、いっそ泣きたくなる。肩に手を置かれた。鷹彦がいつのまにか隣に来ている。手のぬくもりが全身に広がってゆく。

「いま、決めなくても、いいんじゃ、ないのかな」

一語一語言い聞かすように彼が言う。まばたきもせず、巡子を見つめる。そのとき察した。

（この人は……もう覚悟を決めているんだ。）

同時に、美汐と怜司はまだ巡子を送る心の準備ができていないのだと悟った。孫を抱く、静人に会う……そんな自分の願いが叶えばよいが、まずは身近にいる者たちの心の平安を望みたい。後悔や不本意な想いを抱くことなく、納得して、自分のことを見送ってほしい。

巡子は、肩に置かれた鷹彦の手に、自分の痩せた手を重ねた。


静人が扱っていた当時よりも小さく簡便となった輸液を受けるポートが、巡子の鎖骨下付近に埋められた。五日間の入院中に、経過を観察され、バランスのよい栄養量が考えられ、鷹彦たち家族と巡子自身も、チューブの先の針をポートにつなぐ方法を学んだ。

結果として、嘔吐を恐れながら食べる必要はなくなり、輸液は寝ているあいだに入るように設定されて、日中は針を外して動けるため、巡子はひとまずこの状況を喜んだ。体内に埋められたポートを、同じものではないにしろ静人が扱っていた事実も嬉しく感じる。錯覚を承知で、静人の手から運ばれてくる栄養だと思うと、胃は満たされなくとも、胸の内側は温かかった。

肺がんを患った巡子の母は、日々からだの自由が失われてゆくことに苦しんだ。歩けなくなった、トイレに座れなくなった、起きられなくなった……そのつど母は、もう生きていても仕方がないと嘆き、周囲に当たり散らしては自己嫌悪におちいった。だから自分は、母が身をもって教えてくれたこととして、失われてゆくものを嘆くより、残されているものを慈《いつく》しもうと思う。

自分が今後どうなるか心の準備をしておければと願い、がん患者の末期について書かれた本を、鷹彦に強く頼んで買ってきてもらった。複数の本によれば、山隅が話した通り、高カロリーの栄養がからだに入っても、病気の進行は止まらず、逆に進行を早めることもあるらしい。弱ったからだに過剰な栄養が入ると、代謝《たいしゃ》がうまくできずに、おおむね苦しむものだという。

救いに感じたのは、がんによる死は直前まで意識がある場合が多いという記述だった。気づかぬうちに逝くよりは、最期のときを感じていられるほうが、自分にはよい。いやな病気だが、事故など突然の死に比べれば、時間が与えられていることは幸せかもしれない。そして、見ることや話すことができなくなっても、聴覚だけは最後まで残っているという話も興味深かった。

巡子の父が亡くなったとき、通夜に来てくれた鷹彦が、亡くなってもなお〈魂の耳〉とでもいうようなものを死者は持っていて、生者の声を聞いている、と話してくれたことを思い出す。

（わたしは、最期にどんな言葉を聞くかしら。〈魂の耳〉は、何を聞くだろう。）

5

朝、寝室のカーテンを自分の手で開く。それが大切な儀式になる。庭に咲く花の色を目にして、自分の命も花のように開いてゆく感覚をおぼえる。生きて朝を迎えられたことを感謝する。

腹水《ふくすい》が溜まってきた。痩せているのに腹部は妊娠しているのかと思うほど膨《ふく》れている。それでも自力で立てるし、下着を洗濯機に入れるくらいの家事はできる。貼付薬が痛みを取りきれなくなり、山隅がモルヒネの持続皮下注入《じぞくひかちゅうにゅう》という方法に変更してくれた。腹部に針を留置し、モルヒネを皮膚の下へポンプで持続的に入れる方法で、痛みはそれで鎮まった。ポンプはクッキー缶に似た長方形の容器に収まり、車椅子に載せて外出が可能なため、ボランティアもつづけている。

(わたしは恵まれているほうだ。でも、あと六週間……は、やっぱり難しいだろうか。)

今日から師走《しわす》だった。美汐はあと約六週間で出産予定日となり、昨日付けで休職した。胎児の性別は検査でわかっているはずだが、「自分の目で確かめて」と、美汐は教えてくれない。

午後、美汐の検診があった。居間に敷いた布団の上に彼女が横たわり、見事なほど半円形に張ったおなかに、助産師の姜《かん》が聴診器や手を当ててゆく。巡子は居間の隅から車椅子に乗って見守り、鷹彦はダイニングでお茶の用意をして待っていた。次第に姜の表情が曇り、

「どうやら、逆子《さかご》になっているみたいね」

と言った。逆子の場合は自宅出産はできないと事前に聞いており、

「そんなぁ……運動はしてるし、食べ物だって気をつけてきたのに。何が悪かったんですか」

美汐が泣きだしそうな声で訴えた。巡子もどう励ませばよいかわからない。

「逆子の理由はいろいろだから、自分を責めないで。ストレスが一番胎児には影響するのよ」

姜がきりっとした口調でさとし、しばらくリラックスして過ごすよう、美汐に勧めた。

検診を終え、美汐がトイレに立ち、鷹彦が姜にお茶を出したところで、巡子は口を開いた。

「姜さん……あの子、わたしとの生活が負担になってきてるんじゃないかしら。来ていただいていて、とっても失礼なんだけど……やっぱり、病院で産んだほうがいいとは思われない？」

姜が、お茶に口をつけ、巡子のほうに顔を向けた。落ち着いた表情で、首を横に振る。

「いま病院で産むことに変えたら、美汐さんの不安はかえって増す気がします。お母さんの状態が少しでもよくなることを願っての、自宅出産だとお聞きしましたが、いま彼女は、お母さんがそばにいらっしゃることを支えに、出産の不安に耐えようとしているのを感じます」

美汐は、怜司に結婚の意志があるのを知らず、ひとりで子どもを育てるつもりでいる。たとえ怜司の気持ちを知っても、いまはまだ以前のように断るだろう。きっと不安に違いなく、本来なら母親である自分が支えるべきなのに、と歯がゆく思ってきた。

「わたしが、いま、あの子を支えているとおっしゃるの？　もう、こんなふうなのに……」

ふだん鋭いくらいの姜の目が、急にやわらいだように見えた。しばらく言い迷っていたが、

「わたしの夫は、公立病院の産科医でした。命のつながりということを大切に考える人で、自分は次男だからと、一人っ子のわたしの家の姓も継いでくれました。病院からの急な呼び出しにも

応じ、結婚記念日の夜も深夜に呼び出されて、緊急の手術で低出生体重児《ていしゅっせいたいじゅうじ》を取り上げました。そのあと仮眠を取らずに帰宅の途中、疲れで運転を誤ったのか、車が路肩の電柱にぶつかって亡くなったのです。深夜に出かける夫をなぜ止めなかったのか、自分を責めつづけました。でも、夫が最後に取り上げた赤ん坊とそのご両親が、夫にお礼を言いたいと訪ねてきてくれたんです。夫が出かけたことで、この世に産まれることができた赤ん坊の笑顔は、本当に美しかった……。准看《じゅんかん》だったわたしは、勉強をし直して、助産師の免許を取りました。夫は、ずっとわたしの支えでした。いまも彼を支えに、命をこの世に迎えるお手伝いをさせていただいています」

美汐もいつか戻り、彼女の話を聞いていた。巡子は、姜に話してくれたことへの礼を言い、「あなたにいまも愛されている男性は、あなたを愛していて、早く帰宅なさろうとしたのね。そして、いまもきっと多くの子どもさんやその親御さんから、感謝されていることでしょうね」

姜は、それを聞いて、この家を訪れて初めて笑みを浮かべた。

巡子は、日常生活においてできるかぎり明るく振る舞うことを心がけた。美汐を安心させて、逆子をよくするためだった。巡子が口から食べられないのを、美汐が気にして食欲も失いかけていたので、食事どきは一緒にテーブルにつき、舌で味わう試みを始めた。たとえば、スイカや桃を口に入れ、少し噛み、「おいしい」と味わったあと、飲み込まずに後ろを向いて、袋に戻す。ワインでも試して、袋に戻したあと、「酔っちゃった」と、鷹彦の肩にもたれかかってみせた。

トイレは最後まで自力で行くと決め、リフォーム業者に電話し、トイレ内に手すりを設けた。

点滴台を杖代わりにして、壁伝いにトイレへ行き、鍵は掛けないという家族との約束を守って、片手で手すりを握り、片手で下着を下ろして、便座に腰を下ろす。人の手を借りずに済むことは誇らしいものの、ここまでで力を使い果たして、なかなか用を足せないこともあった。

車椅子に腰掛けたまま、洗濯機に家族の洗濯物を入れてスタートボタンを押す、という形での家事もつづけた。簡単な動作であっても、家族が清潔に過ごすための責任を、いまも自分が担《にな》っていると思うだけで嬉しかった。だが十二月第二週に入った朝、手にした洗濯物が床に落ちて、拾うことができなかった。鷹彦は庭を掃除中で、美汐はトイレらしく、平日だから怜司は仕事だった。無理をして床の洗濯物を拾おうと手を伸ばしたところ、車椅子ごと浮きそうになった。

「何してんの、お母さん……。ああ、落としちゃったんだ。だったら声をかけてよ」

美汐が間延《まの》びした声で言い、おなかに負担をかけないよう床に膝をついて洗濯物を拾い、ひょいと洗濯機のなかに入れた。かごのなかの洗濯物もすべて片付け、スイッチまで押していった。

同じ日の夕方、巡子は車椅子に掛けたまま、ダイニングで夕食の支度を手伝った。煮たり炒めたりは無理でも、野菜の皮むきなどの下ごしらえはつづけてきた。鷹彦と美汐に台所を任せても、大根の桂むきなど細かい技術の要る仕事が自分に残されていることが、まんざらではなかった。

だが、大根をむきはじめてほどなく、ずるりと沼地にでも沈む感覚で手の力が抜け、包丁が彼女の足の上に落ちた。スリッパをはいていたので怪我はなかったが、怜司がちょうど訪ねてきたときで、美汐と二人して、やすんでなよ、無理しないで、と彼女から包丁を取り上げた。

巡子は危うく叫びかけた。もういいや、こんなわたしは、わたしじゃない……。

叫べば、家族を傷つけることがわかっているだけに、すがるように右の鎖骨の下にふれた。

（残ってるものを……わたしにまだ残されているものを慈しまなきゃ……そうでしょ、静人。）

十二月第三週目、美汐がおなかが張って苦しいと盛んに訴えるようになった。鷹彦が美汐の腰をマッサージし、彼が巡子の世話にかかっているときは、怜司が代わった。

怜司は十二月に入って、二日に一度は家を訪れていた。彼に頼んで、ベビー用品の載ったカタログを取り寄せ、四人で顔を突き合わせてベビーベッドを選び、クリスマスに祖父母から孫へのプレゼントとして届くように手配した。伯母さんは何が欲しい、と怜司に尋ねられ、静人の帰宅を考えたが、口にはせず、「赤ちゃんと一緒に、お風呂に入ることかな」と答えた。

妙な倦怠感が増すのを感じた。皮膚や筋肉などのあいだにゼラチン状の厚い膜がはさまり、意思をうまく肉体に伝えない感じだ。しかもときおり膜はぶるぶると震えて、気分が悪くなる。

週の半ば、トイレで下着を下ろす途中、その感覚に襲われ、手に力が伝わらなくなった。結局間に合わず、足を濡らして床に広がる水をなす術なく見つめながら、泣きだしそうになった。

泣いているところを美汐が見たら……そう思うことで、奥歯を嚙みしめてこらえた。

静人、とつぶやき、鎖骨の下に埋め込まれたポートにふれてから、外へ呼びかけた。

「ごめんなさーい、鷹彦ー。雑巾と、お湯で湿らせたタオルと、着替えをお願いしまーす」

このあと巡子は、鷹彦とドラッグストアへ行き、下着型の紙おむつを選んだ。あくまで万一の用意としてはき、トイレへはこれまで通りひとりで行くと言い張って、実際そうした。

週末、腹水が内臓を圧迫してか、息をするのさえ苦しくなった。腹水はたんぱく質などが豊富で血液と同等のようなものであり、抜くとからだが弱る可能性があると聞いていた。だが美汐の前で明るい表情を保てないこともつらく、ついに山隅に抜いてくれるように頼んだ。針が腹部に刺され、腹水が排出されてゆくに従い楽になり、しぜんと眠りに落ちた。目覚めたときには腹部はもう平たくなっていた。腹水はまたすぐに溜まる場合が多いらしいが、いまはそれも忘れて、

「お先に、産ませていただきました」

と、鷹彦、美汐、怜司の前で、平らな腹部をさらっと撫でてみせた。


美汐の三十七週目の検診があった。姜が時間をかけて確認したのち、

「よく頑張ったね。逆子はなおってるようよ」

と、安堵を含んだ明るい声で言うのを、巡子は隣の部屋のベッドの上で聞いた。

腹水を抜いた翌日から、からだのだるさが強まり、この日は車椅子に移るのもつらかった。

「大丈夫ですよ。このままお宅で産めますよ」

姜がこちらへ言う声を聞き、そばへ来てほしいと頼んだ。顔をのぞかせた彼女に、手を差しのべる。姜がその手を握る。巡子は、からだを起こしてクッションにもたれかかり、

「次の子も、姜さんにお願いしたいんだけど……」

「え、気が早いですね。いまからが正念場ですよ。でも、美汐さんがその気なら……」

「美汐じゃなくて、わたしの子。次にできたら、よろしくお願いね」

姜は、この家で二度目の笑みを浮かべ、絶対わたしが取り上げますから、と胸をたたいた。

この日はクリスマス・イブで、夕方届いたベビーベッドの前で家族そろって写真を撮り、三人からのプレゼントだと、巡子に豪華な花束が鷹彦の手から渡された。さらに美汐から、怜司と用意したものだと、リボンを掛けた大判の封筒を渡された。なかに紙が一枚入っていた。

印刷された文字の冒頭に、『〈悼む人〉に伝えて』とある。以下に、蒔野のホームページに寄せられた〈悼む人〉に関する内容がまとめてあり、もしこうした人物を見かけ、名前が「静人」であれば、母親が待っているので至急自宅へ帰るように伝えてほしい、と書かれていた。

「どれほど効果があるかわかんないけど、蒔野って人のサイトを見てた人は、〈悼む人〉のキーワードで、おれのこのホームページものぞいてくれる場合があるからさ」と、怜司が言う。

「何もしないより、お兄ちゃんに届く可能性はゼロじゃないもの」と、美汐がつづけた。

嬉しかった。ことに美汐は、静人のせいで恋人と別れねばならなかった不快な思い出を乗り越える必要があっただろう。だが……こんなふうに静人を呼び戻していいのかと疑いもする。

「ありがとう。でも、あの子が帰りたくなったときに、帰ればいいのよ」とだけ答えた。

夜、巡子はなかなか寝つけなかった。覚悟はついていたはずなのに、家族の温かさにふれて、静人に会えるチャンスもわずかながら出てきたと思うと、心がざわつく。自分の欲深さが心苦しくなり、ついには嗚咽を洩らして目を開いた。鷹彦の心配そうな顔が、すぐそばにあった。

巡子は彼に手を差しのべた。鷹彦が黙ってベッドへ上がってくる。チューブを外さないよう気をつけ、彼女の頭の下に彼が腕を差し入れる。巡子は身を丸くして、彼の胸に顔を押しつけた。

翌日、怜司から電話があった。蒔野の入院する病院がわかったという。彼は二度目か三度目かの手術が成功して、命を取りとめていた。ただし、視力は永遠に失われたという話だった。


車で送ってくれた怜司を病院内のロビーに残し、巡子は、鷹彦に車椅子を押してもらい、看護師から教えられた六人部屋の病室へ入っていった。

「金でも宗教でもないよ。きみがもし死んだら、どれだけ稼いだとか何を成したとか、そんな表面的なことは一切関係なく、本当に大事な人がこの世界に生きていたんだと覚えてくれるんだ」

窓際のベッドの前で、男性が丸椅子に腰掛け、話していた。水色の入院着を着て、目のところに包帯を巻いている。彼が話しているのは、向かいのベッドで右足を天井から吊った青年らしい。出入口近くのベッドの男性がうなずいている様子からして、同じ話が何度かされているのかもしれない。残る三人の患者は聞き飽きたのか、二人が携帯電話でメールを打ち、一人は寝ていた。

「いつかは親も亡くなる。友人は家庭を持って自分の家族のことしか考えなくなる。他人は簡単に忘れ去る。元々覚えてもいない。だが、この〈悼む人〉だけは、きみのことをこの世で唯一の存在だったと覚えていてくれる……それを無意味と言い切れるほど、きみは強いのか」

話している男性が蒔野なのは間違いない。以前会ったときとはまるで別人だった。入院生活のせいか余分な肉が削《そ》がれた印象で、話し方からは誠意とおだやかな熱意が伝わってくる。

「蒔野さん……」

と呼びかけた。巡子の声は厚みを失い、抑揚をつけることにも疲れて、平板な響きとなるが、発音はまだはっきりしている。相手がこちらに顔を振り向けた。

「坂築です……静人の、母です。紅葉にはまだ早かった秋の頃、お訪ねくださったでしょ」

相手が絶句するのがわかった。口を開くが、声は出ず、つめた息を吐いてから、首を傾げ、

「……静人君の？　いや、しかし……どうして、あなたが、こんなところへ」

巡子は、細かい事情まで話して、弱った体力をさらに使うことがもったいなく、

「人に伝え聞いて、お見舞いをと……。静人の話もできれば、嬉しいと思いまして」

「そうですか……それにしても、わざわざ……。ともかく恐縮です。どうぞお座りください」

蒔野が手さぐりでベッドの柵《さく》をとらえ、ベッドの上に移って、椅子をこちらへ勧めた。

「ありがとうございます。実はわたし、車椅子なんです。椅子には夫が座らせていただきます」

「ああ、道理で。声が低いところから聞こえると思いました。おからだの調子が、まだ？」

少し、とだけ答えた。もし目が見えたら、彼はたぶん一目で巡子の状況を察しただろう。

「実は、いま、静人君の話をしていたところなんですよ。皆に紹介するのは、ご迷惑ですかね」

「ええ、もうどうぞ」と、巡子は断りの意を込めて答えた。

「人から聞いてですか……ではこんな目にあった理由も御存じでしょう。悪運が強いのか、なんとか生きてます。目は、傷が深かった上に、いやな菌が入ったとかで、難しいそうですが」

「本当にお気の毒です。大変でいらっしゃいましたのね」

巡子は、包帯を巻かれた彼の目のあたりを見つめ、花一つ持ってきていないことを詫びた。

「蒔野さんに何がよいかお聞きして、あとで届けるようにしたいと思ったものですから」

「ああ、花はいいですねえ。いまは香りのするものが、とても心が落ち着くんです。でもどうぞ、お気をつかわれないように。それより、静人君から、その後何か連絡がありましたか」

いいえ、と巡子は答えた。蒔野は背を丸めた恰好で、窓のほうへ向かってうなずき、

「以前は、彼のことで、あなたにも失礼な振る舞いをしました。お許しください」

彼に何が起きたのか、巡子はいぶかしんだ。怪我のショックがつづいているのだろうか。

「こんな状態になり、今後どうなるか不安な一方で、どこか気持ちが落ち着いてもいるんです。どうなろうと、わたしを理解しようと努めてくれる人がいるという、信頼かもしれません」

同じ姿勢のまま、彼は自分の亡き両親のことを語った。母の死をいとおしむように、父の死を憐れむように話し、二人の善い面だけを考えていくと、自分の知る彼らの実像からは離れるが、二人が幼い頃にはまだ持っていたはずの〈無垢な魂〉に、ふれているような気がすると言った。

そして、枕元に置いてある携帯電話を手さぐりで取り、巡子たちのほうへ差し出した。

「留守番電話に吹き込まれたものを、取ってあるんです。支えてくれる、もう一つの宝です」

彼が使い慣れた仕草で、スイッチを押す。小学生くらいの男の子の声が流れてきた。

「お母さんが、この電話を掛けたの。電話でだけでも、お見舞いをしなさいって。本当は生きてたんだってね。でも、大怪我をしたって……。行けないけど、大事にしてね。……じゃあ」

蒔野はスイッチを切ると、表情はよくわからないが、たぶん照れ笑いを浮かべ、

「すみません。自分のことばかりで……。静人君のことで、何かお話があったんですよね」

巡子は、話しだそうとして、急な倦怠感から胸のあたりで言葉が止まった。

「ホームページで……女性と、歩いていると」

鷹彦が代わりに話してくれた。蒔野が彼のほうを振り仰ぎ、お父さまですか、と問う。

「その女性が、誰かと、思いまして……」と、鷹彦が吐息とさほど変わらない声で訊いた。

「わたしも知らないのです、静人君の行為に共感した人かもしれませんね。実は、そうした人間が増えればいいと思ってるんです。わたしもできたら、彼の想いをつなげたいと考えています」

巡子は当惑した。静人のことをよく言われるのは嬉しいが、妙に祭り上げられたくもない。

鷹彦が、巡子の体調を気づかってだろう、そろそろ、と促した。彼女は、蒔野にあらためて見舞いの言葉を告げ、話してくれたことへの礼を述べた。蒔野も、礼を述べて立ち上がり、

「また、静人君のお話を聞きに、お宅へ伺わせていただいても、よろしいでしょうか」

巡子は、いつでもどうぞと答え、相手が差しのべてきた手を握った。瞬間、彼の手が強張《こわば》った。力も込めてこない。病状を察したのかもしれない。彼は何も言わなかった。

病室を出る際、背後で、足を吊った青年が吐き捨てるようにつぶやく声が聞こえた。

「そんなやつ、いるわけないよ……もしいても、やっぱり、何にもならないよ……」


十二月三十日の朝、滋賀から鷹彦の妹、みのりが上京した。怜司が連絡したのだろう。

彼女は、ベッドで寝たきりの巡子を見るなり、そばに座って手を握りつづけた。

昨日また腹水を抜いてもらった。楽にはなったが、もう高揚感はない。山隅から、高カロリーの輸液はつらくなるだけだから、維持輸液にしてはどうかと勧められ、お母さんがいいならと美

汐も納得したため、あとは「維持」するだけの命なんだなと思いつつ、巡子は受け入れた。

みのりと散歩がてら、高齢者ホームへ出かけた。クリスマス以降ボランティアを休んでおり、ひと言挨拶しておきたかった。職員たちは巡子の状態を薄々察したろうが、ふだん通りに接してくれて、「皆さん、よいお年をね」と伝えると、誰もが笑顔で「よいお年を」と応えてくれた。

巡子は、痩せて余った皮が乾燥して、かゆみを感じるようになった。かゆみ止めのクリームを塗っても、なお我慢できないときがある。それを知ったみのりは、姑《しゅうとめ》を介護した経験から、冷水で絞ったタオルをかゆい箇所に当ててくれた。ひんやりとして、一時的にかゆみが薄れる。

また皮膚の表面は、黄疸が強まり、黄褐色になっていた。ところどころかさぶたのようなものもでき、屑《くず》となって剝がれ落ちる。ほかにしてほしいことはないかと、みのりに問われて、この皮膚の屑をどうにかしたい、と答えた。お風呂に入っちゃだめなの、と逆に訊かれ、

「そういや伯母さん、生まれてくる赤ん坊と一緒にお風呂に入りたいって、前に言ってたよね」

と、怜司が思い出して言った。すぐに美汐が、山隅と姜から許可をもらったらしい、

「お母さん、いまから、赤ちゃんと一緒にお風呂に入ってよ」

巡子は、脱衣場まで鷹彦に抱えられ、みのりに服を脱がせてもらい、二人に両側から抱き上げられて、先に湯船につかっていた美汐の隣に入った。湯船が狭いため、浴槽と美汐にはさまれて、からだは安定した。鷹彦は出て、万一の場合に備え、みのりが湯船の外から巡子を支えた。

はち切れんばかりになった美汐のおなかの上に、引き寄せられるように手を置く。内側の充実を感じさせる肉の固い弾力と、張りつめた皮膚の感触に、本当にいるのだ……ここに生きている

のだ……と思って心がふるえ、おなかの丸みをたどるように撫でてゆく。ふと気づいて、

「いやじゃないの、こんな……」

こんな死にゆく者の手に、赤ちゃんをさわられて……と、言葉にはできぬまま、美汐に訊く。

美汐が、巡子の手を両手で握り、自分のおなかに強く押しつけるようにした。

「もっとさわってよ。いっぱい、いっぱい、さわってやってよ……」

「巡子、赤ちゃんに声をかけてあげたら？」と、みのりが勧める。

巡子は、目の前の大きく丸いおなかに唇をつけるようにして、

「おばあちゃんよ……いま一緒にお風呂に入ってますよ……元気に生まれてね」

言い終えるとすぐ、ドンという勢いで、美汐のおなかの一部が突き上げるように動いた。

びっくりして顔を起こす。美汐が笑っていた。みのりも笑っている。からだの奥底から熱いものがこみ上げ、巡子は懸命に腕を上げて、美汐を抱きしめた。みのりがそれを助けてくれる。

薄くなった胸に、張り出したおなかがぴったりくっつき、自分のほうが母なる存在に抱きしめられている気がした。密着している美汐のおなかの内側から、ふたたびドンと合図を送ってくる力を、全身で受け止める。わが子の胎動《たいどう》のように感じた。耳もとで美汐が言った。

「お母さん、この子……男の子だよ」

大晦日《おおみそか》、冬日和の淡い青空が、ほどよくデザインされた模様のように雲を散らしている。

巡子は、近所の神社へ鷹彦を誘った。彼は明日みんなと一緒に行けばどうかと言ったが、

「明日は混んでるし……たまには、デートもいいでしょ」

(それに予感がする。明日には、わたしはもう外へ出られる状態にはないんじゃないかな。)

神社は、新年を迎える準備の飾りつけを終えていたが、境内に人の姿はなかった。

車椅子を鷹彦に押してもらって石段脇の勾配《こうばい》をのぼり、賽銭《さいせん》箱の前に進む。巡子は、後ろから支えられて、なんとか鈴を鳴らし、お賽銭を投げた。祈りは、家族の幸せと、赤ん坊の健康と、静人の無事だった。車椅子に戻ると、鷹彦が祈った。白髪の増えた頭を神前で垂れる彼を見て、この際これだけは言っておかなければいけないと、少し前から気づいていたことを口にした。

「鷹彦……あなた……わたしのあとを、追うつもりでしょ」

彼の背中がふるえた。巡子が病院で胃の検査を受け、ロビーに出たとき、「そうすればいいんだ」と、彼が納得した調子で独り言をつぶやいていたのは、たとえ悪い結果になっても、自分もすぐにあとを追えばいいことだからと、覚悟を決めた言葉だったのだろう。だからこそ以後の彼は、巡子の状態に一喜一憂することなく、落ち着いて介護に当たってくれたのだろう。

「あとなんて追ったら、絶対だめだからね」

「……どうして」と、鷹彦が背中越しに言う。

「何言ってんの。美汐がいるし、孫も生まれるのよ」

「……怜司に、任せればいい。みのりもいる」

「両親をいちどに亡くしたら、美汐はどれだけつらいか。赤ちゃんにもきっと影響するよ」

「ぼくには、できない……きみを失って、まだ、生きてくなんて……」

心が揺さぶられる。見つめ合っていないのが救いだった。巡子はどうにか心の平衡《へいこう》を保ち、

「静人だって、帰ったとき、二人ともいなかったら、ショックだよ。わたしがどんなだったか、話してやって。たぶんもう間に合わないから……にこにこ笑ってたって、話してやってよ」

「間に合うよ……帰ってくるよ……」

「あの子の仕事を見届けてやってね。疲れてたら、休ませて、やめたいって言ったら、そばにいてやって。つづけてゆけそうだったら、わたしのためのお金の残り、渡してやってちょうだい」

鷹彦が、賽銭箱に手をついて身を支えた。

「ねえ、鷹彦……いい年だったね。孫ができるし、美汐を託《たく》せる相手もいる。静人とは会えなかったけど、元気なのはわかったもの。そうよ、いい年だったよ」

巡子は鷹彦の腰にふれた。彼が気づいて、前を向いたままで、巡子の手を握る。

「わたしさ、両親に会ったら、自慢してやるつもりよ」

巡子は残されている力を振りしぼるようにして、鷹彦の手を握りしめた。

「どう？　わたし、男を見る目はあったでしょ」

その場にしゃがみ込んだ夫の姿に、胸苦しさがつのり、空のほうへ目をそらす。

形を定めない雲の、こちらから見上げる表面に、影が差している。空の高みで、どこからもたらされる影だろう。互いの柔らかな尖《とが》りが陽光をさえぎるのか、内側で重なり育った厚みが影としてあらわれるのか。空が、雲が、ふだんより近くに感じられた。もしかしたら……と思った。

（わたしが、近づいているのかもしれない。）

第九章　理解者　（奈義倖世――Ⅲ）

1

　こまかい霰《あられ》まじりの雨がアスファルトの路面に跳ね返り、膝の下まで冷たく濡れる。道の片側につづく山は、葉を落とした木々の濡れた幹が、雨空の鈍い光を映し、いかにも寒々しい。車道をはさんで反対側には畑が広がり、その奥に人家がぽつりぽつりと見える。昨日、公園で拾った新聞には、十二月に入って北国では本格的に雪が降りはじめたと書かれていた。

　奈義倖世は、雨合羽のなかへ雨が吹き込まぬよう顔を伏せ、前を行く坂築静人の足の動きだけを見ながら歩いた。静人は、鳶職《とび》の人などが雨天時に使う足袋《たび》風のゴム長にはき替えている。幾つか試した結果、彼の旅には最も適した雨天用の履物《はきもの》なのだという。倖世は、そうした靴を手に入れられる場所に行き合えず、通常の長靴をはいていた。靴とふくらはぎの隙間から雨が入るため、長靴と足とのあいだに新聞紙をつめることを静人に勧められて、その通りにしていた。

　二人はいま、群馬県内の国道沿いの歩道を進み、じき埼玉との県境となる。静人と歩きはじめてそろそろ三ヶ月だった。彼の歩みがゆっくりしているため、倖世もなんとかついてこられた。
《このまま永遠に、奴と旅をつづける気じゃないだろうね。》
甲水朔也が毎日のようにからかってくる。倖世が無視していると、朔也はかえって面白がり、倖世の肩の上から耳もとに含み笑いをしてささやきかけてくる。
《きみが奴と歩きつづけている動機を教えようか……奴への、殺意だろ？》
周囲に人家が増えてきた。静人が国道を離れ、家々が集まっている地域へ入ってゆく。
畑の脇に用水路が通り、雨で流れが速い。農道を走ってくる軽トラックに静人が手を挙げた。年配の男が警戒感のあらわな顔を出す。静人の話を聞いて、男は不快そうに顔をしかめながらも言葉少なに何やら答え、倖世へも厳しい疑いの目を向けてから、軽トラックを出した。
《旅の終わりに、きみは奴を殺すつもりなんだろう？》
倖世は、静人の前で、自分の生い立ちから朔也を殺すまでを、嘔吐するように一気に話した。性的なことを含め、いわば恥をさらした。だが静人の反応は、冷静というより冷淡だった。善良に見えた朔也の行為が装ったものである事実を語ったのに、人々が彼に感謝したならそれでよいと、変わらず善き人間として悼むと言った。倖世は朔也への愛を利用されて、彼を殺す地獄へ落ちたのに、彼を愛した時間が一瞬でも存在したのなら、その愛もまた善きものとして心に刻むと答えた。人のことをどう考えるかは自由だとしても、自分の考えに合う都合のよい事実の断片だけを拾い上げ、真実とは別種の人間像をこしらえて記憶することが、許されるのか……。
前方で、静人が足を止めた。用水路が地下の排水溝に落ち込む場所で、コンクリートで囲まれた排出口に鉄柵がはめられている。二年前の夏、近所に住む四歳の男の子が用水路の上流に落ち、この場所で遺体が見つかったらしい。近所の人が総出で男の子を捜索したという新聞記事の内容や、軽トラックを運転していた男の話をもとに、静人は悼むのだろう。彼は裸足になり、ジーンズの裾をたくし上げて、リュックを背負った合羽姿のまま、用水路に入った。

ふだんはもっと水量が少ないだろうが、いまは静人の膝まで水が来ている。彼は流れに抗して足を踏ん張り、いつもは地面すれすれに下ろす左手を流れに浸し、右手は雨に向けて挙げ、胸の前で両手を重ねた。前にも見たことのある光景だった。川で釣りをしていて流された少年と、それを救おうとした近所の男性の、二人の死を悼んだとき、彼はやはり裸足で流れへ入った。

倖世の背後で、エンジン音が聞こえた。先ほどの軽トラックが十メートルほど手前で止まり、助手席側のドアが開いて、三十代半ばかと思われる作業着姿の男が降りてきた。彼は、傘も差さずにこちらへ駆け寄り、倖世を一瞥《いちべつ》したあと、用水路内の静人に気づいて息をつめる様子が伝わった。すぐに気を取り直してか、何をしてると静人に訊く。声がかすれていた。咳払いをして、

「おい……あんた、そこで何をやってんだよ」

静人は悼みの途中のためか、顔を上げない。作業着姿の男は苛立たしげに道の端まで進み、同じ言葉を大声で繰り返した。静人はようやく顔を上げ、会釈をして、いつものように答えた。

「悼ませていただいていました」

男は意味がわからないのだろう、やや勢いを失くした声で、何のことかと重ねて訊く。

静人は、道路に手を掛けて、用水路から上がり、足を濡らしたまま男の正面に立った。

「ここで亡くなられた男の子のことを、悼ませていただいていました」

作業着姿の男は明らかに混乱して、神経質に周囲を見回した。いつのまにかそばに来ていた軽トラックの運転手が、作業着姿の男に傘を差しかけ、かかわるな、と注意した。

「変な真似をしないように離れて見ているだけにしろ、と言ったろ。いいから、かかわるな」

「あの、もしよろしかったら、亡くなった男の子のことをお聞かせいただけますか」

静人が作業着姿の男に話しかけた。彼は拳を握って、静人を見つめ返す。すぐに年配の男が、

「話すことなんてない。二年も前だ。もう行ってくれ。あんたら、宗教だろ。教えのためだろ」

はい、と答えたほうが時間を節約できるのに、と倖世はいつも思う。静人がとる奇異な行動も、宗教に基づくものと匂わせれば、一般に人々は距離を置くはずだ。なのに彼は、

「いいえ、宗教とは関係ありません。個人的に、亡くなった方を悼みたいと思っただけです」

と、正直に説明しようとして、相手をいっそう混乱させる。

「もうどうでもいいから、とにかく早く行っちまってくれ。でないと、警察を呼ぶぞ」

年配の男が言って、作業着姿の男の腕を引き、軽トラックへ戻った。

静人は、合羽の下からタオルを出して足を拭いた。エンジンのかかった軽トラックの助手席側のドアが突然開き、ふたたび作業着姿の男が駆け寄ってきた。彼は静人の正面に立ち、

「いい子だったと、祈れよ。祈るなら、本当に優しい子だったんだと、祈っていけ。ママにな、用水路脇に咲いてた花を、プレゼントしようとしたんだ……そういう子だったんだよ」

男はそこまで言うと、つらそうに息を吐き、軽トラックのほうへ肩を落として歩いた。

あなたに、と静人が声を返した。男が軽トラックのドアに手をかけたところで振り返った。

「あなたに、大切に想われていた男の子だったということも、悼ませていただきます」

男は、何かを吞み込むようにぐっと顎を引き、顔を伏せて、助手席に乗り込んだ。軽トラックはすぐに後退し、途中の横道で切り返して走り去った。静人は、道の上に膝をつき、手はもう上下にやらず、まっすぐ胸の前で重ねて、こうべを垂れた。

わたしは、この男にどうしてほしかったのか……。人を殺したとはいえ、非難する権利など彼にはない。安易な同情も腹が立つ。もしかしたら安易な非難や同情を受けて、この男もほかの連中と変わらないと安心したかったのかもしれない。そうすれば、すんなり別れられたろう。朔也の存在を肩の上に感じつつ、この先どう生きればいいのか……彼に答えをもらえると期待したわけではないが、ほかに手だてもなく、ひとりになれば、水に入るか車の前に飛び出すくらいしか道はないように感じていた。彼と旅をつづけた結果、どんな答えも得られないなら、やはり同じ道を選ぶしかないだろう。そのときは、彼を道連れにするのが当然だという想いがあった。こちらの心を乱すだけで、何も答えをもたらさないなら、当然の報いだというように……。

《それは一種の甘えじゃないのかい。つまり、きみの殺意は甘えを含んでいる。》

悼みを終えた静人が、ゴム長をはいて歩きだす。こちらに合図などは送ってこない。倖世もそれは承知で、あとにつづいた。彼は倖世が一緒に歩くことは断らないが、ついてくるように誘ったこともなく、それでもついていけば最低限必要な世話は焼いてくれた。倖世は常に彼の忠告に従って行動した。野宿の旅はいろいろと面倒なことが多く、窮屈に感じたことは数かぎりない。

トイレはことに困り、外で済ますことも少なくなかった。恥ずかしさにいやになりかけたときは、朔也が肩口に顔を出し、人を殺しておきながら何を恥じるんだと嘲笑した。そう言われると開き直ったように行動でき、長く歩くことに慣れたいまでは、ずっとつづけてもいいかとさえ思う。問題は、この旅はやはり無意味だから終えようと悟る日が、いつ訪れるかということだった。

国道に戻り、バス停を見つけた。一時間ほどバスに乗り、夕暮れ間近、寂《さび》れた印象の地区に着いた。地区内の家で、八十歳の老女が寝たきりの夫を絞殺し、箪笥の引出しの取っ手に紐《ひも》を掛けて自死していた。静人がこの春に駅で拾った週刊誌の記事によると、息子夫婦と成人した二人の孫も同居していて、介護は家族が協力しておこない、老女は決して孤独ではなかったという。

その家の近くの四つ辻に雑貨店があった。こうした商店の人々は、静人の存在と質問を不審がる一方で、宗教に関係する人物と誤解するらしく、たいていが大体の事情を話してくれた。

老女は、今年三月、風邪をこじらせてから、わが身の先行きを案じ、夫と自分の、倍の迷惑を家族にかけると恐れたようだ。『二人で往きます』と、感謝の言葉をつづった遺書を残していた。家族も近所の者も、老女の心根を哀れに思い、涙した……。静人はそうした話を聞いたあと、店の者が語らなかった夫のほうについても、誰に愛され感謝されたかといったことを尋ねた。

店の者は、訊かれるまでは忘れていた顔で、亡くなった老人から受けた親切のことや、老人は植木が趣味で、菊やつつじの花の美しさが近所の人に喜ばれていた、と話した。迷惑はかけない約束で、その家までの道も教わり、ひっそりとした家の、庭に残された植木がいまもよく手入れされている様子を見届けてから、静人は家の前の道路に片膝をついた。

地区内には適当な野宿の場所がなく、国道まで戻った。道路沿いに、産地直売の野菜を並べて売るらしい無人の小屋が建っており、正面に雨戸が引かれていたが、鍵はなく、簡単に入れた。荷物を下ろし、むき出しの地面にビニールシートを敷く。静人が固形燃料に火をつけ、折りたたみ式の鍋を広げて、公園で給水した水筒の水をついだ。湯が沸けば、折りたたみのコップに移し、近隣の人から苦情が出ぬよう、すぐに火を消す。倖世はセールで買った食パンとバナナと粉末スープを出した。レバーを回して発電するタイプの懐中電灯をつけて食事をし、食後に同じ懐中電灯に備わるラジオを聞いて、火災で二人死亡というニュースを静人はメモした。用を足すには、合羽を着て外へ出るほかはなかった。就寝前、静人は懐中電灯の明かりで、その日悼みをおこなった人々の記録をつけ、終えると、過去の記述を読み返し、悼みをより深いものにした。

寝るのが早いため、ふだんは夜明け前には目が覚める。今朝はさらに早く静人に起こされた。雨が吹き込んできたため、起きて座っていたほうがよいと言う。寝袋をしまい、合羽を着る。周囲が明るくなっても雨は弱まらず、強い風も出て、小屋の壁に枯れ枝などがぶつかった。

「今日は歩けそうにありませんね。このままここにいましょう」

静人は常々天候の変化に注意し、自然を無視した行動や無理な行程によってこうむる病気や怪我を恐れた。旅の当初はよく無理をして、風邪をひくなどかえって何日も無駄にしたらしい。医療保険に入っておらず、健康を害した場合は経済的にもダメージを受けるようだった。

動けない日、彼はノートを開き、これまでの悼みを復習する。倖世もほかにすることがなく、別のノートを見せてもらった。もう何度か目を通したが、これらは死者の記録とは言えないだろう。新聞やラジオなどの各報道をメモしたときにはあった人々の死因が、悼みを清書したノートには残されていない。或る人物の人生における愛と感謝のエピソードばかりが記されて、どういったことでその人が亡くなったかは記されていないのだ。いわばこれらのノートは、愛と感謝に満たされている人々がいまもこの世界に存在しているかのように読める人名簿だった。

国道から救急車のサイレンが聞こえてきた。静人が立ち上がり、半開きの雨戸から国道を望んだ。救急車が走り過ぎてゆくとき、彼は両手を腹の前で組み、祈るような仕草をした。いまだけのことではない。彼は救急車を見るたびに同じような仕草をする。悼みの仕方とは違っているため、何をしているのかと一度尋ねたが、彼は恥じたようにほほえむだけで、答えなかった。

「いつまで一緒に歩くつもりですか」

静人が不意に言った。救急車が走り去った先を見送ったままの姿勢で、口調は平板だった。だが声の底に苛立ちのようなものが感じられ、倖世は驚いた。彼がそのようなことを言うのは初めてだったし、真意もつかめず、答えられずにいると、静人は座って、ノートに目を戻した。

暮れるまでが長く感じられた。思えば、彼が感情らしきものをあらわしたのは、初めてではなかったか……。いつも落ち着いていて、怒りや苛立ちなどを表現したことはない。

十日ほど前、郊外の道路に花が供えられ、中年の夫婦が道路と路傍の樹木との距離をメジャーで測っていた。その夫婦は、死者を悼んで歩いているという静人を、やはり巡礼者のような存在と思ったらしく、彼の質問に熱心に答えた。亡くなったのは彼らの息子だった。バイクを運転中、トラックと接触し、路傍の樹木にぶつかって死亡した。その際、警察は詳しい検証もせずにトラック運転手の証言のみを取り上げ、彼らの息子が走行中に携帯電話で話していて運転を誤ったと断じた。彼らは手を尽くして携帯電話の通話記録を調べ、息子が亡くなった時間に電話をしていないことを証明した。すると警察は、通話ではなくメールを読んでいたと見解を変え、やはりトラック運転手は咎《とが》められなかった。二人は涙ながらに警察への不信と加害者への怒りを訴えた。倖世でさえ感情の高ぶりをおぼえた。なのに静人は、そうした話に興味を示さず、彼らの息子が両親のほかに誰に愛され、誰を愛し、どんなことで人に感謝されたかを聞かせてほしいと求めた。夫婦は、自分たちの怒りに同調しない静人に不満な表情を隠さなかった。このような理不尽をどう思うのかと迫られ、彼は冷静に、ぼくに人を裁く権利はありませんと答えた。

その彼が、わずかにしろ苛立ちをあらわにした。しかも、これまではずっと倖世がついて歩くことをいやがる素振りも見せなかったのに……彼のなかに何が生じたのだろう。

《もしかしたら、きみを意識しはじめているのかもしれないね。つまり、女としてさ。》

寝袋に入った倖世の耳もとで、朔也が言う。夜になって雨は小降りとなり、ビニールシートの上に寝袋を並べて、静人と倖世は横になっていた。静人は懐中電灯でノートを読んでいる。

《きみは、わたしとの赤裸々な話をして、奴に火をつけてしまったんじゃないのかい。》

おやすみなさい、と静人がノートを閉じ、懐中電灯を消した。倖世は口のなかでおやすみなさいと答え、目を閉じた。夜明け前、彼女が目を覚ますと、雨は上がり、静人はもう朝食の用意をしていた。食後、まだ暗いうちに小屋を出る。昨日の静人の発言は、もしかして聞き違いだったのだろうか……。倖世がついて歩くことに、彼は何も言ってこなかった。

2

群馬県と埼玉県境の、やや大きな町に着いたところ、駅ビルの壁に東京で開催中の美術展のポスターが貼られているのが目に入り、じきに東京という雰囲気が伝わってきた。

駅前の表示板で、近くに図書館の支所があるのを知った。静人は図書館を見つけるたびに訪れ、手に入らなかった日付の新聞を、地方紙を中心に閲覧する。倖世も旅の途上で知ったことだが、全国紙では政治や経済関連のニュースが社会面も占め、死亡記事が載らない日が意外と多い。そんな日でも地方紙では、身近な地域における事故や事件によって死者が出た旨の記事が載っている。亡くなった人物の簡単な紹介が載っている場合もあり、静人は丹念にメモをとる。

この日は終日図書館で過ごし、町なかの公園を宿と決め、スーパーで食料を調達し、見かけた銭湯に入り、コインランドリーで洗濯をした。町の中心部で起きた事故や事件の死者を二日つづけて悼み、町に入って三日目の昼過ぎに、町外れへ向かうバスに乗った。人里離れた山林で、この夏、乗用車内で練炭を燃やし、四人の若者が自殺していた。図書館員の話では、地元でも話題になったとのことで、詳しい場所を知ることができた。ただ、新聞には死者の性別と年齢と出身地以外、名前も発表されておらず、静人がおこなう悼みに必要な情報は得られそうになかった。

バスの終点で運転手にさらに聞き、車の往来が少ない道路から、未舗装の山道へ入り、積もった落ち葉を踏みしめながら進んでゆく。高圧線の鉄塔のそばだという現場へは、車一台通れるくらいの細い道がつづいていた。やがて鉄柵に囲まれた鉄塔の前に着く。車は撤去《てっきょ》されたらしく、確かな場所はわからないが、山林内を渡る風の吹き溜まりのような雰囲気が漂い、静人は風の匂いを嗅《か》ぐように深呼吸をし、木々の幹にふれるなどしたあと、落ち葉のなかに膝をついた。

「ねえ……相手の名前も、例の愛だの感謝だのって話もわからないのに、悼めるの？」

倖世は尋ねた。静人は、腐食しはじめた落ち葉の、深い色合いの積み重なりに目を落とし、

「亡くなった個々の人を悼むことはできません。ただ、他人とは代えがたい唯一の人が四人、ここで亡くなったのは事実ですから、それだけでも、この風景とともに胸に刻みたいのです」

遠くから鳥の声を乗せてくる冷たい風のなかに、彼は右手を挙げ、以前の雨にまだ湿っている落ち葉を、左手で幾葉かすくい上げ、その葉を両手で胸に押し当て、こうべを垂れた。

そのあいだ倖世は鉄塔の根元に座って休んだ。静人が悼みを終え、すぐに歩きだすのを見て、

「ちょっと待ってよ」

思わず声が出た。彼が足を止める。彼女が一緒に歩きはじめた頃は、待ってくれと言うと、彼は大丈夫ですかと戻ってきて、彼女の攣った足をマッサージしたり、足のマメの処置をしてくれたりした。それが、朔也とのあいだに起きた真実の話をして以降だと思うが……大丈夫ですかという声だけになり、やがて振り返りもしなくなった。

「ここのバスの最終は早いので」

平板な口調が、いつまで一緒に歩くつもりですか、と言ったときのものに似ている。

やはりあれは聞き違いではなかったのか……。置いていかれそうな恐れが、寒けに似て足元か

らこみ上げ、倖世は立ち上がった。同時に、それまで身を潜めていた朔也が顔を出し、

《おやおや。ヒモに捨てられるのを怖がる女のようだね。奴の足にでもすがりつく気かい。》

と、からかってくる。静人に対する不安と重なって、癪にさわり、

「黙ってて」

と言い返した。歩きだしていた静人が振り返る。

《何を見てる。おまえに言ったんじゃないよ。》と、朔也が彼に冷笑を向けた。

同じ言葉を言いたかった自分を、倖世は意識した。何を見てるの、あなたに言ったんじゃないのよ、と……。偶然だろうか。だが、いまにかぎったことではない。以前はさほど意識しなかったのに、最近……やはり、朔也とのあいだに起きた真実の話を静人に向けて、つまり自分の外部に向けて話して以降だと思うが……朔也が口にする言葉は、その一瞬前か後に、倖世もそう言おうと意識にのぼらせた想いであることが多いという気がしはじめていた。

どういうこと、と自分の右肩を見る。朔也はもう姿を隠し、返事もしない。顔を戻すと、静人が眉間の影を濃くして、倖世を見ていた。彼に朔也を殺した経緯を話すとき、肩の上に朔也がいると訴えたが、はっきり説明したわけではない。あらためて彼を試したい衝動に駆られる。

「肩のところに、とりついているの。わたしが殺した甲水朔也さんよ。ときどき後ろから顔を出して話しかけてくるの。あなたの悼みもずっと見てきて、ばかばかしいって笑ってる」

静人の表情に変化はなかった。気おくれするが、殺人の罪を打ち明けたのだ、正気を疑われたところでどれほどの差か、と開き直る。そもそも彼の旅こそ狂気の沙汰ではないか。

「あなたになら見えるんじゃない？　彼は本当には死んでないの。そのくらい特別な人なのよ」

静人が倖世の肩の上に視線を向けた。もしかしたら、と期待する。が、すぐに前へ向き直って歩きだした。その態度は、狂気を恐れたというより、虚言に呆れたように映って、腹立たしい。

「待ってよ。ずっと歩き通しなんだから、こっちのことも気づかって少しは休んでもいいでしょ。わたしはただの足手まといじゃない。いることで、助かったこともあるんじゃないの？」

やや恩着せがましく聞こえる言葉のせいか、静人が不思議そうにこちらを見た。

「以前はよく警察に職務質問されたって言ってたでしょ。でも一緒に旅してからは一度もないじゃない。女連れだと不審者に見られず、巡礼者とかに勘違いされやすいからじゃないの？」

本当のところはわからない。静人の悼み方や人への質問が、旅の当初よりも慣れ、人々に不審がられても、警察を呼ぶほどには警戒されなくなったせいかもしれない。だがあえて強気に、

「あなたに質問をされた人も、女が近くにいることで、話しやすかった場合があるはずよ」

「……確かに、そういうことも、あったかもしれません」

静人はあっさり認めた。だが倖世がほっとする間もなく、

「ただ、あなたがいなくとも、ずっとつづけてこられていたのです」

と、来た道のほうへ歩きだした。倖世はもう返す言葉がなく、重く感じる足を前へ運んだ。

車道に戻ってしばらく進んだところで、バス停を出る最終バスの後尾が見えた。静人は倖世を責めることもなく、バス停を過ぎても歩きつづける。まさか町まで歩くつもりかと疑い、

「ねえ、このあたりで野宿して、朝までバスを待てば？」

静人が返事をしないので、倖世は足元の小石を拾って投げつけた。石は彼を外れて転がり、まるでその石を追うように、彼が車道を横切ってゆく。進む先の雑草が茂った奥に、倉庫風の建物が二つ並んでいた。行きはバスに乗っていたため見過ごしたらしい。

二階屋ほどの高さの建物は、工業部品でも造っていた工場だろうと、倖世なりに見当をつけた。ガラスがほとんど残っていない窓から、黄昏《たそがれ》の光が差し込む内部をのぞくと、コンクリートの床が虚しく広がり、壁や天井の建材が散らばっている。もう一方の建物も同様で、そちらは天井が崩れ、床に雨水が溜まっていた。静人が、手前の建物の施錠《せじょう》されていない玄関の引き戸を開く。内部の空気が揺れ、窓から差す斜光のなかに虫が一斉に飛び立つ勢いでほこりが舞った。

壁と天井に囲まれた屋内は、ここ数日の公園よりも暖かく、精神的にも落ち着く。静人が夕食の用意を始めたとき、倖世も食料を出そうとして、ふと気になり、所持金を確認した。朔也の実家から二度と顔を出さない約束で渡された手切れ金は、旅に出て以降、何かと入り用で、すでに半分近くに減っている。いまのペースでいくと、あと三、四ヶ月で旅を終えざるを得なくなる。逆に言えば、その日までは旅をつづけることが許されるということかもしれない。

「明日からは、一緒に歩くのをやめにしましょう」

食後、静人が唐突に言った。

何を言われたのか、倖世は理解できなかった。父親が最後に家を出た日、ドアの外まで追いかけた倖世へ、「じゃあな」と、軽く手を振ったときのことが脈絡もなく頭に浮かんだ。また、死んだ娘の写真をペンダントのロケットに入れていた母の愛人が、母と別れることになった日、そばにいた倖世へ、「さよなら」と、笑いかけてきたときの胸の痛みも思い出す。

「どうして……だって……ついて歩いてもいいと言ったじゃないの」

「あなたが同じ方向に歩かれるのは、自由だと言っただけです」

静人の態度はいつも通り淡々としていた。もしかしたら朔也が肩にとりついていると話したことで、倖世の狂気を恐れたのかとも思ったが、表情からはそうした内面の変化はうかがえない。

「じゃあ、いいよ。わたしは、いままで通りにあなたの後ろを歩くから」

「……あえてお聞きしませんでしたが、あなたは一体何を目的に歩かれているのですか」

彼の声がいつになく厳しく響いた。倖世は、この旅で自分の生き死にの方向を見定められればと思っていたが、人にそれをうまく説明することはできそうになく、顔をそむけた。

その夜、彼女は寝つけぬまま虚ろに時を過ごし、静人が寝袋をたたむ気配で、身を起こした。窓の外はもう白んでいる。彼が用意する朝食は一人分だった。倖世も買いだめた菓子パンや栄養ゼリーなどを持っていて困りはしない。静人が食後にメモと地図を確認し、寝場所を掃除してから、始発のバスに間に合うように出ていった。倖世は無言でそれを追った。

バスで町に戻ると、静人は建設現場でクレーンが倒れて亡くなったペルー出身の男性を悼んだ。午後遅く町を外れて、県境となる大きな川沿いに出た。彼はゆっくりだが着実に、休憩を取ることもなく歩きつづける。倖世は寝不足のために全身がだるく、ついてゆくのに苦労した。

しばらくして雨がぱらつき、風が出てきた。静人がよく語っていることだが、雨よりも風があるほうが歩きづらい。たびたび山側からの横風を食らって、倖世はふらついた。

静人は、川沿いにある建築資材置場らしい場所へ入っていった。一方には鉄パイプなどの鉄材、反対側には丸太や加工された材木が置かれている。事故か何かで人が亡くなったのだろうか。

敷地奥に建つ管理小屋のような建物へ、彼は歩いていく。倖世は門柱の陰にしゃがんで待った。小雨が髪を濡らし、滴《しずく》が首筋に流れる。合羽を出して、風にはためくのを押さえながら着た。

《随分とご執心《しゅうしん》だね。彼に逃げられたら、ひとりきりで死ぬことになるからかな？》

朔也が彼女の右肩の上に現れ、大きくあくびをする。倖世は答える気も起きなかった。

人の気配で振り返る。積み重ねられた鉄材の前で、静人が片膝をついていた。奥の小屋の前に、白髪頭の男性が立ち、彼の行為を見つめている。悼みを終えて静人は立ち上がり、男性に深く礼をしてから門の外へ出てきた。倖世も立って、あとをついて歩いた。

「どんな悼みをしたの？　亡くなったのは、どんな人？」

黙っているのが苦痛で、尋ねてみた。答えないかもしれないと思ったが、

「四年前、積んでいた鉄材が崩れて、作業していた方が亡くなったんです」

静人は少しだけこちらに首を振り向けて言った。風で声が途切れがちになる。

「いまの方の息子さんです。会社員にしなかったことを悔やまれてます。息子さんの不注意も怒っていました。四年経っても消えない悔いや怒りを、お二人のあいだの愛として、悼みました」

彼の足取りはふだん通りだろうから、倖世の足が動かないのか、少しずつ距離が開いてゆく。

「この程度の雨なら合羽はよしたほうがいいですよ。風をはらんで飛ばされることがあります」

前方で静人が言った。足を止めて、こちらを見ている。

「放っといて。それぞれ勝手に歩くんでしょ」

意地になって言い返す。静人が何か言いかけ、あきらめた様子で、こちらへ戻ってきた。

彼は、倖世の前でリュックを下ろし、なかからビニール紐を出してカッターで適当な長さに切った。その紐を伸ばし、倖世の背後に手を回して、リュックの膨らみを押さえつける形で紐を前に引き、彼女の胸の前で縛った。合羽が風をはらむ余地がなくなったのがわかる。

《ほら、チャンスじゃないか。奴にそのまま抱きついてみればいいのさ。》

朔也のそそのかしを受け、逆に両手を突っ張って、静人を押し放した。

「放っといてって言ってるでしょ」

静人は顔色ひとつ変えず、倖世の合羽の具合を確かめてから、背を向けて歩きはじめた。

車の往来がときおりあるだけで、人がまったく通らない道は、土手状に高くなっており、左側は河川敷で、その先に水の流れがある。道の右側は茂みがいったん窪《くぼ》地《ち》状に落ちたあと、山へとつながってゆく。次に向かう場所を聞いていないため、ただ歩いていることに徒労感がつのる。

静人との距離がさらに開く。心細さに、待ってと叫びたくなり、唇を結んでこらえた。

《叫べばいいさ。連れてってと、すがればいいんだ。だってきみは、奴が必要なんだろ?》

朔也の言葉に耳を疑った。わたしが……あの男を必要としている?

《この旅を終えるとき、進むべき道が見いだせなければ、奴を道連れに死を選ぶという考えは、一種の甘えだと言ったろ。生きるにしろ死ぬにしろ、きみは奴を必要としはじめているんだ。》

「嘘っ。誰かを必要に想う感情なんて、あなたを殺すと決めたときに捨てたのよ」と言い返す。

《相手が普通の人間なら、きみには用なしだろう。だが奴は普通じゃない。死と隣り合う場所をうろついている。いわば、殺したきみと、殺されたわたしの、あいだに立っているんだ。》

「だから何なの。どこに立っていようと、わたしがあの男を必要とする理由なんてない」

《……生きたいんだろ。》

ひと呼吸置いて朔也が言った。いつもの皮肉っぽい口調ではなく、いたわりがにじんでいる。

《あいだに立つあの男に、わたしを死の世界へ押しやり、きみのことは生の世界のほうへ押し戻してほしいんだろ？　奴となら、生きていける可能性を意識しはじめているんじゃないのか。》

生きる……わたしが？　愛する人を殺したわたしが、本当に生きていけるの……？

《なぜ真実を見つめない。きみは、本当にわたしを愛していたのか？　あれは愛だったのか？》

「……どういうこと……あなたを、愛していなかったとでも言うの……」

あの当時、朔也に愛されようと、彼の難解な蔵書を読み、彼なら日々起きる事柄に対してどう考え、何を言うだろうかと想像しつづけた。懸命に自分の生き方を彼に合わせようとした。彼の死後も、実際に遺体を確認していないこともあり、彼の生存を心のどこかで意識し、事あるごとに彼の思考なり言葉なりを想像して、いわば彼と同化しようと努めてきた。

「わたしは、あなたを愛した。だからあなたが望む通りにしたのよ、殺してあげたのよっ」

叫ぶ胸が窮屈に感じられ、静人に縛られた紐をほどいた。山側から突風が吹き下ろし、合羽の隙間に入って、一気に彼女を持ち上げた。踏ん張ろうとするが、爪先立ちになって力が入らない。さらなる風で合羽が膨らみ、声を発する間もなく、河川敷へ転がり落ちた。

3

強い衝撃を腰に受けて息がつまる。静寂が周囲を支配する。ぬかるんだ泥に腰からつかっていた。痛みはさほどなく、手も足も動く。なのに立つことができない。土手を見上げた。高さが五メートル近くあり、傾斜は急だった。合羽がまた風にあおられて前のめりになり、袖から手を抜いた。羽ばたくように合羽が飛び去る。上から車の音が聞こえた。とっさのことで声が出ない。霧雨に服が重く湿り、からだがふるえてくる。このまま凍え死ぬ可能性も頭をかすめた。

風の音に混じり、人の声らしきものが聞こえる。いきなり土手から人が滑り降りてきた。

「大丈夫ですか。怪我はありませんか。どこか痛みますか」

男が怖いくらい真剣な顔を寄せてきた。安堵を感じる一方で、何よいまさら、置き去りにしたくせに、と憎さがこみ上げてくる。思わず相手の胸を突く。目の前の男は、困ったように目をしばたたいている。泣きだしたくなり、唇を噛んだ。何よ、と二度、三度、相手の胸を突く。

「とにかく道まで上がりましょう。ここにいると風邪を引きます。立てますか」

男が立って、後ろから倖世の腋《わき》の下に手を入れ、立たせようとした。いやだ、と腋を締め、首を左右に振る。置いていったくせに、迎えにこなかったくせに。足をばたつかせ、身を反らして、全体重を相手にかける。あっ、と声がして、背後で彼女を支えていた力が失われた。

倖世は眠りから覚めたように我に返った。泥から出ていた彼女の足が、ずるずると元へ戻ってゆく。からだを起こし、振り返る。静人が顔をしかめて、左手で右の手首を押さえていた。

「どうしたの、手。怪我した？　まさか、折れた……」

「わかりません。少しひねった感じです。それより足が……」

静人が左手で右の足首にふれる。痛みが走ったのか、息をつめ、目を閉じた。

謝るべきだと思うのに、素直に言葉が出ない。彼が身軽な格好なのに気がついて、

「荷物……どうしたの」

「上の道に置いてきました」

この場所では野宿はなから無理だろうが、防寒の用意もできないことになる。倖世は土手を見上げた。彼を連れて上がるのはまず不可能だ。近くに人家はなく、車もあまり通らない。

「さっきの資材置場まで走って、助けを呼んでこようかしら」

「もう閉まってます。あの方は車に乗って、さっき追い越されていきましたから」

先ほどの車の音はそれだったのか。

「しばらく先へ進めば、土手が低くなって、なんとか上がれそうな場所があります」

倖世は、彼の腰を抱くようにして肩を貸した。大小の石に足を取られながら歩いてゆく途中、何台か土手の上を走る車の音が聞こえた。声を上げたが、すべて通り過ぎていった。

土手の高さが二メートルほどになった場所で、倖世は先に上がり、周囲を見回した。家の灯はなく、日も暮れてきた。静人が傾斜地に背中をつけ、左足で地面を蹴るようにして上がってくる。倖世は手を貸し、彼が道に上がったところで、荷物を取りに走った。彼のところへ戻ると、右足

の靴を脱いでいた。かなり腫《は》れている。彼はリュックからタオルを出し、

「足首を固定しておきたいので、きつめに巻いてもらえますか。右手に力が入らなくて」

倖世は、タオルを受け取り、彼の足首を縛った。彼が顔をしかめる。長くは歩けそうにない。

「ちょっと戻った左手に、廃車が打ち捨てられていました。行ってみましょう」

静人の言葉通り、百メートルほど戻った左側の窪地に、タイヤのない乗用車が置き去りにされていた。窪地への傾斜はゆるやかで、倖世が肩を貸して彼もどうにか降りることができた。

倖世は助手席側のドアを開いた。ハンドルも計器類もないが、窓は割れていない。シートには靴跡が無数にあるものの、身を横たえるのには問題なさそうだ。彼女はほかのドアも開けて空気を入れ換え、リュックから古新聞を取って、シートの上に広げ、泥で汚れた静人を助手席に座らせた。彼女も新聞を敷いた運転席に腰掛ける。ドアを閉めると、風がさえぎられて息をつけた。

「ありがとうございます」

静人が言う。自分のせいなのに、と羞恥《しゅうち》の感情に圧《お》され、倖世は言葉を返せなかった。

彼が懐中電灯を出す。三分ほど発電レバーを回せば約三十分間は電灯がつく。左手では回しづらそうなため、倖世が代わった。明るくなった車内で、静人が救急袋を出す。消毒薬や絆創膏などが入っており、倖世もたびたび世話になった。彼は、冷湿布《れいしっぷ》の貼り薬を出して右足首に貼り、

「捻挫《ねんざ》で済めばと思いますが、動かさないようにして様子を見ます。手伝ってもらえますか」

と、包帯を倖世に渡し、右足を宙に伸ばした。そのままでは不安定なため、倖世は彼の足を自分の膝の上に置いた。ジーンズを濡らした雨が、彼の足の重みで染み出して、肌が湿る。

《ほう、積極的じゃないか。ついにからだで訴える気になったのかい、あなたが必要だと。》
どこに隠れていたの、わたしが危なかったときに……。声に出さず、朔也に言い返す。
《すごい風だったからね。肩の上に顔を出していると、さすがに飛ばされそうだったのさ。》
とりついているくせに笑わせないで、飛ばされてしまえばよかったのよ。
「包帯は、足首の内側から外へ向けて、強めに巻いてください」
静人が、朔也の存在に気づかずに言う。指示に従い、筋肉の発達したふくらはぎを手のひらで支え、包帯を巻いてゆく。彼の右の手首にも同じように巻き、どうにか終えたところで電灯が弱まり、倖世はまた三分間レバーを回した。寒けがして、大きなくしゃみを二度つづけた。
「着替えたほうがいいですね。このままだと風邪を引きます」
倖世は後部席へ移り、リュックから着替えの服を出した。汚れた服を新聞紙で包み、新しい新聞の上でジーンズをはき替え、ひと心地ついたとき、静人のほうは新しいTシャツを着ただけで、汚れたジーンズを脱ぐのに苦労していた。ことに右足を抜けず、つらそうな息づかいが聞こえる。
倖世は前に移り、彼がジーンズから足を抜くのを手伝った。顔は上げないように注意した。
《恥じらうなんておかしいね。わたしとどれだけ濃厚な夜を過ごしたか、奴は知ってるよ。》
右肩の上にいる朔也を、左手で払う。彼は巧みにかわし、左肩に移ってつづけた。
《奴だって待ってるよ。御無沙汰なところに、あんな話を聞かされて、うずうずしているさ。》
「もうよして。いじめないで」
電灯が弱まり、すうっと車内が闇に沈んだ。風が大きくうなり、車体がかすかにふるえる。

「いまも、いらっしゃるんですか……その、肩のところに、甲水さんは」

落ち着いた声が闇のなかで響く。倖世は動揺した。どう答えてよいか不安で、問い返した。

「……いたら、何だって言うの」

「お話、できますか？　甲水朔也さんと、ぼくは、話すことはできないですか」

言葉の意味がすぐにはわからなかった。野宿で慣れているはずの闇の深さが急に怖くなり、懐中電灯のレバーを回す。灯った明かりの先で、静人はふだんと変わらない目で彼女を見ていた。

「悼みの相手に、つまり亡くなった方に、ぼくの悼みはどう受け取られ、どう思われているか、ずっと気になっていました。でも当然ですが、感想を聞くわけにもゆきませんでした」

「……じゃああなたは、わたしの話を、朔也さんにとりつかれているという話を信じるの？」

静人の視線が倖世の右肩の上に動いた。朔也はいま左肩にいる。見えてはいないらしい。

「どう考えればよいか正直わかりません。ただ……亡くなった方の遺族や親しい関係者で、亡くなった人物がいまもそばにいるのを感じるとおっしゃる方は、何人かいました……」

《やはり奴は頭がおかしい。だけど面白いね。話してみようか。きみが通訳すればいいさ。》

倖世は迷いながらも、朔也の考えを伝えようとしたとき、静人がくしゃみをした。先に着替えを済ませてもいいですか、と彼が言う。倖世が手伝って、静人は着替えを終えた。

《それじゃあ、わたしから聞こうか。そのほうが話しやすいだろう。》と、朔也が言う。

「わたしが朔也さんの言葉を伝えるかたちになるけど、いい？」と、倖世は恐る恐る訊いた。

「ええ、わかりました。お願いします」と、静人が答える。

次に朔也が話しはじめた言葉を受け、倖世はそれをどう伝えようかと口を開いた。

するとわざわざ言い換えなくとも、彼女の声を使って、彼の言葉が外にあらわれた。

「《初めまして、でいいのかな。わたしは、きみのことをずっと見てきたけどね。》」

自分の口から朔也の言葉が出たことに驚き、倖世は半ば茫然として、つづく言葉を受けた。

「《さあ、まずわたしに対するきみの悼みの感想だが、正直滑稽《こっけい》だな。誤解だらけの悼みなど望んではいないし、わたしが生きていたことなど、べつに覚えてもらいたくもない。そんな人間はほかにもいると思うがね。きみ自身はどうなんだ、悼むという行為に疑いはないのかい。》」

静人の瞳が揺れている。倖世の発した言葉が本当に朔也の意志に基づくものかどうか、まだはかりかねているのだろう。それでも、言葉の内容を咀嚼《そしゃく》し、呑み込むほどの間を置いてから、

「疑いは常にあります。こんなことをしてどうなるのか、誰かを傷つけるだけではないのか……こうした問いを、背中に突きつけられた刃《やいば》のように意識しながら歩いています」

「《だったら、どうしてつづける？　なぜやめない？　つき動かしているものは何だい。》」

その問いなら何度か静人に尋ねた、と倖世は思う。なぜこんなことをするのか、どうしてつづけるのか、綿密に書かれたノートは何になるのか、と。そのつど彼はあいまいな返事しかせず、病気だとお考えください、とかわした。今回もそのように逃げるだろうと思った。

だが静人は、自分の内側を見つめるような目をして黙り込み、しばらくして、

「どう説明するべきか、自分でもよくわからなくて……少し長くなりますけど、いいですか」

と前置きし、勤めていた会社のこと、仕事とボランティアで関わった小児病院のこと、親友の

死などを語り、精神的な疲労から精神科の病院に入院した過去を語った。途中で、懐中電灯の灯が消えたが、倖世は話を途切らせたくなくて、暗闇のなかで彼の話を聞きつづけた。

「病院で亡くなる子どもに対し、ぼくは何もできません。死を教訓に、次の子の治療に努力する場所にもいないのです。無力なまま、親しくなった子の死を見送り、悲しむ間もなく、また仲良くなった子を見送ることがつづきました。親友は、ぼくより社会に必要な男でした。過労気味の彼に、休むように言える立場にいたのはぼくなのに、何も言わずに過ごし、結果として彼は亡くなったんです。そして、決しておまえを忘れないと誓いながら、命日を一日にしろ忘れました。入院先の医師は、気にし過ぎだと言いました。誰もが人の死を経験するが、心の隅にしまったり、そのうち忘れたりして生きていくのだと。そんなことはわかっていました。ただ理屈で理解できても、感情の底では納得できていなかった。退院して家へ帰る途中、道端に花が供えられているのを見つけました。聞くと、その場所で交通事故があり、若い女性が亡くなっていました。家族に愛され、友だちに大事にされていた人が、身近なところで亡くなっていた……。なのにぼくはそれを知りもしなかった。のんきに暮らしていた頃にも、周囲から大切に想われていた人たちが、日々亡くなっていたに違いないと、あらためて思い知ったのです。いいのか、それでいいのかと、突き上げるような痛みを胸に感じました。いてもたってもいられなくなったのです」

静人はそこまで一気に話すと、言葉を切った。闇のなかで、車を揺らす風の音の合間に、彼の息づかいが聞こえる。倖世は待った。朔也も待っていた。ほどなく静人は大きく息をつき、

「近所を歩き回るようになって、献花を見つけると、近くの人に事情を尋ねました。一つの死を

知ると、もっとあるだろう、この先にもあるはずと、訪ねる距離が延びました。これまで見過ごしてきた亡くなった人の情報も、どんどん目に入ってきます。近ければ訪ね、遠ければメモして地域ごとに訪ねるようにしました。特別な考えなどなく、或る人を悼んでおきながら、じゃあ次の人は悼まなくてもいいのかという、強迫的な想いにつき動かされていたんです。家族から、死にとりつかれているようだと言われましたが、そうかもしれないと思いました。投げ出そうとしたことは何度もあります。でも、本当にいいのか、この死者を、あの死者を、忘れて生きていけるのかと、ささやきかけてくる声があり、胸苦しさに眠ることもできません。だから、これは病気だと思うことにしました。そのほうが気が楽だからです。病気だから仕方ないんだと……」

「《初めから、愛だの感謝だのということで、死者を悼んでいたわけではないのかい。》」

「ええ。旅のあいだに、しぜんとそうなったんです。亡くなった人を忘れずにいることが大切でした。それが自分の悼みの、いわば原点ですから。でも、会ったこともない人たち一人一人の個人史や事情をすべて覚えるには、記憶の限界はもちろん、まずそこまで込み入った話を聞くことができません。旅をつづけるあいだにいろいろなことが削ぎ落とされ、三つが残ったのです」

「《ほかにも大事な要素はあると思うけどね。殺された理由とか、殺され方とか。理不尽な死への怒りや悔しさを胸に刻むことのほうが、供養になる場合があるんじゃないのかな。》」

「殺人事件や、酔っぱらい運転などの悪質な交通犯罪には、感情的にもなります。でも怒りや悔しさをつのらせていくと、亡くなった人ではなく、事件や事故という出来事のほうを、また犯人のほうを、より覚えてしまうことに気がついたんです。たとえば、亡くなった子どもの名前より、その子を手にかけた犯人の名前のほうが先に頭に浮かぶ、というようなことです。亡くなった人の人生の本質は、死に方ではなくて、誰を愛し、誰に愛され、何をして人に感謝されたかにあるのではないかと、亡くなった人々を訪ね歩くうちに、気づかされたんです」

倖世は、彼の悼みを間近で見聞きし、死者にさほど同情的ではない気がして、何度も違和感を抱いた。最近では、オートバイ事故で亡くなった青年の遺族が、警察のずさんな捜査や対応に怒っていたのに、彼はその怒りに同調せず、冷淡なほど亡くなった青年の生きていたときの話ばかりを聞こうとした姿が、印象に強い。倖世の考えを察してか、あの事故で亡くなった青年の遺族のことはどう考えるのかと、朔也が問うた。静人はつらそうなため息を洩らし、

「ああした遺族の方は本当にお気の毒です。かつてはぼくもあの種の話には怒りを感じました。ほかにも、過剰報道をするマスコミとか心ない悪戯《いたずら》をする人とか……。でも怒ったところでぼくには何もできないばかりか、怒りや苛立ちが心を占めて、実際にどんな人物が亡くなったのかが残らなくなる恐れがあるんです。他人のぼくにできるのは、両親に愛され、勤め先の製菓工場の同僚の女性を愛し、工場見学に来た子どもたちから説明が上手だと感謝されたことのある青年が、確かにこの世界に生きていたという真実を心に刻むことだと思うのです。ただ……」

と、静人は言いよどんだ。「……ここ最近は、無理に感情を抑えていたところがあり、あのご両親には不快な想いをさせてしまったようで、申し訳なく思っています」

「《無理に感情を抑えていた？　それはどういうこと。何かあったのかい。》」

静人は答えなかった。沈黙を不安に感じた倖世は発電レバーを回した。闇のなかで充電装置の

動くウィン、ウィンという音が単調に繰り返される。その音を耳にしつつ黙々と手を動かしていると、冥界《めいかい》へつながるケーブルを下ろしているかのような夢想にとらわれる。地下壕《ちかごう》でのランプのように明かりがぼうっと灯り、静人の真剣な顔が浮かび上がる。彼は倖世を見つめていた。

「ぼくは、感情を、できるかぎり殺してきた、人間です」

一語一語区切るように、静人が言った。倖世は彼から目をそらせなかった。

「さっきも言いましたが、旅に出た当初は一人一人の死に感情的に反応し、すべてを受け止めるかたちで悼んでいました。別の方法を知らなかったのです。でも、遺族や親友のような気持ちで見知らぬ人の死を悼む行為は、何人もつづけるうちに精神がすり切れ、ついには倒れ、次の悼みができなくなります。悲惨な死に感情移入し過ぎて、毎日死ぬことばかりを考えていた時期もあります。感情のコントロールが必要だと思いました。感情の揺れを自制するしかない、でなければ悼めなくなる、と。結果として、遺族や関係者の方が表す感情に同調することができず、ときには不快な印象を与えてしまいます。相手の気持ちを害するのは本意ではありませんが、悼みをつづけるためには仕方がないんです。奈義さんと初めてお会いしたおりも、習慣的に感情を抑えていました。でもその後、甲水さんとのあいだに起きた真実の話を聞き、恐ろしいほどの内容に、心を揺さぶられました。お二人のことで、どうにか保っていた感情のバランスが崩れそうになるのを意識しました。だからこそ、これまで以上に感情を抑えなければと努め、ここ最近は、どうしてもふだんにも増して、ぶっきらぼうな受け答えしかできなくなっていました」

倖世は心の内がざわつくのを感じた。少なくとも自分は嫌われたわけではなかったのだ……。

「《つまり、一緒に歩くのをやめようと言ったのは、わたしたちを意識する余りに、平静でいられなくなったためかい。そこには……倖世を女として見る恐れも含んでいたのかな。》」

朔也がいつものからかう口調で尋ねる。倖世は止めたいが、答えを聞いてみたくもあった。

「……どう答えてよいかわかりません。感情を抑えることが習慣化して、お二人に対して何か感じても、その意味を解き明かしたり考えてみたりする心がうまく働かない感じなので」

「《回りくどい言い方だね。きみは女は嫌いなのか。結婚は？　恋人はいなかったのかい？》」

「なんだか……急にくだけた質問ですね」

静人が表情をゆるめた。朔也よりも倖世のほうがうろたえ、顔を伏せた。静人が硬くなっていたからだの力を抜くように肩を上下させ、シートにもたれかかるのが、目の端に映る。

「これって、やっぱり不思議な会話ですよね……。でも、確かにふだんの奈義さんの話しぶりとは違うし、本当に、亡くなった甲水さんと話せている、ということなんですよね……」

夢の話でもするような笑みを含んだ静人の声からは、倖世の虚言を疑うよりは、朔也の言葉をひとつの現実として受け入れ、いっそ彼との会話を楽しもうと考えているのが感じられた。

「ぼくはね、甲水さん、奈義さん……ときどき思うんです。そう……ぼくは……自殺をする代わりに、他人の死を悼むようになったのかもしれないなって」

倖世は驚いて顔を上げた。静人はフロントガラスのほうに目を移し、おだやかな表情でいる。

「自分が死ぬ代わりに、他人の死を経験することに溺れていったのかもしれないんです」

声にも緊張感はなく、まるで寝入る寸前の人の声のように優しく響いた。

「付き合っていた人とは、旅に出る前に別れました。小児病院での子どもたちの死や、親友の死から、自分を責める日々がつづいて、恋とか愛とかって気になれなかったんです。肉体も精神もすり減って、死に深く寄り添っている感覚でした。それでも、旅に出てどのくらいでしょうか、慣れるに従い、ある種の欲求が頭をもたげてきたのは、事実です。町で際どい格好の女性を見たり、拾ったスポーツ新聞や雑誌に載っている写真を目にしたりしたとき……昔の恋人たちとの記憶もよみがえってきました。でもすぐに、おまえは死者を悼んでいるんじゃないのかと、罪悪感が押さえにかかります。頭で想うくらいいいだろうと欲望が抵抗し、しばらくこのことでは苦しみました。ただ実際に女性と交渉を持つ機会など、そうした店へでも行かなければ無理で、旅の都合で金銭的な余裕がなかったのは幸いだったかもしれません。現実に毎日くたくたになるまで歩きますし。べつに道徳心で抑えたわけじゃないんです。本当に悼みができているのか、悼むことに意味はあるのか、という問いも頭から離れず、妄想に浸《ひた》ろうとしても、その日悼んだ相手が頭に浮かんできます。いつのまにか欲求のほうがあきらめて離れていった感じなんですよ」

朔也の存在が……正確には朔也個人でもなく、死者と話しているという状況が……悼みをつづけてきた者として、死者と話すという超常的な出来事も受け入れようとする心の傾きが……彼の心の鎧をわずかでも外させたのかもしれない。愚痴をこぼせば、悼みをつづける心が折れかねないと、かたくなに自分を囲ってきた壁を、少しだけ崩せた、というようにも感じられた。

静人がこちらを振り返った。いたずらっぽくさえ見える明るい表情で、

「ぼくからも、甲水さんに聞いていいですか。お二人の話は、奈義さんが語られた通りなんです

か。疑ってるわけではなく、当事者でも立場が違えば、異なった見方になるものですから」

「《ああ……おおむね彼女が話した通りだよ。ただ、すべてを話してはいないけどね。》」

倖世は胸を突かれた。朔也の視線を痛いほど左の頰に感じる。

「《倖世が話したのは、わたしを殺すにいたるまでと、わたしを刺したあとに動転して救急車を呼んで以降のことだ。あいだが抜けている。わたしの最期の言葉もね。》」

だって、そこまで話す必要はないし、つらい話だから……。倖世は口に出さずに釈明する。

「そのことに、心残りがあるのでしょうか？」と、静人が言った。

朔也と倖世はそろって彼を見た。何のことかとそれぞれが目で訊き返す。静人には倖世しか見えていないはずだが、倖世のこれまでの動きから察したのか、彼は左肩のほうへ視線を向け、

「甲水さんがそこにおられる……というのは、この世に心残りがあるからでしょう？　でも、お話では、甲水さんは願い通りのことを奈義さんにしてもらったはずです。なのに心残りがあるというのは、奈義さんが話されなかった箇所に、何かあるのかな、と思ったものですから」

「よして。何もあるわけない。ただつらくて話せないだけ」

倖世は、とっさに自分の声を取り戻して言った。この会話自体も打ち切りたくなり、

「もういいでしょ。わたしもあいだに入って、疲れたから」

ちょうど明かりが消え、車内がまた完全な闇に戻った。倖世は闇の底でほっと息をついた。

朔也も静人も黙っている。風の音が途絶えたとき、ふと、虫が鳴くのに似た音がした。

「そろそろ、何か食べましょうか」と、照れたような声が聞こえた。

4

風がやみ、地をゆったりと這う朝霧を、静人が波立たせて右足の状態を確かめている。体重をかけると顔をしかめるが、心配で見ていた倖世に向けて、寄せていた眉を開いた。

「どうやら捻挫で済んだようです。手のほうも痛みが引いてきました。慎重に歩けば大丈夫でしょうから、そのぶん早めに出発したいと思います」

彼が用意した朝食は二人分だった。死者である朔也と話すという異常な体験を共有したことで、二人のあいだにこれまでにない親和《しんわ》的な情緒が醸《かも》されているのを、倖世は感じる。

朝食後、静人は茂みに入り、昨日の強風で折れた枝から、手頃な一本を拾ってきて杖代わりとした。倖世は彼の後ろに寄り添うように歩き、ふたたび一緒に旅をつづける成り行きとなった。

昼過ぎにようやく埼玉県に入り、一年前にアパートの火災で亡くなったイギリス出身の女性を悼んだ。彼女は地元の中学校で英語を教えており、多くの生徒に慕われていたという。

この日は早々に公園に泊まることにして、二人が寝袋に入ったところで、朔也が顔を出した。

《ようやく落ち着いたかな。じゃあ、今夜もまた彼と話そうじゃないか。》

と、彼が倖世に持ちかける。価値観や死生観は相いれなくとも、静人の考えはやはり一般とは違っており、それが朔也には面白く感じられるのかもしれない。静人に彼の言葉を伝えると、

「ああ、甲水さんが出てこられたんですか。ええ、いいですよ、少し話しましょうか」

と、まるで友人からの電話を受けたように、ごくしぜんな調子で答えた。

倖世が心を虚ろにして、朔也を意識しつつ口を開くと、彼の言葉が形になって静人へ届く。

「《悼みの際に口にする、故人の愛や感謝にまつわる話は、きみの想像が多く含まれているね。通常の思い出話を、強引に愛や感謝へつなげたりもする。それは許されることなのかい。》」

「おっしゃることはわかります。でも誰であれ、主観や想像を排して過去や遠い場所の死者を悼むことはできないと思うんです。昔の戦争で亡くなった人のことを考えるなら想像力が必要ですし、外国で起きている悲劇について考える場合も同じでしょう。ですから、故人が存在していたことで、人々の心に残した美しい影響を、少しでも見いだせればと願って話を伺っています」

翌日は、大きな町に入り、ホテルを訪ねた。客室内で二年前に女性の絞殺遺体が発見されたためだが、悼む前に警備員に追い出された。静人は、ホテル脇の道路で死者の冥福だけを祈った。

夜はまた野宿の場所において、倖世を介した朔也と静人との会話がつづいた。

「《しかし、きみが想像を働かせる余地がないほどの悪人もいるだろう？　世間から嫌われ、疎《うと》まれ、死んでも憎いと思われている人物さ。そんな相手は悼みようがないじゃないか。》」

「ええ……でも、どんな人でも、話を聞いてゆくうちには、誰かに好かれたり、感謝されたりした過去が出てくるものなんです。小学校時代や、赤ん坊の頃にまでさかのぼっても構いません」

「《なんだか、お利口さんの答えというか、悟ったようなことを言うじゃないか。》」

「とんでもない、ぼくのエゴですよ。つらい話は、覚えるのもつらいですから。その人が周囲に残した、温かい感情の遺産のようなものを見いだすことで、ようやく覚えていけるんです」

翌朝、倖世は起きようとして、からだのふらつきを感じた。熱があるらしい。風邪薬を飲み、いくぶん落ち着いた。静人もまだ足を引いているから、ついて歩くのに問題はなかった。

この日は、或る新興住宅地を訪ねた。今年の初夏、三十八歳の父親が、同い年の妻と、十歳の長女、八歳の長男を絞殺したのち、遺書を残して自分も首を吊った。原因は、住宅ローンの返済の行き詰まりや彼自身の健康状態などが噂されたが、はっきりしないらしい。

住宅地内の公園にいた子ども連れの女性五人のグループに、静人は声をかけた。彼女たちは警戒しつつも、おずおずと、いい人たちだった、仲のよい家族に見えた、といった当たり障《さわ》りのない話をした。一人の女性が迷惑顔で、こんなことを聞いてどうする気、と逆に尋ねてきた。静人が悼みたいだけですと答えても、責任者は誰か、どういった団体か、と質問をつづける。

遊んでいた子どもたちがいつのまにか集まり、話を聞いていたらしい。十歳前後の少年二人がねえねえと話に割り込み、あいつのこと知りたいの？　と亡くなった男の子の名前を口にした。

お調子者だよ、モノマネが得意でさ、授業中にも先生の真似して笑わせんの、ゲームは下手くそだよ、いつも笑ってた、いると楽しかったよ、いなくなったのが超うそみてぇ……。

亡くなった女の子のことも、誰かが語り、それをきっかけに次々と子どもたちは話した。

弟と違ってしっかりした子、面倒見がいいの、クラス委員で、うるさい男子を叱ったり、うちの親が離婚したとき一緒に泣いてくれた、なんであんなことになったの、嘘ならいいのに……。

倖世は、そうした話を聞いて、無理心中を図った父親に対し、あなたはわが子がこれほど人に慕われていたことを知っていましたか、と問いたくなった。静人はしかし感想めいたことは何ひとつ言わず、いまは更地《さらち》となった現場まで歩き、冬冷えの乾いた路上で悼みをおこなった。

クリスマスを迎えて浮足立ったにぎわいを見せる街の片隅で、なお数人の悼みをおこなったあと、二人は木枯らしが吹き下ろす秩父《ちちぶ》の山側へ向かった。

地区外れのバス停で下りたところで、ちょうどサイレンを鳴らして走る救急車とすれ違った。

静人はまた両手を腹の前で組み、悼みとは違う、祈るような姿勢を救急車に対してとった。

倖世はあらためて救急車が通るたびに何をしているのかと尋ねたが、彼はやはり答えず、照れ隠しのように右足首の様子を確かめて、杖に使ってきた枝を茂みの奥へ放った。

昨春、十代後半から三十代と見られる身元不明の男性の死体が発見された貯水池にたどり着く。

献花など悼むための情報が残されていないか、男性は別の場所で殺され、貯水池に捨てられたらしい。

バス停から三十分も離れていて、葦《あし》が群生した水辺を回ってみるという静人に対し、倖世は悪寒《おかん》がつづいており、バス停へ戻る道路の手前で待つことにした。

《まず今日の死者も悼むことはできないだろうな。彼の旅は、あまりに無駄が多過ぎる。》

朔也が言った。非難の口調ではない。静人自身もきっとわかっていることだからだ。

「仕方ないのよ……彼は死者を葬るのでなく、なんとか息づかせようとしてるんだから……」

粉雪が舞ってきた。合羽は風に飛ばされたあと買い求めるのを忘れていた。倖世は道路の端にうずくまり、水筒の水を口に含んだ。喉につまってむせ、それをしおに咳が出はじめた。膝のあいだに顔を伏せて咳をこらえる。額にひんやりする手が当てられた。頭を少し持ち上げられ、

「だいぶ熱がありますね。隠していたんですか?」

額から手が離れるのを、すがるように目で追うと、静人の顔がぼやけて見えた。脈拍の乱れに合わせて頭が痛み、目を閉じる。彼が何か言って立つ気配がした。孤独の恐れが突き上げ、

「置いていかないでっ」

手の当たった場所にやみくもにしがみつく。ぬくもりに顔を押しつける。

「……大丈夫です。置いていきませんよ」

手を取られ、いつのまにか相手の背中にもたれかかっていた。ふっと宙に浮いた気がする。

「人がいる場所まで下りて、近くにある病院へ連れていってもらいましょう」

捻挫が治ったばかりだから心配だったが、背負われている心地よさに言葉が出ない。気がつくと、車に乗せられていた。フロントガラスに粉雪が当たり、ワイパーが流し去ってゆく。荷物のことがあったので戻っていただいて助かりました、と静人が礼を言っている。運転席には太った女性が座り、この辺りの者がみんな診てもらってる診療所だから、と話していた。

裸の胸に、金属の冷たさを感じた。背中にも感じる。口を無理に開けさせられた。

険しい顔つきの年配の女性が倖世を見つめている。六十歳前後か、額や目尻に皺が多く刻まれ、団子鼻に掛かった眼鏡の奥の目は、レンズの加減で大きく見え、白目はやや黄色がかっていた。

「喉が真っ赤だね。感染症かな。栄養をとって休むのが一番だけど、薬も飲んどこうか」

診察を受けているのは、学校の保健室に似た殺風景な狭い部屋だった。

「旅の途中だって？　じゃあ今日はどうするつもりだったの、これまではどうしてたの？」

女医が遠慮のない口調で静人に尋ねる。言葉の底に、軽蔑を含んでいるように聞こえた。

「そういう野宿の旅とか、嫌いなのよ。当人は自由でいいと思っても、からだを壊せば即、周りに迷惑をかけるでしょ。前にいた病院でも、医療費を踏み倒したのが何人かいたのよね」

静人が、医療費は全額自己負担で払うし、彼女だけでも一晩置いてもらえないかと話している。

「うちはホテルじゃないのよ。タクシー呼んで、街まで下りなさい。そしてこんな旅、早くやめるのね。家の人も泣いてるわよ。だいたい何が目的。自分探しとかはよしてよ、気持ちの悪い」

黙っている静人に代わり、倖世は言い返したかった。だが想いをどう言葉にしたらよいかわからない。朔也なら確かな言葉を持っているだろう。朔也を意識する。言い返してやって、と願う。

「《彼は、人を悼んでいる……生きていた者が死んだとたん、数にされ、霊にされ……近しい者以外、どんな人物が生きていたかを忘れていくのに……この男は、死んだ者の生きていた時間に、新たな価値を与える。その人物が、この世に存在していたことを、ささやかに讃《たた》える。》」

朔也の言葉は、倖世の口を介するためにたどたどしいものとなったが、通じただろうか……。

女医は、不思議そうに倖世を見つめたあと、静人のほうを振り向いた。

「人を悼む……って、もしかして、あなた、〈悼む人〉って、呼ばれてる人?」

比田雅恵《ひだまさえ》と名乗る女性医師は、静人に名前を訊いたあと、しきりに首をひねった。

「もっと年のいった、神秘的な印象の人かなぁなんて考えてたのよね……」

彼女によると、インターネット上に〈悼む人〉に関する情報が流れているらしい。仕事柄、死に関心があってネットで調べているうち、〈悼む人〉の情報に行き当たった。変人がいるものだと思ったが、自分を含め、変な人間が嫌いではないので、興味を持って読んでいたという。

「まさか本当にいるとはね……しかも、じかに会って、説教まで垂れちゃった。バツが悪いね」

比田は、お詫びと言ってはなんだがと、自宅のほうへ泊まるように勧めてくれた。

平屋建ての診療所と棟《むね》つづきの自宅は二階建てで、客間に敷かれた布団に倖世は横になった。薬を飲んで少し楽になったが、隣の居間で夕食をごちそうになる静人と並んで座る力は出ない。

「せっかくだから、悼みの話も聞いていい？　ネットじゃよくわかんないこともあるのよね」

比田は静人に、悼みの意味は何か、悼む相手はどうやって見つけるのか、遺族から金銭を受け取らないのか、どうやって暮らしているのか、といった誰もが尋ねがちなことを訊いた。

「へえ……わりと場当たり的なんだ。もっと宗教的な大きいものを期待してたのに、地味だね」

静人が苦笑して、ええ、地味ですよ、と答える声が、倖世の耳にも聞こえた。

「じゃあさ、何日か前に、死刑囚が刑を執行されたってニュースでやってたけど、ああいう人の場合はどうするの。何人も人を殺した相手だけど、人間が死んだのは同じでしょ。悼むの？」

人を殺した者も悼むのか……倖世もずっと彼に問いたかった。人を殺したことを忘れて、なお善きことを掘り起こすつもりか……。だが、人を殺した人物までは悼めない、と言われたらと思うと怖くて口をつぐんだままでいた。倖世は、比田の問いに対する静人の返事を待った。

「そのことはずいぶん悩みました。雑誌などで死刑囚の生い立ちや獄中の生活について読めることがあり、それをもとに拘置所の前で悼めなくはないですが……子どもを殺した人物とかだと、気持ちも萎《な》えます。でもどんな人も等しく悼むという自分で決めたルールにも外れます。ですからこれも自分で決めたルールですが、被害者を三度悼めたら……被害者が亡くなった場所を三度訪れることができたら、加害者も悼もうかと考えています。まだその機会は訪れていませんが」

比田のくぐもった笑い声がした。呆れたようにも、感嘆しているようにも聞こえる。

「そんな旅、つらくならない？　よく耐えられるね。一つ一つの死をどう受け止めてるのよ」

「……旅に出て二年目だったか、死者に感情移入し過ぎて、死ぬことばかり考えていた時期があります。旅に出る前、年に一度は家に戻るよう家族に約束させられていたので、迷惑をかけているぶん、せめてそれくらいはと帰り着き、親友の遺品の椅子に座って、死に方を考えていました。そのとき、母に言われたんです。自分を失ったら目的を果たせなくなる、と。悼みをつづけることが大事なんじゃないか、と。母は、ぼくが死に引き寄せられているのを感じたのかもしれません。あの言葉に救われました。以後、だんだんと死者との距離が取れるようになったんです」

この人には母親がいるのか、家族がいるのか、わたしとは違うんだ、という想いが倖世の心に湧いた。彼には帰る場所があるんだ……道連れにしていい人ではないんだ……。

「そういえば、あなたの実家は神奈川？　お母さまのこと、何かで見たなぁ。ちょっと待って」

比田が去って、会話が途切れたことで、二人の話を聞いていようとする倖世の緊張がゆるんだ。何か食べますか、という静人の言葉に首を横に振りかけたところで、重い闇が下りてきた。

日に温められたイグサの匂いがする。子どもの頃一番好きだった匂いだ。懐かしさに目を開く。畳の上に落ちた陽射しのなかを、鳥のさえずりに合わせ、小さな影がかすめ過ぎていった。

倖世は、比田の自宅の客間に見慣れないパジャマ姿で寝ていた。柱時計は十時を回っている。

ともかくトイレを探して、居間のドアを開いた。短い廊下が現れ、診療所の診察室に出た。

白衣姿の比田が、老婆を診察中だった。中年の看護師が倖世に気づき、比田に声をかける。

「ああ、起きた？　調子はどう。今朝計ったときには、熱はだいぶ下がってたけどね」

倖世は彼女に礼を言った。そのあとの落ち着かない態度で理解されたのか、トイレは台所の横にあるが、ついでだから診療所のを使えば、と勧められた。背後で患者の老婆だろう、先生の娘さんかね？　と問う声が聞こえた。あら、でも、娘さんは亡くなったんじゃなかったっけ？

自宅のほうに戻って服に着替え、布団を上げて待っていると、比田が診察の合間に抜けてきたらしく、倖世を簡単に診察して、もう一日二日ゆっくりしてれば問題ないだろうとほほえんだ。

「あの……連れは、どこに？」

静人の姿とリュックが見えずに心配だったが、他人に対して彼をどう呼ぶべきかわからない。

「坂築君？　朝のうちに、診察と宿泊の代金として、診療所のなかを綺麗に掃除していってね。いまは近くへ悼みに出てる。近所で誰がどう亡くなったか、知ってるかぎり教えてあげたから」

「そうですか……帰って、くるでしょうか」

昨日、孤独の恐怖に襲われて彼にしがみついたとき、置いていきませんよ、と彼が答えてくれた言葉を信じたい。だがまったく自信はなく、不安な余りに出た言葉に、比田が首を傾げた。

「失礼だけど……ご夫婦じゃないよね。恋人、でもない？　いわゆる信者さんかな。彼の行動に共感して、一緒に歩かれてるわけでしょ？　彼のことをよく理解している言葉だったものね」

昨日の朔也の発言のことを言っているのだろう。説明に迷ううち、診療所から比田を呼ぶ声が届いた。冷蔵庫にあるものを自由に食べていいからと言い残し、比田が行こうとする。

「あの、わたしにも何かさせていただけますか。掃除でも、何でも……」

倖世は、比田の自宅を掃除し、布団を干し、無理しちゃだめよと比田に苦笑されながら、自分と彼女の昼食を作った。じっと待っていることが息苦しかった。さらに夕食を作り、比田と食卓に向き合った。離れた場所の事故も教えたから足を延ばしたのかな、と彼女が言う。

「追いかけて、行き違いになっても困るだろうし、ともかくここで待ってなさいよ」

この診療所は、比田の恩師である医師が故郷に戻って開き、彼の死後、受け継いだらしい。

「生きてれば、あなたより少し上になる娘がいたのよ。生まれつき障害があって、学校の遠足にも行かせてあげられなかった。手術は危険があるから、できるだけ先延ばしにしたかったけど、あの子が望んだの。思い切り跳ね回りたい、好きなところへ行きたい、それができないなら生きてたって仕方がないって……。手術を、わたしの上司に頼むか、夫の恩師に任せるか、いま考えればくだらないことで言い合いして、結局は夫の恩師にお願いすることになったんだけど……。まあ、その結果、いろんなことがいやになって、わたしはひとりでここに来たわけよ」

「……その話は、彼にも？」

「坂築君？　ええ、娘のことをいろいろと聞いてくれてね、朝方近くまで話したの。悼んでくれたときに、娘に対する、父親の愛情についても口にしてね……やっと彼を許せる気がした。というか、あの人も苦しんだろうし、お互いさまだったなって……少し、気持ちが楽になった」

比田が二階へ上がったあと、倖世は客間で、隣に静人用の布団を用意したまま横になった。

翌日の夜になっても、彼は戻らなかった。

「まさか、実家に帰ったってことはないよねぇ……」

比田によると、『悼む人』のサイトの更新が最近ないため、同じ言葉で検索するうち、数日前、或るホームページに行き当たったという。〈悼む人〉の親戚が開いたページらしく、そのなかで、もしも〈悼む人〉だと思われる人物に出会い、名前が「静人」というなら、母親が待っているので、至急神奈川の自宅へ帰るように伝えてほしい、と呼びかけていた。

「はっきりとは書かれていなかったけど、母親が病気なのかな、って感じはしたのよね」

そのことは静人に話し、診療所のパソコンでホームページの画面も見せたという。

実家に帰ったのなら、当分ここへは戻らないかもしれない、と倖世は思った。母親の病状次第では二度と戻らない可能性もある。実家の住所はネット上には載っていないという話だった。

《彼は戻るよ。きっと戻る。》

布団に入ったあと、朔也がいつもの彼らしくない真摯《しんし》な口調で言った。

《彼は、きみを置いていかないと言っただろ。それに、わたしのこともある。》

「あなたのこと……？　彼が、あなたと何か約束でもしたの？」

《わたしの最期を、きみがちゃんと話していないのを、彼は知っている。それを聞きに戻ってくるよ。どんな悼みもないがしろにしないのが、彼だからね。》

だが、朝になっても静人は戻らなかった。倖世は掃除をし、料理を作り、診療所で出た汚れ物の消毒を手伝い、比田からは、看護手伝いのようなかたちでしばらくいてもいいと言われた。

自分は捨てられたのか、という考えが倖世の頭をよぎった。捨てる捨てられるという関係にはないくせに、この言葉が心にからみつく。おまえはまた捨てられた、置いていかれた……。

「おいしそうですね。何を作っているんですか」

夕食を用意していた倖世の背後から聞こえた。居間と台所の敷居のところに、静人が憔悴《しょうすい》気味の頬に笑みをたたえて立っている。後ろに比田の姿が見えなければ、抱きつくところだった。

「悼んだ先で、別の悼む相手を紹介してもらって、つい足を延ばしちゃったんですって」

比田が言う。静人はリュックを持っておらず、先に診療所のほうへ回ったらしい。

「ちょっと連絡してくれればいいのにさぁ。彼女、ずいぶん心配してたのよ。謝んなさいな」

「すみません。比田さんのところにおられるから安心して、ついお二人に甘えてしまいました」

倖世は、喉もとまでこみ上げる感情を抑えるのに精一杯で、台所のほうへ顔を戻した。

夕食の席で、静人はいつもよりも口数多く、悼んだ相手のことを話した。比田は興味深そうに相槌《あいづち》を打っていたが、倖世は聞いていなかった。胸の内側で名づけ難い感情がふるえ、高まり、一気に彼にぶつけたいと思うが、比田の手前我慢するあいだに、もやもやと流れてしまう。

十時過ぎに診療所の電話が鳴り、すぐに居間の電話機に転送され、比田が用件を聞いた。

「前から診てたおじいちゃんが危ないらしいの。遅くなる場合もあるし、先に寝てて」

比田が車で出ていくのを、二人は玄関先から見送った。風は冷たいが、星の光は凍《い》てつく空気を貫いて、より鮮やかに地上に届く。家へ入りたくない気がするのは星々の瞬《またた》きのせいか、静人に対する態度を決めかねた状態で、狭い空間に二人で置かれることに気づまりを感じるせいか。

「甲水さんも、怒っていらっしゃいましたか、ぼくがなかなか戻らないことで？」

静人がくつろいだ表情で問う。「比田さんがいらっしゃる場所では、聞けませんでしたから」

「いいえ……彼は、あなたはきっと戻ると言ってたの。あなたは、わたしがすべてを話すのを聞きに戻る……彼の最期を聞きに戻るって。どんな悼みも、ないがしろにしないために」

朔也が肩の上に現れ、《戻ってきたろ？》と、唇の端をゆるめた。

「では、話してくれますか……甲水さんの最期のことを」と、静人が言う。

「あなたは、それを聞くためだけに、戻ってきたの？　それが聞きたいだけなの？」

じれるような腹立たしさがこみ上げる。なぜこんなに胸が苦しいのかわからない。

「じゃあ、話したげる。つらいだけで秘密も何もない話よ。あの場所に立ったわたしは、やっぱり無理ですって朔也さんに断った。彼は怒った。暴力も振るった。でもついにあきらめて、わたしを置き去りにして帰ろうとした。彼にとどまってもらうために、追いすがるようにして、わたしは刺した。でも最後まで、彼から欲しかった言葉……愛している、という言葉はもらえなかった。彼は朦朧《もうろう》とする意識のなかで、五歳のときに亡くしたお母さまと、わたしとを混同したみたいで、うわ言めいた言葉を口にしたあと、意識を失った。そしてわたしは我に返り、救急車を呼んだ……。わかった？　これまでの朔也さんへの悼みを変えるような事実は何もないでしょ」

静人は黙っていた。倖世の右肩を見る。左肩を見る。そして見えない相手に話しかけた。

「甲水さんに話していただいてもよろしいですか。ご自分が、最期を迎えたときのことを」

5

底冷えがするからと、静人の勧めで比田の自宅の居間に戻った。明るい光のもとでは朔也の言葉をあらわしにくく感じ、窓から射す月の光だけをあいだに挟《はさ》み、倖世は静人と向き合った。

「大勢の方々に話を伺ってきて思うのは、同じ事実でも、立場が違えば見ているものが違うということです。その異なった見方のなかに、これで悼もうと思える話が、よく隠れているんです」

静人がさとすように話した。だが倖世は、心を虚ろにして朔也を意識するという彼の言葉を形にする準備をためらった。このところ疑問に感じていることがある。思い切って口にした。

「彼が……朔也さんが、本当にいるかどうか、わたしにはよくわからなくなっているの。最近気がついたことだけど……彼は、わたしの頭に浮かんだ想いを口にする場合が多いし、彼が口にしたあと、わたしの思ったことと同じだと驚く場合もある。だから、彼の存在のことは、亡霊だろうとずっと思ってきたけれど……もしかしたら、わたしの妄想……いいえ、わたしの罪悪感とか、精神的なショックとかが生んだ、もう一つの人格のようなものかもしれないって……」

倖世が言葉を切ると、静人はどう受け止めたのか、思索に凝《こ》るような目をして、口を開いた。

「甲水さんは、あなたのお考えに対して、何とおっしゃってるんですか」

「彼にもいま初めて伝えたから……。ぼんやりと、疑問のまま言葉にならなかったことなの」

「甲水さんにお尋ねします。どう思われますか、彼女のおっしゃったことを？」

倖世は覚悟を決め、心を虚ろにして朔也の存在を意識した。右肩の上で、朔也が口を開いた。

「《笑える話だね。彼女は、わたしの蔵書を懸命に読んでいたから、多少は知恵がついたのかもしれない。だが、わたしが亡霊だろうと、彼女の罪悪感が生んだ妄想的な存在だろうと、状況に差があるかい？　わたしが何者なのか理解しようとしても、わたしという存在は消えない。》」

「ああ、ぼくもまさに同じように考えていたところです」

静人が友人に賛同するような親しみを込めて言った。「甲水さんが亡霊であろうと罪の意識から生じた心理的な存在だろうと、奈義さんが語らない、あるいは語れない、甲水さんの最期の場面を御存じだと思うんです。この世に心残りがあるのなら、成仏のため……奈義さんの内面の問題なら、心の負担を解消するために……彼の立場から事実を語ってもらうべきだと思います」

「《そんなことで、わたしがどうかなるというのかな。まあ、いい。試しに始めてみるか。倖世がさっき話したことに基本的に嘘はない。隠し立てをした気もないはずだ。ただ恐れと不安で、見聞きしたことを素直に受け止められないだけさ。元廃棄物処理場だった公園に着いたところまではいいだろう。わたしは、世界の在り方と自分自身の双方に絶望を感じ、神仏も考えつかない筋立てでの死を計画し、倖世に包丁を握らせた。意図した通り、わたしと結婚して幸福を感じていた女が、わたしを殺そうとしている。神も仏も計画を妨《さまた》げない。元々いないからさ。わたしは雨の落ちてくる天を見上げ、ほら、いないだろ、と笑い、倖世に向かって手を広げた。》」

倖世は、自分の口を通して語られる朔也の話を耳にして、あの夜起きた出来事が、窓から差す蒼白い光のなかにゆらゆらと揺れながら、そっくりよみがえってくる幻覚を見た。

車のヘッドライトに大粒の雨が浮かんでいる。地面を打つ雨の音が、二人を世界から隔絶する。

朔也は広げた両手を後ろへ回し、シャツ一枚の胸を、倖世のほうへ突き出した。

倖世の包丁を持つ手がふるえる。この人を、この命を、自分がたった一歩前へ踏み出すだけの行為で、この世から消し去ってよいのか……。あまりに畏《おそ》れ多い。自分にそんな価値はない。

「できません。やっぱりできません。許してください」

包丁を持つ両手を、祈りのように差し出し、水の溜まった地面に膝をついて懇願した。

朔也の怒りの声が落ちてきた。いまさら何を言ってる、ここまで来てるんだ、ひと突きでいい、そのままぶつかってくれれば済む、わたしを愛していないのか、すべて偽りだったのか。

倖世は泣いて首を横に振り、許しを乞うた。朔也は彼女の頬を張った。目を覚ませ、しっかりしろ。また張られたとき、倖世は包丁を捨て、彼の足にしがみついた。朔也の唸《うな》るような声を聞いた。振り払われ、足蹴《あしげ》にされた。包丁を持て、と何度も蹴られ、髪をつかまれ、引きずられた。崖との境まで運ばれ、約束通りにしろ、でないと突き落とすと言われた。そのほうが楽だと思い、そうしてください、あなたの手で落としてください、と答えた。朔也の言葉にならない叫び声が雨の音を裂いて辺りに響いた。倖世はガードレールに叩きつけられ、額を切った。地面に仰向けに倒れた彼女に、朔也が顔を寄せてきた。ヘッドライトの逆光になり、表情はうかがえない。

「ようやくわかった。おまえはわたしを愛していなかったんだ。愛など元々執着に過ぎないが、おまえが執着しているのは自分だけだ。おまえの愛を利用している気でいた自分が、滑稽だよ。おまえが愛するふりをして、わたしを見事に利用したんだ。まさかわたしがだまされるとはな」

朔也は、自嘲の笑い声を上げ、いまいましげにシャツを破って、彼女の足元に放り捨てた。

「もしかしたらおまえも無意識だったのかい。自分への執着を、わたしへの愛だと錯覚していたのか。自分への執着を徹底して貫けば、他者への愛と見分けがつかなくなるときがあるからね」

朔也は、彼女から離れ、車のほうへ戻りはじめた。違う、違います。倖世は口のなかで答えて、彼を追った。もういい、別の女を捜すから、と朔也が背中越しに言う。待って、とようやく声が出た。彼は車に乗り込む手前で首を振り向け、来るなというように、手をこちらへ突き出した。

「朝になったら駅で待ってればいい。誰か人をやって、荷物と、いくらかの金を渡すから」

置いていかないで、ひとりにしないで。倖世は手を伸ばしかけ、包丁が手にあるのに気がついた。仰向けに倒れていたとき、顔を寄せてきた朔也に握らされたのかもしれない。

「おまえと見た桜も、花火も、美しいと思い、楽しんだよ。わたしに執着してくれる者がそばにいるから感じられたことだろう。だが、すべて偽りだった。おまえは自分が楽しみ、自分が贅沢《ぜいたく》を味わうため、わたしに執着するふりをしていた。思い出は、悪臭を放つ汚物に変わったよ」

違う、そうじゃない。涙で息のつまった倖世の前に、朔也の背中があった。両手を車のルーフに預けて、腋を広くあけ、これが最後の機会だぞとばかりに、無防備な裸で待っている。

倖世がいとおしいと抱いた背中だった。腕を回し、指で幾たびも撫でた、美しい背中だった。これを人に渡す？　いやそれより、わたしがあれほど愛したことを、この背中は忘れてしまう。そればかりか、すべて愛ではなかったと拒絶し、悪臭を放つ行為だったと蔑《さげす》むなんて……。

わたしは確かに人を愛するということがよくわかりません。愛された経験がないのです。だからあなたに伝わらなかったのかもしれないけれど、わたしなりに全身全霊であなたを愛したつもりです。でも、だめだったのですか。あなたのおっしゃる通りにしたら、信じてもらえますか。わかりました……どうぞ、お許しください……あなたを、わたしのすべてで愛しています。

倖世は、朔也に歩み寄り、背中に身を添わせて、彼の体温を全身で感じつつ腕を前に回した。彼の左の脇腹に、右手がふれる。彼が短く気合を入れるように唸った。張りつめた皮がぷつっと破れる感覚が伝わり、そのあとは抵抗もなく、彼女の手が彼のからだのなかへ入っていった。

しばらく二人とも動かなかった。朔也は両手を広げて車にもたれたままでおり、倖世は彼の背中に唇をつけて泣いていた。いきなり朔也のからだから力が抜け、ずるりと崩れた。倖世は後ろから支えようとして叶わず、先に地面に座り、膝の上に彼を抱きとめた。朔也は力なく仰向けとなり、目を閉じていた。朔也さん、と呼びかける。彼が目を開いた。雨が目に入るのか、まばたきをする。倖世は彼のほうへ身を傾け、雨を防いだ。彼は片頬に笑みを浮かべ、

「よくやれたね……さあ、あともう一度……中途半端はだめだ。しっかり終わらせるんだ」

入った雨が光るのか、涙なのか、彼の瞳がうるんでいた。彼が右手を挙げる。いつ抜いたのか、凶器が握られていた。その手を開き、倖世に取るように促す。彼女はためらった。

「信じてくれましたか……わたしのことを、信じてくれましたか」と尋ねる。

朔也が唇を薄く開き、白い歯を見せた。それに力づけられ、ふたたび凶器を取る。彼は、右手を自分の心臓の上にやり、肋骨《ろっこつ》をなぞるように指を滑らせ、ここ、というように乳首の斜め下の肋骨のあいだで指を止めた。倖世は悲鳴を発しそうになり、左手で口をおおった。

怖かった。つらかった。悲鳴を呑み込み、相手に最後の力づけを求めた。

「わたしを、愛してくれますか……愛していると、言ってくれますか……言って、ください」

朔也のこめかみに青い筋が立った。次には表情をやわらげ、わずかに首を横に振る。

どうしてっ。声にならない訴えを、目で返す。朔也は笑みを含んだ息を洩らして、答えた。

「そんなことは、言えない……」

自分の信条や哲学に反すると言いたげな口ぶりだった。少しむせて、苦しげな咳をする。

「時間が経つと、痛みが増すから……」

かすれた声で彼が言う。弱音ではなく、痛がる自分を見せたくないという意思を感じた。

倖世は、もうすべてをあきらめ、彼の指のいざないに応じ、糸のついた人形のように手を運んだ。最初のときの皮膚の抵抗を今度はおぼえず、柔らかい果肉に刃を入れた感覚で手が沈んだ。

朔也の呼吸が速くなった。ライトに照らされた顔が蒼白となり、不意に息をつめ、次に長々と吐く。目を見開いた。瞳の焦点は、倖世ではなく、遠い天空に向けられていた。

「……きみから……うまれたい……」

そうささやくと、倖世の手にわずかに感じられていた彼のからだの緊張がすべて解けた。

茫然《ぼうぜん》と雨に打たれる時間がどれだけつづいたろう。ほんの一瞬だったかもしれないが、全身に電気を通されたようにからだがふるえ、自分のしでかしたことの重大さにおののいて、朔也に呼びかけた。からだを揺すり、わめき、ついに彼を膝から下ろして、車のなかへ携帯電話を取りに入った。救急車を呼びながら、彼のところへ戻り、また膝の上に抱き上げた。

「死んでません……朔也さんは死んでません……生きています……生きています……」

救急車が来るまで唱えつづけ、救急隊員に何か問われたときにもそう答えていた。自分が病院で治療を受けているおりも同じ言葉を繰り返し、制服を着た警官に、では彼は誰に刺されたんですかと訊かれたとき、初めて別の言葉を口にした。それはほかの誰にもゆずれない。

「わたしです。わたしが刺しました」


強く発音された言葉が耳を打ち、わたしが刺しました、という響きの余韻に揺り起こされるようにして、倖世は目を開いた。窓から斜めに差す淡い光の向こうに、静人の姿が見える。

押し込めていた記憶が、朔也の語りによって導かれ、最後は倖世が話していたようにも思う。

「話は……わかった？」と、静人に訊く。

「……ええ」と、彼が短く答えた。

「どのあたりまで、朔也さんが話した？　わたしも、少し話したのじゃなかった？」

静人が心もち首を傾ける。倖世も尋ねてから気づいた。彼女の口から発せられている言葉だから、どちらがどちらと、的確に言い当てるのが難しい瞬間もあるだろう。

「甲水さんが最後まで話したようであり、奈義さんがすべて話したようでもありましたから」

静人の言葉の通りなら、たぶん彼女がいま幻視した光景が、朔也も認めるところの、隠し立てのない事実ということになるのだろう。倖世は、息を整えるために深く呼吸をして、

「いままでこの場面を話さなかったのは、つらくなるからだと思ってた。自分で自分をごまかし

てたのね……。朔也さんの言う通り、わたしは自分しか愛していない。言葉では彼を愛していると言う。でも本当に愛しているなら、どれほど嫌われ、憎まれても、殺してはいけないでしょ。愛する人には生きていてもらうべきでしょ。このあいだ、無理心中をした家族を悼みに行ったのを覚えてる？　父親が妻と子ども二人を手にかけた事件よ。子どもを愛していたなら殺してはだめだと思った。そこを耐えるのが愛でしょって。わたしも本当には彼を愛していなかったのね。彼の背中を、ほかの人に渡したくなくて……それだけでなく、わたしの捧げた想いを、悪臭を放つ行為だったと蔑まれるのがいやで……彼の言葉に従ったのだから。わたしは認めてほしかったの。愛のある人間だと、人を愛せる能力を持っている女だと……。朔也さんはそれを見抜いて、わたしを導き、わたしは自分への愛に目がくらんで、彼を救えなかった。その上、真実から目をそらしていた。だから……朔也さんが現れたのよ。わたしの嘘を、欺瞞《ぎまん》を、非難するために」

「……ぼくは、そうは思いません」

静人が言った。低い声だったが、凛然《りんぜん》とした芯があり、聞く者の深いところにまで届く。

「無理心中のことをおっしゃいましたが、ぼくもあの父親の行為を愛だとは思いません。でも彼があしたことを考える以前には、子どもを愛した時間があったと思います。そのことで悼むことができました。あなたも、甲水さんと過ごした日々のなかに愛を感じた瞬間があったでしょう。であれば、お二人のあいだに愛は確かに存在したものとして、ぼくは悼めます」

「まやかしよ。最も大事な瞬間に、わたしは彼ではなく、自分の愛を守ることを取ったの」

「あなたは、かつて誰も本気で好きになったことがなく、いつ死んでもいいと思って生きていた、というようなことを、前に話してくださったでしょう。そのあなたが甲水さんと出会い、生きようとした。生きたいと願った。甲水さんと出会うまでのあなたがそうだったように、愛は完全な孤独のなかでは生じないものではないですか。たとえそれが自分への愛だとしても。あなたが自分を愛せるようになるには、甲水さんが必要だった……彼がいて、初めてあなたは自分を愛せるようになった。であれば、それはもう……彼への愛と呼んでもよくはないですか？」

「でも、彼は、朔也さんは……わたしが自分しか愛していなかったことをごまかさずに見つめろと、真実を認めろと、とりついてまで、責めてきてるのよ」

「甲水さんは、あなたを愛していらっしゃったと思います。ぼくはそう悼むつもりです」

「何を聞いていたの。わたしは、彼に愛していると言ってほしかったの。そう頼んだのよ。なのに、彼は拒んだ。そんなことは言えないと、最後の最後まで拒否したのよ」

「彼の照れでしょう。いまわの際《きわ》には、あなたからうまれたいと、おっしゃったのでしょう？」

「あれは、たぶん自分の母親と混同したのよ。彼が五歳のとき、恋人と駆け落ちして、亡くなったから、やはり想い残しがあって、もう一度親子として暮らしたかったんじゃないの？」

「母親のことを、きみとは言いません。甲水さんは、愛しているとは言えないけれど、あなたに同様の想いを伝えたかったのではないですか。愛など執着に過ぎないと、彼はおっしゃっていましたが、あなたは最後の瞬間、逃げてもよかったはずです。自分への愛を貫くなら、包丁を捨て、その場から逃げ、別の人生を見つければよかった。でも、あなたは彼に執着した。執着しきったじゃないですか。彼のお母さんのように、彼を捨てて、逃げはしなかった。彼は満足されたと思います。きみ、とは奈義さんのことで、もしもう一度生まれ変われるとしたら、奈義さんから生まれたい……そのような想いを伝えたように、ぼくには聞き取れました」

「でも……だとしたら、どういう意味なの……わたしから生まれたいなんて……」

「ぼくなりの解釈で恐縮ですが……子どもは、自分を生んでくれる人に命をゆだねます。あなたから生まれたいというのは、命をゆだねる相手が、あなたならいい、という意味ではないでしょうか。あなたなら逃げずに、犠牲もいとわず、すべてを捧げてくれるだろうから、と……。彼は、神仏の不在にこだわっていました。神や仏とは、無償の愛を捧げてくれる存在の象徴のような気がします。彼は、五歳のときに愛する人に捨てられた傷を、ずっと抱えてきたのかもしれません。無償の愛を捧げてくれるはずの人が、恋を取り、彼のことをかえりみずに死んでしまった……。以来、愛などというものを否定し、神仏の存在を否定し、否定しつつも、なお強く求めていたように思います。いえ……そう言い切るのも彼に失礼でしょうか。とても頭のよい人だったようですから、母親のことがなくても、遅かれ早かれこの世界の価値観に嫌気がさし、従来の死生観や神仏の存在には疑問を抱いたかもしれません。でも、死を想うほどまでに虚無的な境地に心が傾いたとき、歯止めになってくれる人がいなかった、というのも事実だと思います」

倖世は、静人が死に囚《とら》われたとき、母親の言葉に救われたという話を思い出した。朔也が最初に虚無的な世界観に踏み込んだおり、支えてくれる人がいたら、その後は違っていただろうか。

「甲水さんの霊がとりついていると感じる状態が、奈義さんの罪悪感や精神的なものから発しているなら、あなたは誤解なさっています、甲水さんはあなたに感謝しています、と申し上げます。

もし彼が本当に霊で、あなたに真実を見つめるように求めているのなら……あなたの誤解を案じ、最後の言葉はあなたへの愛を伝えたものだったと理解することを願って、現れたのではないかと、ぼくは思います。あらためてそのように、甲水さんを悼ませていただくつもりです」

静人は立ち上がると、庭との境の掃き出し窓を開き、庭に向かって片膝をついた。月光の冴える空へ右手を挙げ、冷たい夜気に凍《し》みる地面のほうへ左手を下ろし、両手を胸の前で重ねる。

倖世は、ただひとつのことばかりを考えながら、静人の悼みの姿を見つめていた。

わたしは、愛されていた……？　朔也さんに、愛されていた……。

電話の音で我に返った。静人がいつのまにか彼女の背後で電話を取っている。彼は受話器に向かって会話を進め、行きます、というような返事をしたあと、電話を切った。

「比田さんです。患者さんが亡くなったそうです。一人暮らしのお年寄りで、危篤《きとく》を知らせてくれたヘルパーさんはいったん帰られて、いまは比田さんだけなので、まだ寝ていないなら悼みに来てはどうか、と言ってくれました。亡くなった人を一人にできないので迎えにいけないけれど、歩いて二十分、二度道を曲がればよいだけの、わかりやすい場所だから、とのことです」

静人が戸締りをして、教えられた道を先に立って歩きだす。街灯は遠くにぽつりぽつりとあるだけだが、彼が懐中電灯を持っているほか、月の光が冴えざえしく、歩くのには困らない。

静人について歩きはじめてすぐ、倖世は背後から呼ばれた気がした。振り返ると、中空の闇に、朔也の肩から上が浮かんでいる。ずっと背負ってきた彼を、その場所に置き忘れたかのようだ。

どうしたの、そんなところに残って、一緒に来ないの……と、問いかける。

朔也はほほえんでいた。冷たくも皮肉っぽくもない、素直な青年の笑みをたたえ、倖世をいとおしげに見つめている。突然、彼が別れを告げている予感がした。倖世は戻ろうと足を踏み出した。朔也はそれに合わせて遠のき、彼女が足を止めても、そのまま闇の奥へ遠のいてゆく。

朔也さん、朔也さん、と呼びかける。彼が、そろそろ行くよ、と後ろへ首を傾けた。

行ってしまう……彼はもう行ってしまうのだ。彼の霊か、それともわたしの心が生んだ幻影に近い存在か、よくはわからないが、わたしが彼の愛を理解したことで……彼は本当にわたしを愛してくれていたのだと信じられたことで……彼は役目を果たしたかのように行ってしまう。

生んでもいいです、わたし……。消えゆく朔也に呼びかける。わたしは、あなたを生んでもいいです。もしも、生まれてきてくれるなら、すべてを尽くして、育てます。

朔也が、おどけたように目を見開いた。大丈夫かい、と茶化《ちゃか》すように眉をひそめてみせる。彼は空を見上げ、次には地面のほうを眺め下ろし、自分がこれから向かうのはどっちかな、と肩をすくめた。やっぱりこっちかと下を見て、いつもの皮肉っぽい笑みを浮かべる。そして、じゃあなとうなずくと、優しげに笑い、ゆっくりと、ゆっくりと遠ざかり、ついに闇へ溶け込んだ。

倖世はその場にしゃがみ込み、両手で顔をおおった。腹の底から突き上げるように声が洩れてくる。後ろから肩に手を置かれ、支えられた。どうかしましたか、と耳もとで聞こえる。

「朔也さんが……死んだの。彼が、死んだのよ。本当に、逝ってしまったの……」

あの夜、朔也が救急車のなかへ運び込まれて以来、彼の死を信じられずに、ずっと流さずにきた涙が、いまとめどもなくこぼれ落ちてきた。

6

肩から背中にかけて、隙間風が吹き抜けてゆくような寒々しさを感じる。戻って待っていればと勧められても、ひとりにはなりたくなくて、倖世は静人のあとについて夜道を進んだ。

訪ねた家は、枯れた雑草で庭がおおわれ、壁が黒ずみ、空き家に似たすさんだ雰囲気が漂っていた。迎えに現れた比田は、倖世を見て、一瞬眉根《まゆね》を寄せた。倖世自身も、瞼《まぶた》が腫《は》れているのがわかる。だが、比田は何も見なかった顔で、死者の寝ている部屋へ二人を案内した。

亡くなった七十三歳の家主は、腎臓をはじめ多臓器に障害があり、最近は寝たきりの状態だったらしい。比田がガーゼを取って見せてくれた顔は、実年齢より十歳以上老けて見えた。

ほとんど飾りけのない部屋で、ベッドから手の届く壁に、写真が十枚以上も貼られているのが目を引いた。男の子二人を中心にした写真で、両親らしい男女が一緒に写っているものもある。古い上に、外気にふれていたせいか、どれも黄色いフィルターをかけたように変色している。

「彼の子どもよ。大人は、彼と奥さん。上の子はもう四十近いかな。二人とも進路をめぐって彼と大喧嘩して、出てったみたい。奥さんが亡くなったときが仲直りの機会だったようだけど、彼が葬儀への参列も許さなかったって。偏屈《へんくつ》な性格だったらしいから。最近もそれは同じで、わたしやヘルパーさんに、ヤブだ、下手くそって文句ばっかり。なのに子どもたちのことはよくほめてね。幼稚園の頃はかけっこが速かった、小学校では成績が一番でって……。彼が倒れてから、子どもたちには知り合いや役所が連絡したんだけど、二人とも結局一度も帰ってこなかったな」

倖世はあらためて死者を見た。骨と皮だけに見えた顔の底から、人間味を帯びた哀しげな表情が浮かんでくる。死者の仮面が外れ、唯一の存在としての彼が見えてくる。

「よかったら、着ているものとかシーツとか、新しく替えるのを、お手伝いしましょうか」

倖世は、死者の表情にひかれて申し出た。かつて葬祭センターで葬儀の手伝いをし、身寄りのない高齢者が入居するグループホームで介護にも携《たずさ》わった経験があることを話した。

比田は喜んだ。看護師は子どもの病気で来られず、ホームヘルパーも人手不足で早朝まで来られない。体内の内容物を外に出す処置は済ませたものの、遺体の硬直が始まる前に、からだを拭いて新しい服に替える、ということまでは難しく、残念に思っていた、と話した。

「ぼくもお手伝いします。こうしたことの経験はありませんけど」と、静人も申し出た。

「あら。大勢の亡くなった人を訪ねてるのに、死後の処置の経験はないの？」と、比田が訊く。

「ええ、亡くなってからしばらく経って訪ねるので……いわば常に手遅れの男なんですよ」

彼自身は無意識らしいが、滑稽さを含んだ答えに、比田と倖世は噴き出した。それをしおに三人は立ち、比田の指示で、静人が台所で湯を沸かし、倖世は洗面所からタオルを運んだ。比田が簞笥から出したシーツと着物は、ホームヘルパーが洗濯したばかりなのか、石鹼の香りがした。

比田から渡されたゴム手袋をして、静人が遺体を支え、倖世と比田がからだを拭いた。首筋から細い腕、皺だらけの手と指、指の股と拭きつつ、倖世はいつしか朔也を想っていた。

病院に運ばれて以降、彼女は朔也にふれていない。血で汚れたからだを清めることはできなかった。彼の死を受け入れることができたいま、せめて彼の代わりのように、目の前の死者のからだを清めていく。比田に、うまいわね、偏屈なこの人もきっと感謝してるわよ、とほめられる。

あなたのおかげです、と朔也に呼びかけた。あなたは、お寺の宣伝や金儲けの隠れ蓑としてグループホームを作り、経費削減をはかってシェルターに逃げ込んだ女たちにその世話をさせたと、自分の行為は悪意から発していたものだと話したでしょ。でもわたしはそのときの経験で、この方にお見送りの処置ができるんです。あなたの行為は、人に感謝される行為へつながっていたんです。だから、この方をしっかり清めます……あなたの身を清めることにつながると信じて。

遺体に新しい着物を着せ、シーツを替え、布団を戻すと、死者の顔はどことなくさっぱりとして見えた。比田が、故人や遺族に代わって感謝します、と倖世と静人に頭を下げた。

「いいえ。よい体験をさせていただき、こちらがお礼を言いたいくらいです」と、静人が言う。

倖世も同じ想いだった。肩から背中にかけて感じていた寒々しい感覚は、いまの作業を通じて薄らぎ、からだを動かしたせいか、全身が温かい。

静人が、壁に貼られた一枚の写真に目をやり、同じ場所で悼ませていただきますと言った。

写真は、この家を建てた当時のものらしく、中学生と小学生くらいの男の子と、若い頃の故人とその妻らしい女性が、新築の家を背景に、芝生の刈り込まれた庭に並んで笑っている。

静人が庭へ出たところを、倖世は追いかけ、わたしのことも加えてほしいと声をかけた。

「彼に感謝している者の一人として……。いま必要だった、死の感触を教えてくださったの」

静人はうなずいて、枯れた雑草のなかへ踏み入り、悼みをおこなった。

この家で仮眠をとるという比田を残し、二人は彼女の家へ戻った。布団に入ってほどなく夜が明けたらしく、静人の起きる気配で、倖世も目を覚ました。短い時間でも深く眠れた気がする。出発の準備をするうちに比田が戻り、三人で早めの朝食をとった。比田が朝刊を開き、あと少しで新年ねと言う。日付の観念を失っていたため、もうそんな時期なのか、と倖世は驚いた。

「外国で一般市民が三十人も死亡ですって。でも小さい記事ねえ。これは、悼めるの？」

彼女が、静人のほうへ新聞を広げる。彼は丁寧に記事を読んだあと、首を横に振った。

「名前と年齢と、家族や仕事のことなどを伝えてもらえれば、ここにいても心に刻めますけど」

「あなたは神とか仏を信じてる？　神も仏もあるものかって嘆きたくなる死もあるでしょう」

「ええ。でも、神や仏の存在を問う権利は遺族のもので、他人が人の死を機会にそれを考えるのは不遜《ふそん》な気がしています。それに、悲惨な死に接して神仏の存在を問おうとすると、亡くなった人の年齢や家族の有無へ心が傾くことに、旅の途中で気づきました。まだ子どもなのにどうして、とか……小さな子どもさんがいるのに、とか……。そして、感情を揺さぶられるような際立った事情のない死者を、いつのまにか差別とは言わないまでも、区別しそうになっているんです」

食後、静人は診療所を、倖世は比田の自宅を掃除した。倖世は、比田の許しを得て、二階の部屋に置かれていた彼女の娘の位牌に手を合わせた。つらくて飾ってなかったけど、と比田が写真を持ってきた。あどけない少女がベッドの上でVサインを作っている。手術前日のものだという。とてもいい写真です、と倖世は正直な想いを口にした。比田は、写真を位牌の隣に飾った。

「わたしも死んだら、独りなんだよね……誰にも看取られずに、逝くわけだ」

比田が淡々とした口調でつぶやいた。そして倖世を振り返り、冗談めかした表情で、

「二人だからいいわね。万一のことがあっても、お互いを悼めるもの……安心でしょう」

倖世は動悸を感じた。朔也が去ったいま、静人と旅をつづける理由はあるのかと疑う。それに比田はたぶん間違っている。彼女が死んでも、静人はきっと悼まないだろう……。

診療所の玄関先で、三人は別れの挨拶を交わした。忘れずに持っていきなさいと、比田が古い週刊誌を静人に差し出す。待合室に置いてあったもので、患者が読み古しを持ってくるという話だった。死者に関する情報を得るために、彼が所望《しょもう》していたのだろう。

「じゃあ、後ろ姿にずっと手を振るなんてのは、性《しょう》に合わないから」

と、比田は診療所に戻った。静人は彼女に向かって深く礼をし、倖世もそれにならった。

この近辺を、静人はすでに回っており、バスでさらに山のふところ深くへ進んだ。

岩場を流れる谷川の景観が有名な、山に囲まれた盆地の町がバスの終点だった。山あいの村や地区をつなぐ鉄道も通っており、駅周辺は思いのほか開けている。彼が新聞やラジオの報道をノートに写したメモによると、この町で悼む相手は、三件五人だという。

山中の火薬工場で今年五月に爆発事故があり、従業員二人が亡くなっていた。町なかで詳しい場所を聞き、バスが通っていないため、徒歩で三時間以上かかるという工場まで歩きはじめた。

片側が杉木立がつづく山、片側が崖で、その下には谷川が流れている道を静人と歩きながら、倖世は彼との関係の変化を意識した。これまでは朔也がいた。彼がどういう存在だったとしても、倖世が静人と正面から向き合うことを妨げていた。その朔也が去り、自分が静人に大きく依存し

ているに気づかされる。彼と別れたら、今後どうすべきか考えもつかない。朔也の死を受け入れることができたのも、静人がいてこそだ。彼と別れると、朔也もさらに遠くへ行ってしまう気がする。ふと、これは執着ではないかと思った。朔也は、愛とはしょせん執着だと言った。では、静人への想いは愛に等しいのか……。だが静人は彼女のことを何とも思っていないだろう。彼の心は、死者で占められているからだ。彼が関心があるのは、死んだ者だけだからだ。

道のりを半分近く進んだところで、杉木立の陰で休憩を取った。町で買ったパンと牛乳を口にしながら、倖世は彼に尋ねてみることにした。冗談っぽく聞こえるように気をつけて、

「比田さんがね、自分は独りだから、死んだら誰にも悼んでもらえないって嘆いてたの。そしてわたしを振り向いて、あなたたちは何かあれば、お互いを悼めるから安心ね、だって……」

「何年かに一度は、あの辺りを歩くつもりです。比田さんにもし、ということがあれば、もちろん悼ませていただきます。お嬢さんを愛し、地域の方に愛され、ぼくが感謝している人として」

「じゃあ、わたしはどう……。もし、ということがあれば、悼んでくれる？」

静人が不審そうにこちらを見る。倖世は何気ない態度を装い、どう、と重ねて訊いた。

「……機会があれば、亡くなった方は皆さん、悼ませていただくつもりです」

「でも、いまじゃない。被害者を三度悼まないと殺人を犯した者は悼まないって、比田さんの質問に答えてたものね。朔也さんの亡くなった場所を訪ねたのは、このあいだで二度でしょ？」

「甲水さんのことは、昨夜あらためて悼ませていただいて、三度悼んだと考えています」

「……じゃあ、わたしがいま死んだら、悼んでくれるの？　そういうこと？」

思わず声がうわずり、静人がさらに疑わしげに倖世を見た。彼女は森の奥へ視線をそらし、

「でも、どう悼むの。わたしは、朔也さんに執着した……それを愛と呼んでもらえるなら、彼を確かに愛したし、彼もわたしを愛してくれた。でも、感謝されたことなんてない人間よ」

「あなたは、ぼくが怪我をしたとき、肩を貸し、着替えを手伝ってくれたじゃないですか」

あれは元々わたしが……と答えかけたが、彼はすぐに言葉を継ぎ、

「あなたを介して、甲水さんと話せたことにも感謝しています。亡くなった人を見送る処置を手伝わせてもらえたのも、あなたの申し出のおかげです。比田さんも処置のことでは感謝されていました。あなたに感謝している人は、甲水さんも含めて、大勢いるように思います」

大勢なんて要らない。朔也に、そして静人に感謝してもらえているなら、十分だ。

休憩を終えて歩きだしてから、では、いつ？　と考えた。静人の後ろを歩いていると、未練に似た感情があふれてくる。もう少し一緒に旅してからでもよいのではないか……。

いや、だめだ。長く旅をつづければ、静人は彼女を疎ましく思うかもしれない。これまで以上にいやな面を彼にさらす可能性も高くなる。いまなら、先ほど口にした想いで彼女を悼んでくれるだろう。だが、どうやって……。彼女の死が静人にわからなければ、悼んではもらえない。

「下山の途中で日が暮れたら、あそこに泊まってもいいですね」

朗《ほが》らかに響く静人の声に誘われ、顔を起こした。杉木立の奥に木造の小屋がある。山の手入れに使う道具を置く倉庫と、休息を取る場所を兼ねた小屋、といった造りで、使われなくなって久しいのか、全体が内側に崩れるようにたわみ、壁板も朽ちて小さな穴が幾つかあいている。

倖世は、道をはさんだ反対側に視線を振った。切り立つ崖の下は、二、三十メートルの距離を置いて谷川が流れている。大きな岩があるのだろう、ところどころでしぶきが上がっていた。

「ごめんなさい。少し足が痛くなって……なまっちゃったかな。あの小屋で待っていい？」

「ええ、それはいいですけど……大丈夫ですか」

「大丈夫よ。それより、戻ってくるでしょう？　きっとここへ戻ってきてくれるよね？」

「ええ……もちろん戻りますよ。どうしてですか」

倖世は笑みだけを返し、その場から静人を見送った。歩いてゆく彼の後ろ姿をもう見られないのかと思うとつらくなり、振り切るように先ほどの小屋へ向かって草のなかへ分け入った。

入口の戸は外れ、何もない土間が広がり、奥に二畳ほどの板の間がある。土ぼこりが溜まっていたが、屋根がしっかりしているため、ひどく汚れてはいない。板の間のほこりを払い、リュックを下ろした。静人に何か書き残すかを考えた。何も思いつかず、川へ飛び込んだしるしとして靴を脱いでゆくことにする。ここまでどうにか生きてきた道を振り返れば、朔也との日々と、静人との旅に集約される。朔也の死はつらいが……人を愛することを確かに知っていた者として、人から愛を授かる能力があった者として、また人に感謝されたこともあった者として、或る人の心に刻まれる。身元不明のまま冥福さえ祈ってもらえない人がいることを思えば、幸せだろう。

靴を脱いで、小屋を出た。杉木立を抜け、山道を横切り、谷川を見下ろす崖の上へ進む。迷うなと自分に言い聞かせる。生きていては、あの人の心に残れない。足をそっと前へ出す。

声が届いた。まだ遠いが、奈義さん、と聞こえる。動揺した。待ってください、と声が近づく。

見てはだめ、まっすぐ歩くのよ。倖世さん、と声がさらに近づいた。下の名前で呼ばれたのは初めてだ。つい視線が揺れ、目の端に静人が走ってくる姿がよぎった。

あの人が走っている……。振り向いたとき、目が合った。純粋に人を想う目の、怖いくらいの輝きに、不安な余り小屋のほうへ駆け戻っていた。醜い部分をさらせるの？　疎まれてもついていく気？　小屋の敷居に足を取られ、土間に倒れた。彼から逃げればいい。そうすれば醜い面を見せずに済む、疎まれずに済む。だが間に合わず、背後から抱き起こされた。

「どうしたんですか。何があったんです。いまのは、本気だったんですか。なぜです」

「……あなたの心に、刻んでもらえるから……悼んでもらえるから」

叫びたくなるのをこらえる。ささやくような声になり、

「あなたのなかに生きるには……そのためには……死ななくてはいけないから……」

一瞬、彼の力がゆるんだ。茫然としたかのようだ。すぐに強く抱き寄せられ、

「あなたは、もう、ぼくの心に刻まれています」

言葉の意味するところがよくわからない。黙っていると、もう一度言われた。

「深く刻まれています。一緒に旅してきたじゃないですか。以前言われたように、あなたのおかげで、不審者に見られず、人から話を聞きやすくなったことが、確かにあったと思います」

満足してもいい言葉なのに、表面的なものとしか聞こえず、じれるような想いがたぎる。

「わたしは何なの。都合のいい、助手みたいなもの？　わたしのことをどう想ってるの？」

静人が口ごもり、やがて深く息をするのが、背中に当たる胸の膨らみ方で伝わった。

「一緒に歩きはじめた頃は、違和感がありました。あなたが筋肉痛を起こしたり、マメをつぶしたりしなければ、もう少し先へ進めたのにと思ったことも正直あります。でも、悼みの意味を一緒に旅するなかで考えてくれる人がいるのは、嬉しいことでした。つらい悼みがつづいた日の夜など、あなたと話せて、ひとりなら沈むだけだったろう心が、救われる想いを何度もしました。死者との距離を取れるようになったと言っても、死を一つ一つ訪ねる行為は気が重いものです。足が鈍りそうなとき、あなたを背後に感じると、背中を押されている気がしました。いつしか、あなたがいなくなることを恐れるようになり、朝起きて隣にあなたがいるのを確かめては、ほっとしました。一緒に食事をすること、悼みの話をすること、風景の美しさや自然の怖さを共有すること……すべてが楽しいものになりました。あなたがホテルに泊まったときなど、戻ってこないのではないかと不安になりました。二人で銭湯に行き、約束の時間に外へ出て、あなたの姿が見えると胸が躍りました。このまま長く一緒に歩いてほしいと願っても、無理なことだと、口にするのは我慢しました。そんなとき、あなたと甲水さんのあいだの出来事を聞いたのです。

混乱しました。気持ちの乱れを持て余して、一緒に旅するのをやめようと、あなたに言いました。あのときの感情は、嫉妬に近かったのかもしれません。単純なやきもちではなく、あなたと甲水さんの関係に入る余地がないことへの恐れと焦りのようなもの……。だから甲水さんと話せたことは、亡くなった人と話せたというだけでなく、二人のあいだに入れてもらえた気がして、心が浮き立ちました。甲水さんとの会話は楽しめたし、彼が好きになりました。でも、彼の心情を理解できたことが、彼との別れにもつながりました……。彼が去り、あなたと二人になって、いっそう離れがたく感じています。甲水さんのことを好きだと言いましたが、甲水さんは、ある意味であなたでもあったわけですから、彼を好きだということは……つまりそれは……」

倖世はもう待っていられず、彼の腕のなかで身を翻《ひるがえ》した。愛情をせがむ幼児のように顔を胸に押しつける。彼の手を背中に感じる。嬉しさより、渇きに似た物足りなさに突き動かされ、言葉にならない想いをからだで訴えた。わたしはいるの、本当にあなたのなかに刻まれているの？

静人が彼女を抱いたまま立とうとして、互いのバランスが崩れ、板の間へ倒れ込んだ。彼のからだの熱が伝わる。遺体の冷たさにふれたばかりだからか、いっそう生きている人間の肉体が熱く感じる。その熱を自分が生きている証《あかし》として求める。静人の腕にも力がこもった。長く抑えていた衝動が一度にほとばしるような激しさに、倖世は背中が折れそうに痛み、その痛みが喜びへと転じる。彼をむさぼるように求め、彼女もまた求められ、重ね、まさぐり、開き、しがみつく。この弾力、この膨らみ、この温かさが、生きていてこその豊かさだと、心が満ちてゆく。


静人の胸に耳を当て、心臓の音を聞いていた。速かった鼓動が少しずつ落ち着いてくる。

「……生きてる」

倖世は何も考えずにつぶやいた。静人のほほえむ気配が、胸のふるえを通して伝わる。

「……生きてますよ」と、彼が答えた。

日が暮れて、からだの生理に従い、食事をし、排泄をし、その後また抱き合った。外国製だというやや大きい静人の寝袋へ二人で入り、やっぱり窮屈だねと笑いながら身を寄せて寝た。倖世が目を覚ましたとき、外はまだ暗かった。そっと寝袋を出て、ブルゾンをはおり、月明かりを頼りに小屋の外で用を済ませる。寒さにふるえながら戻ると、静人が目を覚まして、懐中電灯を灯していた。照れ笑いを浮かべ、寒い寒い、と彼に抱きつく。わっ、冷たい、と彼もおどけた声を出す。彼も用を足しに出て、戻って互いを温めるうち、しぜんとからだをからませた。

朝日が小屋の入口付近まで差しているのを、倖世は認めた。静人は隣で寝息を立てている。ぼんやりと、結局昨日は誰も悼まなかったんだ……と思った。静人は日課にしている悼みのノートを開くこともなかった。倖世のことだけを想ってくれて、死者に想いを馳《は》せることがなかったということだろう。嬉しいはずなのに、幸せなことだと思うのに……なぜか後ろめたい。

ふだんより遅い朝食後、二人は昨日静人が悼みそびれた火薬工場へ歩いた。しばらくして静人の歩みがやや速いのに、倖世は気がついた。一般の人が歩く速さと変わりなく、重く踏みしめるようだった一歩一歩が軽く感じる。口にこそしなかったが、彼も昨日悼みをおこなわなかったことを気にしているのか……その焦りのようなものが、歩き方に出ているのかもしれない。

火薬工場は頑丈な門を閉ざし、人けがなかった。門に貼り紙があり、正月休みのため昨日で操業を終え、再開は年明け六日からと書かれている。昨日なら悼みに必要な話を聞けたかもしれないのに、静人の足を引っ張る結果になったことを、倖世は詫びた。静人は、仕方のないことだからと言い、門の前で手を合わせて、死者の冥福だけを祈った。

山を下る足取りはやはり速かった。それでも町に戻れたのは夕方で、今日の悼みはもう断念し、見つけた銭湯で汗を流して、スーパーで食料品を買い、交番が脇にある公園くらいしか野宿できそうな場所が見当たらず、昨日と同じ小屋へ足を向けた。懐中電灯を点けて夜道を一時間以上かけて歩き、小屋で食事を済ませたあと、そうすることがしぜんのように二人は抱き合った。

寒さにふるえて倖世は目を開いた。背中は静人の胸と密着しているが、裸の肩が寝袋から出ている。破れた板壁のあいだから星が見える。冷たく見とがめられているようで不安になった。

静人は今日も悼みをおこなえず、ノートも開かなかった。おまえのせいじゃないのか……星がそう非難している気がする。いたたまれず、寝袋を出て、手さぐりで服を着た。枕元に置かれた懐中電灯のレバーを回す。静人の寝顔が浮かび上がった。警戒心のない無垢な寝顔に、いとおしさがつのる。この人まで離したくない。でも、いいのか……それでいいのか……。

静人のリュックから、悼みを記したノートを取り、開いてみた。大勢の死者の記述が並んでいる。彼女も一緒に訪ねた記録が目に入る。父親の無理心中で亡くなった家族……用水路に流された男の子……バイクを運転中にトラックと接触して亡くなった青年……比田とともに死後の処置をおこなった男性……比田の娘の記述もある。この人々が本来いるべき場所を、いま倖世が占めているのではないかという恐れが湧く。いいのか、それでいいのか……と、星々がまたたく。

倖世は、慌ててノートを戻し、懐中電灯を消した。自分の寝袋に入り、星たちから隠れるように身を丸くして、胸苦しさに耐える。眠りに逃げ込もうと試みる。

空気の揺れる気配に、目を開いた。すでに周囲は白み、隣の寝袋は空だった。静人が服を着て、小屋の入口から差す薄明かりに向けて座り、悼みのノートを開いている。視線を一行移すごとに、彼の横顔が針で刺されたようにゆがむ。二日間ノートを開かなかったことを、罪に感じているのだろうか。苦しげに吐息をつき、ノートをリュックに戻すと、代わりに週刊誌を手にした。比田からもらったものだ。少し読み進め、やはりつらくなったのか、リュックに戻そうとしたところ、倖世と目が合った。彼の目が優しく笑み、おはようと言う。倖世は戸惑いを隠して、挨拶を返した。つらそうな静人の表情の意味を、まっすぐ問うのは不安だが、黙ってもいられない。

「その週刊誌、比田さんにもらったものでしょ？　どんな記事が載ってるの」

「ああ……掃除したときに見て、メモさせてほしいと比田さんに頼んでいたんです。少し古い号ですが殺人事件の続報が載っています。大きく報道された事件なので、あなたも覚えているかもしれません。被害者の身元がわからず、悼めないかと思っていたのですが、この記事で被害者の身元がわかった上、その女性が誰を愛し、誰に愛されていたかなど、丹念に書かれています」

記事を見せてもらった。見出しから、生きたまま焼かれた自称十八歳の少女が、実は二十六歳の、愛する夫と幼い娘を亡くした過去を持つ女性であった、という真実が書かれているようだった。記事を書いた人物の名前は、どこにもない。週刊誌全体の取材ということなのだろう。

「じゃあ、これで悼むことができるわけね。こういう記事をもっと書いてほしいんじゃない？」

倖世があえて口調を明るくして言うと、静人は寂しげにも見える複雑な笑みを浮かべた。

「本当にそうなればと思います。ただ……配慮の行き届いた死者の記事を毎回読めたとしても、多くの死は、やはり報道すらされず、ぼくはそれを知り得ないでしょう。だから、或る人の死を詳しく知った誰かが、そのつど心に刻んでくれればと、夢のように願うことがあります」

「そんなの無理よ。あなたのしている悼みって、普通の人にはできることじゃないもの」

静人が、何やら苦々しいかたまりが胸につかえているように表情をゆがめた。やがて、

「ぼくのような人間が……このまま悼みをつづけて、いいんだろうか……」

彼の内面のうめきを耳にしたと思い、倖世はうろたえた。冷静に旅していると見えた彼が、実は感情を抑えることでようやく悼みをおこなえていたと、朔也との会話で告白したが、そのおりはまだ淡々と話し、自分の行為をいま現在疑問に感じている風ではなかった。だが倖世との関係が、縛りつけてきた感情なり欲求なりを解き、彼に迷いを生じさせているのだろうか。

「ときどき、ぼうっと心が動かないときがあるんです……悼みを終えたあとの短い時間、無感動というか虚しい気持ちすら起きない状態におちいります。自分の影が薄くなり、そのまま消えてゆきそうな何ともいやな感覚です。いまノートや記事を読んでいて、同じ感覚に襲われました」

遠くで雷鳴が聞こえた。山のなかにいるためか、和太鼓を連打するような低い響きは、いつ雷が頭上に落ちてきても不思議ではないほどの速さで迫ってくる。

「……疲れているのかもしれない。休むことも考えたら、どう？」

と、倖世は勧めてみた。静人が大きく息をつき、手のひらで顔を荒くこする。

「……怖いんですよ。いったん休むと、もう旅に戻れなくなるんじゃないかと……」

小屋の入口と壁の穴から光が閃《ひらめ》いた。間を置かず、大木を力任せに裂くような音が轟《とどろ》く。背後の壁が割れたかと思い、倖世は静人の背中に寄り添った。彼のからだは緊張が抜けて、この場に雷が落ちて死を迎えたとしても、べつによいと、あきらめにも似た心で座っているかのようだ。

ふたたび光が閃き、雷鳴が周囲の空気を揺さぶる。やがて激しい雨が落ちてきた。

夜が明けきり、食事を終えたあとも、雨は上がりそうになかった。天候の状態で歩くのを控えたときは、悼みの記録を読み返したり、記事を写したメモをもとに今後の旅の行程を考えたりする静人が、この日は小屋の入口の柱にもたれ、黙然《もくぜん》と雨を見ている。倖世は息がつまり、いっそ自分が悼みに出たいくらいだった。だが合羽は以前に失ったまま、まだ買い損ねている。

静人が、土間に置いたリュックのほうへ戻ってきた。合羽を出して、手早く着込みながら、

「ちょっと駅の裏手のほうへ行ってきます。去年の台風で、飛ばされた屋根瓦《やねがわら》が頭に当たり、女性が亡くなっているので……。できたら、車の横転で二人が亡くなった現場へも足を延ばします。この雨だから、ここで待っていてください。日が暮れるまでには戻ってきます」

彼はリュックを残して小屋を出た。リュックを持っていったとしても、置いていかれる不安は感じなかっただろう。しかし、しばらく待つうちに倖世は彼の悼みを確かめたくなった。これまでのように悼めるだろうか……彼女の存在が、悼みを邪魔することになっていないだろうか。

雨が小降りになったところで、タオルの上に古新聞を重ね、それを頭からかぶる形にして、外へ出た。山道を小走りに下り、駅に出る頃には、新聞は千切れて半ば溶けかかっていた。

見かけた駅の売店で、合羽を買った。店員に去年の台風での事故について尋ねる。彼女が顔をしかめたのを見て、先に尋ねた者がいたのかと訊く。相手はうなずき、少し前に男の人が、と答えた。事故のあった大体の場所を教えてもらい、行こうとすると、店員がけげんそうに言った。

「亡くなった女性、特別な人だったんですか。普通の主婦って聞いてたけど」

走りだしてから、答えが頭に浮かんだ。そう、特別な人です……普通の主婦なんていません、

一般市民という人間もいません……特別な人が死んでいます、特別な人が殺されています。

現場は、駅からさほど遠くない住宅地内の細い道だった。静人の姿はなかったが、幾つか通りをのぞくうち、大通り沿いの電機店の前に、彼の姿を認めた。明日の正月を控え、店先にはもう松飾りが置かれている。静人は話を聞いたあとらしく、店内に向けて頭を下げ、正月用の餅《もち》を売っている隣の和菓子店へ入ってゆき、数分後に出てきて、さらに隣の店舗を訪ねた。

和菓子店から店主らしい男性が現れ、首をひねって静人を見やり、電機店へ声をかける。去年の台風で亡くなった人のことを尋ねているだけだから、警察に通報するまではしないだろうが、静人の存在はやはり不審者と映るに違いない。離れて見ていると、静人はいつもの冷静な印象とは違い、肉親のことでも尋ねているのかと思わせる余裕のない表情で回っていた。

倖世は、彼から目をそらし、ひとまず駅へ戻った。駅前には救急車が停まっていた。人を収容したあとらしく、サイレンを鳴らして急いで一方へ走りはじめる。どういう人が運ばれていくのか事情はわからないが、命が危険な状態にあるのなら、どうぞ助かってほしいと願った。

そのとき気がついた。救急車を見るたびに静人が祈るように手を組んでいたのは、それが誰であれ、どうか助かってほしいと願っていたのではないか……。倖世は、静人との旅を通じ、死は誰にも等しく訪れることを理解しつつも、やはり悼む悼まれるという行為はつらいものと感じ、生きることのできる命ならば、なんとか生きてほしいと思うことがたびたびあった。大勢の死者を悼みつづけてきた静人なら、その願いはいっそう強いものだろうと察せられる。

小屋へと戻る道すがら、涙があふれてきた。悲しくもつらくもない。なのに涙が止まらない。

《待っている。死んだ者たちは、自分を悼んでくれる人を待っている……。》

朔也が発しているかのように、同じ言葉が繰り返し頭のなかで響いた。

小屋に入ると、静人のノートを端から読んでいった。暴行目的の犯人に、タオルを口に押し込まれて殺された若い女性のことは、倖世も覚えている。逮捕された犯人への怒りを近所の人々が話そうとするのに、静人はあくまで亡くなった女性のことだけを尋ねた。犯人に腹が立たないのかと問う倖世に対し、静人は、他人の自分にできるのは、愛と感謝に満ちた素晴らしい女性がこの世に確かに存在していたことを、生きているかぎり覚えておくだけです、と答えた。

ノートには、朔也の記述もあった。ノートを開かなかった二日間、朔也も忘れられていたのだろうか。もしも倖世がずっと静人の心を占めるなら、朔也でさえ、静人の心から押し出されてしまう可能性があるのか……。それは、彼の遺族としてはつらいことに思える。

日が暮れて雨は上がり、倖世がノートをあらかた読み終えたところで、静人が戻ってきた。どんな悼みをしてきたか、倖世は問わず、静人も話さなかった。二人は食後にしぜんと一つの寝袋に入り、おだやかに抱き合った。山気《さんき》が二人を包み込み、裸で寄り添っていても凍えそうな寒い夜だった。やがて除夜の鐘がどこからか鳴り響き、余韻が周囲の冷気までふるわせる。

「朝になって、二人とも凍え死んでいたとしても、誰もわたしたちを悼んでくれないね。でも、もしあなたが死んで、わたしが生きていたら……きっと悼んであげる」

倖世は、彼の首に唇をつけたままささやいた。息づかいから静人の苦笑する気配が伝わる。

「どんな感じ？　自分が悼まれるって」

「考えもしませんでしたから……でも、なんだか、ほっと落ち着く感じがします」

「ねえ、どうしてずっと敬語で話すの？　打ち解けてないみたい」

「……急に言葉を変えるのは、なんだかいやな感じがするものだから」

「じゃあ、本当にわたしはいるのね。生きていても、あなたのなかに刻まれているのね」

「ええ、います」

倖世は彼の胸に耳を当てた。自分以外の、彼の胸のうちに刻まれた死者たちの声が聞こえないかと思う。生きている自分が混じっていて、窮屈に感じていないか、怒ってはいないか。

「ここで、お別れします」

思い切って口にした。静人はすでに察していたかのように、黙っていた。

「このまま一緒にいれば、あなたは悼みにすべてを傾けられず、苦しむだろうし、わたしを憎むようにさえなるかもしれない。といって、悼みの旅はやめられないと思うの。或る人を悼んで、次の人は悼まなくてもいいのかと、胸が苦しくなる想いをしたというようなことを話したでしょ。あの死者を、この死者を、忘れて生きていけるのかという声も聞こえたって……。それは、あなたが亡くなった人々に選ばれたからだという気がする。無名のために、ありふれた死であるために、忘れ去られていた人……身寄りのない人、死んでなお嫌われている人……。そうした人々の魂は、あなたのような人を待っていたんじゃないかしら。だからあなたのことを、死者から死者へと橋渡ししていったのじゃないかって……。もちろんわたしの妄想みたいなものだけど。今後もあなたには悼みをつづけてほしいと、朔也さんや、あなたがこれまで悼んできた人たちは思っているはずだと信じられるし……わたしも愛する人を失った者の一人として、そう思ってる」

「……別れて、あなたは、どうするんですか」

静人の声は、からだの内側の痛みを隠そうとするかのように、つらそうに響いた。

「朔也さんを、ひとまずあの場所へ悼みにいくつもり。そのあと、できればあなたの背中を追いかけたい。あなたと旅して学んだことを参考に、亡くなった人々を訪ねて歩きたいの。そういう人間がもう一人いてもいいでしょ？　歩きつづけてゆけば、悼みをつづけているあなたとも、どこかできっと会えるだろうし……。それに、悼みをやめてほしくない理由は、もう一つあるの」

倖世は正直に告げることの恐れから、彼の胸にいっそう顔を押しつけた。

「あなたがもし悼むことをやめたら、わたしたちが別れたとき、わたしはもう誰にも悼まれない。でも、あなたが〈悼む人〉なら、たとえ別れても、わたしが死んだとわかれば、あなたはきっと悼んでくれる。甲水朔也を愛し、彼に愛され、そして坂築静人を愛した人間として……」

頬をつけた静人の胸が膨らんだ。深く息が吐かれるとともに、胸が戻ってゆき、

「……愛された女性として、です。坂築静人に、愛された人として……」

倖世は、もう一度彼を求めた。彼を熱のかたまりのようにむさぼるのでなく、手を手として、足を足として、指を指として、こまやかに肉体を、彼という存在を確かめるように抱きしめた。

新年の朝、二人は出発の準備を済ませて、道に下りた。ほぼ同時に、眼下の林の向こうの質素な民家の窓に明かりが灯った。人が生きているということ、ただそのことに尊さを感じる。

「これを、持っててくれるかな」

静人が言う。敬語ではなかった。差し出されたメモには、神奈川県内の住所が書かれている。

「実家だよ。何かあれば、訪ねてみて。みんないい人だし、こっちに連絡がつくかもしれない」

たぶん、妊娠した場合のことを含んでの気づかいだろう。だが、その時期は外れており、ひとりで何とかする覚悟もできている。それでも彼が安心するならと思い、メモを受け取った。

顔を起こしたとき、静人の肩に糸屑《いとくず》を見つけた。手を伸ばすと、糸屑が動く。繊細な脚をした蜘蛛だった。倖世の手をかわして宙に舞い、朝もやのなかへ消えてゆく。はかなげな命の先行きを案ずる心に、旅に出る静人を案じた彼の家族の影がよぎった。受け取ったメモに目を戻す。

「……比田さんから聞いたんだけど、お母さま、ご病気かもしれないんじゃなくて？」

「いや、お調子者の従兄弟《いとこ》のホームページだったから、ふざけて書いたのかもしれない」

「あなたのお母さま、どんな方なの？」

「母は、バイタリティがあって、明るくて、冗談をよく言ってみんなを笑わせ、人の世話をよく焼く、病気なんて全然しそうもない人だよ。だから、やっぱり従兄弟の悪ふざけじゃないかな」

「でも……一度帰ってみたほうがいいと思う。家族のことで、手遅れの男になっちゃだめよ」

静人は柔らかな笑みを返すだけで、どうするとも答えず、背中のリュックを揺すり上げた。

「じゃあ、このまま道をのぼって、山を越えるから……」

「……先に行って。これまでずっと見てきた後ろ姿を、見ていたいの」

静人がうなずき、背中を向けて踏み出した。しがみつきたくなるのを、倖世はこらえた。

朔也さん、と心の奥へ呼びかける。あなたは、愛などしょせん執着だと言った。わたしはその執着を放します。彼への執着を放します。だってそれが、彼のためであり、きっとわたしのためであり、あなたをはじめ大勢の亡くなった人のためだと思うから……。これは、何と呼ばれるものですか。執着を放すことも……愛、と呼んでもらえるでしょうか。

静人が足を止めた。倖世は息をつめ、振り返らないでと願った。振り返られたら、せっかくの決心が崩れてしまう。静人も迷っているのか、顔を伏せて動かない。倖世は叫びそうになる口を手で押さえた。お願い、そのまま行って……。静人が顔を起こした。ゆっくり足を前へ出す。そのまま一歩一歩、大切なものを踏みしめるように歩いてゆき、やがて道を曲がり、姿を消した。

かろうじて自分を支えていた力が抜け、倖世はその場に座り込んだ。昨日の雨でできた水溜まりの隅に、静人の足跡が残っている。彼を想って見つめるうち、その足跡がいきなり光った。

驚いて顔を上げる。彼方の山の稜線《りょうせん》に、一点の光が現れており、みるみる大きく膨らんで、周囲の霞《かすみ》や雲を明るい紫色や桃色に染め、倖世に向けてまっすぐと、金色の光を運んでくる。

顔がほてったように温かい。答えかもしれないと思った。執着を放すことは何と呼ばれるかと問うたことへの、朔也からの、あるいはもっと多くの人々からの、答えだと……。倖世は、左手を伸ばして、静人の足跡にふれ、右手を広げて、日の光を受け止め、胸の前で両手を重ねた。

わたしは歩きます。どうか見守っていてください。踏む足の下に、かけがえのない人々の命を感じながら、いつかまた会えるはずのあの人に向かって、前へ進んでいきます。

倖世は、立ち上がってリュックを背負い、町へ下りてゆく道へ、いまゆっくりと踏み出した。

エピローグ

元日の朝、坂築巡子はからだが思うように動かなくなった。ベッドから自力で起きることができず、トイレにもじっと座っていられないため、鷹彦に支えてもらう必要があった。

それでも寝室である和室に座卓を入れ、鷹彦、美汐、怜司、年末に訪ねてきてくれた親友であり鷹彦の妹、怜司の母でもある、みのりとおせち料理を囲んだ。おとそにも、巡子は唇を湿らせる程度に口をつけ、「あけましておめでとう、今年もよろしくね」と、笑顔で挨拶した。

二日、往診に訪れた山隅の指示で、からだに入れる輸液の量がさらに減らされた。今後は幻覚などを見るようなことがあるかもしれないが、一時的なものだから心配しないようにと、巡子と家族に説明があった。そして、だるさが耐えがたいほどになったり、呼吸することさえつらいと感じたりするようになったら、鎮静《ちんせい》という方法もあると提案された。薬を用いて意識を低下させ、苦痛を緩和《かんわ》するという。ただ、深い鎮静を実施した場合、以後は意思を表明できなくなるらしい。

「それは、いや」と巡子は答えた。生きているあいだは意思を表明したい。表明できなくても、意思する心は持っていたい。いつ、静人が帰ってくるかもわからないのだし……。

三日、助産師の姜が、美汐の検診に訪れた。胎児は順調に下りてきており、予定日の十一日よりも前に、つまりこの一週間のうちに出産する確率が、五〇パーセントはあると話した。

夕方、みのりが仕事の都合で滋賀へ戻ることになった。またすぐに来るからと、彼女が申し訳なさそうに繰り返すため、「わたしの分までおせちを食べて、また太ったんじゃないの？」と、からかい、「うちに来るとまた太るから、もう来なくていいわよ。家でダイエットでもしてなさいよ。あとは……どうか、美汐のことを……」と、胸の前で手を合わせた。

四日、支えてもらってもトイレに座っていられなくなり、量は少ないものの、おむつに頼らざるを得なくなった。せめてはき替えるくらいは自分でしたかったが、美汐と鷹彦が手伝わせてほしいと言い、わが身をすべてゆだねる……というかたちでの信頼が、自分がまだ人に与えられるものとして残っている、と思うことにした。床ずれ予防の体位変換は、鷹彦と怜司がおこなってくれた。怜司は、静人の部屋に泊まり、休みが明けても、この家から会社へ通った。

五日の夜、怜司がまだ仕事から帰らず、鷹彦が入浴しているあいだに、美汐が巡子のおむつを換えてくれた。寝巻を元に戻したところで、美汐が急に背中を向けて、すすり上げた。

「何……おなかが痛いの？　陣痛が来た？」

巡子が力の入らない声で問いかけると、美汐は目もとをぬぐって、こちらに向き直り、

「ごめんね、お母さん……わがままばかり言って、いろんな治療を受けてもらって……結局は、お母さんを、苦しませただけだね……本当にごめんなさい」

そんなことか、と巡子は吐息をついた。選択した治療法や、病気になる前の暮らし方などにつ

いて反省する時期は、もう過ぎた。いま大切なのは、残りの時間をどう過ごしてゆくかだ。

「いい、これは全部、わたしが自分で選んだことなの……あなたの言葉は、傲慢《ごうまん》に聞こえるよ」

やっとの想いで口にし、拳を握って娘の頭の上に、叩くというより、ちょこんと置いた。

「美汐……わたしは、感謝してるの……あなたが、そばにいてくれて……本当によかった」

「……お兄ちゃんのほうが、お母さんには、もっとよかったんだろうけど……」

目を伏せて言う美汐の言葉に、胸が痛んだ。静人と美汐を比べて育てたことはなく、愛情に差はなかったと天にも誓えるが、子どもは親の言葉尻ひとつも神経質に受け止める場合があると、巡子自身が経験したことだった。陽気で人によく好かれた兄の継郎のほうに生きていてほしかったと、親は思っていたに違いないと信じて、これまで生きてきた。両親は死ぬまでそのことにはふれなかった。たぶん巡子の気持ちを知らなかったのだろう。死ぬ間際でもいい……おまえでよかった、と言ってもらえていれば、嘘とわかっても、その後の生き方は変わっただろう。

巡子は、美汐の頭の上に置いた手を開き、濡れている彼女の頰へ下ろした。

「あなたは、五歳の頃にはよくなったけど、生まれてすぐ牛乳にアレルギーがあるとわかって、一度も粉ミルクは使わなかった。静人はわりと使ったし、早く断乳したけど……あなたには結局、二歳近くまで母乳を飲ませてた。そんなふうに生んだのは、わたしだから、あなたには申し訳なくて、いろいろ注意していたのに……二歳になった直後、あなたは自分で湿疹《しっしん》を掻きこわし、もらったお薬が合わずに下痢をして……整腸剤をもらったら、成分に牛乳が使われていて、全身が真っ赤になったの。アナフィラキシーの一歩手前で、最悪の覚悟も必要と言われた。ごめんね、お母さんが至らなくてごめんねって……病院で手を握ってると、あなたはにっこり笑ってくれた。本当に優しい笑顔で……天使はいるんだと思った。よくなって家に帰れたとき、あなたを抱きしめながら、神様にお願いした……もし、生まれ変わるということがあるのなら、もう一度、この子の、美汐の、お母さんにしてくださいって……。その気持ちは、いまも変わらないのよ」

美汐はしばらく黙っていたあと、ベッドに倒れ込むように顔を押しつけてきた。そういうのは、そういうことは……と、しゃくり上げながら繰り返す。なぁに、と巡子が訊き返すと、

「そういうことは……もっと早く……もっと前に、話してよ……」

巡子はつい笑みがこぼれ、ごめんねと、美汐の背中を撫でた。長くしゃべって、からだがつらくなってきたため、ベッドに横になり、手を伸ばして、娘のふるえる背中を撫でつづけた。


六日、自分なりに最後の始末をつけておこうと、菩提寺の和尚である栄哉《えいさい》師に来てもらった。ベッドサイドに立った彼は、巡子を見て、一瞬顔を曇らせたが、すぐに深くうなずいた。

葬儀はごく簡単でよく、ことに喪主については、鷹彦が人前に出ることを精神的につらく感じる人であり、美汐は臨月で、静人も不在のため、うまく取り計らってほしいと、巡子は頼んだ。

栄哉師は、彼女の手を取り、何も心配いらないと、手の甲をとんとんと叩いた。

「あとね……額の、三角の布、あれもいやなんです……化けて、出そうで……」

栄哉師は太い声を発して笑い、自分がちゃんとお経を上げるから必要ない、と答えてくれた。

長年付き合ってきた近所の人たちや友人たちにも別れを告げたかったが、いまから一人一人に

会うことは難しく、静人のテープレコーダーを鷹彦に下ろしてきてもらい、

「会えないままで、ごめんなさい。皆さんのことをお一人お一人想っていくと、胸が温かくなる。こんなわたしと付き合ってくれて、本当にありがとう。夫と子どもたちを、お願いします」

と吹き込み、葬儀で流すのも、弔問客《ちょうもん》に聞かせるのも、鷹彦たちに任せることにした。

七日、目を開くと、部屋がやけに暗い気がした。ベッド脇に鷹彦がいる。

「もう夜なの?」と尋ねた。

鷹彦は返事に迷ってか、口を開きながらも声が出ない。巡子は枕から首を起こした。彼女の背中の下に、鷹彦がクッションをかませてくれる。窓の外の庭は、陽射しに照り輝いていた。

(ああ……だんだんこうして見えなくなってゆくんだ……でもまだ、ものの形はわかる……。)

「かいても、いいかな?」

鷹彦がスケッチブックを広げ、鉛筆を手にしていた。すぐには何のことか理解できなかった。彼はこれまで人物を描いたことはないはずだ。もしも巡子を描くつもりなら……こんなに痩せて、醜くなってからではなく、はつらつとして輝いていた、娘時代にしてほしかったな、と思う。

「……もっと、きれいな人にしたら?」と答えた。

鷹彦は、目をしばたたき、鉛筆を動かしはじめた。

「父のように、すっと消えるように亡くなるのが、いい死に方かなと、ずっと考えてた。でも、違ったよ。きみのいまが、ぼくには、こよなく美しく見える。この美しさを……人はどのようであろうと、美しくあれるということを……美汐の子どもにも、見せてやれたらと思って……」

巡子は窓に目をやった。答えようとしても言葉が浮かばず、このまま逝くのも悪くないかな、と目を閉じた。次に目を開くと、窓にカーテンがかかり、天井の蛍光灯が灯っていた。

枕元にスケッチブックが置かれている。手に取った。柔らかい描線により、デフォルメなどもなく、素直な表現の仕方で、病気で痩せ、皺も増えた、いまの巡子の顔が描かれている。なのに、心から安らいだ印象の、平和な寝顔だからだろうか……まるで若い娘が心地よい昼寝にまどろんでいるような、おだやかな美しさが、絵の奥からにじみ出てくるのを感じた。

「……よく描き過ぎよ」

巡子はつぶやき、絵を胸に抱いた。これが遺影でよいと思った。


八日、週刊誌記者の蒔野抗太郎が訪ねてきた。ベッド脇まで、誰の案内もなく、まっすぐ上がってきた彼は、失明したはずの目が開いていた。巡子が声も出せずにいると、彼は笑って、

「奇跡ですよ。あなたにお見舞いいただいて、運気のようなものに恵まれたんじゃないでしょうか。あのあと、ダメ元で手術を受けたところ、幸運にも成功したんです」

それはよかった、本当によかったですね、と彼に言う。蒔野が少し顔をしかめた。

「お声が出ませんね。どうかなさいましたか」

(わたしの声が出ていない？　とうとう声まで失ってしまったのだろうか……。)

「ご病気がよくないんですか。でも大丈夫です。わたしが静人君の想いをつないで、旅に出ます。代わりに静人君には、しばらくお母さまのもとへ戻ってもらうつもりでいますから」

（本当に？　静人が戻ってくるんですか。あの子はいまどこにいるの？）

「もうそこまで来ていますよ。待っていてください。今日はご報告に上がったまでなので、旅の準備もありますから、これでおいとまします。きっと静人君の想いを、つないでいきますよ」

蒔野が慌ただしく帰るのとすれ違いに、新しいシーツを持った美汐が入ってきた。いま隣の部屋で出会ったはずの蒔野のことを、彼女に話す。美汐は不思議そうな顔をして、

「え。わたし、隣の部屋にずっといたけど……誰も来てないよ……」

たぶん美汐が勘違いしているのだろうと思い、その後、買い物から帰ってきた鷹彦と怜司にも、蒔野の来訪について話した。怜司は困惑した表情で、美汐と顔を見合わせている。

（どうしたの……なぜ、みんな喜ばないの。静人が戻ってくるのよ。）

すると、鷹彦が感心したような吐息をついた。

「あの蒔野さんの目が見えたのか……よかったなあ。お見舞いに行った甲斐があったね。静人もじき戻ってくるなんて、待ち遠しいね……それまで、しっかりしていなきゃね」

台所から煮物の匂いがしてくる。からだを急に抱えられた。体位を換えてくれているらしい。

「伯母さん、平気？　痛くない？　今日は九日、いま九日の午後五時だよ」

と聞こえた。目を開くのがおっくうで、そのままでいると、

「わかる？　ミシは、いま風呂でさ。伯父さんは料理を作ってる。伯父さん、腕を上げたよ」

わたしのおかげよ、と答えようとする。だが、口が動かない。

「寝てんの？　伯母さん……おれさ……正直、怖いよ。ミシだけでなく、赤ん坊まで、本当におれでいいのかな。おれみたいなちゃらんぽらんに、家族を、伯母さんみたいに愛せるかな？」

（ばかねえ、怜司……そんなに、自分に厳しく考えることはないのよ。）

「そりゃあ、二人が大切だとは思うけど、それが愛かな……思い込みじゃないのかなって……」

（疑うことなんてないのよ。そんな必要はないの。誰かのためにね、その人のためになら、自分が少しくらい損をしてもいいって思えたら……それはもう、愛でいいのよ。）

「おれさ、こないだ、ふっと思ったんだよ。おれが、ずっと好きだったのは、ミシじゃなくて、伯母さんだったのかもしれないなって……。子どもの頃から、ずっと憧れてたなあって……」

（あら、怜司の初恋は、わたしだったの？　嬉しがらせてくれるじゃない。）

巡子は目を開いた。怜司は布団を直していて、頭をこちらに向けている。手を伸ばし、彼の頭の上に置いた。怜司が驚いたのか、動きを止める。そのまま頭を撫でてやりたかった。手が思うように動かず、横に少しずれた程度となった。もう少しだけ横にずらし、今度は元へ戻す。もう一度、同じように少しずつ動かす。やがて、怜司の口から押し殺した声が洩れてきた。


十日です、一月十日です、と耳もとで何度もささやかれる。

「よく頑張りましたね」

と言われた。どう答えてよいかわからず、笑ってみせた。笑えたかどうか、自信はない。

息をするのも疲れる。胸の奥まで息を吸えない感覚で、吸おうとすると咳が出る。咳は骨まできしませる。だから咳をしないように、息を浅いまま繰り返す。ひどく疲れる。

お母さん、伯母さん、巡子、坂築さん、と呼びかけられる。

すべて聞こえる。息をするので精一杯で、返事をする余裕が生まれない。小さくうなずいた。

「もう一度確認いたしますが、鎮静はおこなわなくてもよろしいですか。意識が低下し、話はできなくなりますが、もうこういう状態ですし、逆におからだは確実に楽になります」

「お母さんは、よく頑張ったもの……」と、美汐が涙声で答えている。

「伯母さん、本当に、偉かったよ。もう苦しむことないよ」と、怜司のかすれた声がする。

「……いや。お母さんに、聞いてみよう」と、鷹彦が言う。

(そうよ。わたしに聞いて。わたしの考えを聞きなさい。わたしにはまだ意思が残されてる。)

お母さん、巡子、と鷹彦が呼びかけてくる。鎮静のことを問う。巡子は首を横に振った。

言葉は出ない。瞼も開かない。だが、なんとか伝わることを願って、首を横に振る。

(ここまで来たの。最後までこの家のぬくもりを、家族の息づかいを感じていたい。赤ん坊を、静人を待っていたい。間に合わなくても、愛する者を待てる幸せが、わたしには残されてる。)

十一日だよ、と聞こえる。伯母さん、予定日通りだよ、ミシに陣痛が来た、と聞こえる。

お母さん、これ、そうみたいよ。生まれるみたい。もうちょっとだからさ、待っててね。

いま、姜さんを呼んだ。きみのほうも、山隅さんと浦川さんがすぐ来てくださる。

巡子は力のかぎり息をする。全身を使って息をしている感じだ。息のことしか考えられない。

でも……耳に届いてくる。美汐のうめく声だろう。ううん、ううんと、懸命に力を振りしぼる声が聞こえる。こらえなさい、と言いたい。大丈夫だから、自分と周りの人を信じて、こらえていれば、きっと赤ちゃんのほうから出てきてくれるから、あなたに会いにきてくれるから……。痛い、痛い、痛いよ、と聞こえる。ああ、ああ、と叫ぶような声が聞こえる。命をいま産もうとする者の声だ。わたしは、新しく命を産む人間の声を聞きながら死んでいける。わたしといま入れ代わりに、かけがえのない命が、この世界で生きはじめる瞬間のなかにいられる。

不意に、額に手が置かれるのがわかった。感触で鷹彦とわかる。じき十二日の朝だよ、と言う。山隅さんたちは帰られたけど、何かあればすぐ来てくれる、姜さんはいる、美汐は頑張ってる、徹夜になったけど、もう産まれるよ……きみのおかげだ、きみがいて、生まれ出る命なんだ。

頭を撫でられるのがわかった。温かいものが唇にふれるのも感じた。

泣いた。涙が出たかどうかは、わからない。

ひときわ美汐の声が高まる。伯父さんっ、と怜司の声がする。ちょっと行ってくる、と鷹彦が言う。わたしは大丈夫、とうなずく。もう十分よ、あなたで、よかった……本当にありがとう。

周囲の音が、厚い膜をはさんだように、ふっと遠ざかる。息をするのが急に楽になる。

もう無理に呼吸をしなくてもいいよと、見えない大きな手に、優しく胸を撫でられたようだ。

目を閉じたままなのに、頭の上に、多彩な色の空が広がっているのがわかる。

雲のように色が湧き、太陽と月が矢継ぎばやに入れ替わる。天も地も桜の花に囲まれたなかを抜け、ひまわり畑に出る。幼い頃に見た風景を思い出す。鮮やかな紅葉が現れる。幾層も重なる赤が散り、雪へと変わる。辺り一面の雪景色に埋もれるかと思い、手を伸ばした。

広漠《こうばく》とした砂漠に出た。人けはなく、延々と砂ばかりがつづいている。足元に小さな砂の山があった。夫と親友の三人で作った慰霊碑に似ている。表面に『坂築巡子』と刻まれていた。内側から崩れるように慰霊碑は砂にかえり、息づくもののない砂の海に、彼女はひとりで残された。あまりの寂しさに涙も出ない。わたしは死んだの？　これがわたしの最後の場所……？

後ろから呼ばれた気がした。聞き覚えのある声。待ち望んだ声が、遅くなりました、と言う。かすかに残る力を集中し、瞼を開く。本当に見えているのか、現実なのか、もうわからない。

目の前で、人影が揺れていた。人影はしばらくこちらを見つめたあと、そばに歩み寄ってきた。ひざまずいて、右手を天に向けて挙げ、左手を地に向けて下ろす。その右手が、巡子の肩の下に差し入れられる。左手が、彼女の膝の裏に差し入れられる。

巡子はゆっくりと抱き上げられた。宙に浮いた彼女は、人影の胸へ向かって抱き寄せられる。まるでその人の胸のなかへ入ってゆくかのようだ。とても温かく、慈《いつく》しみに満ちている。

「あなたは……ぼくを、愛してくれた人です」

ささやく声が、耳に届いた。ほかの音は一切混じらず、純粋に澄んだ声が響いてくる。

「あなたは……ぼくから、深く、感謝されている人です」

いっそう強く抱きしめられた。自分のからだが溶けるように透き通り、本当に大切な、命のかたまりのようなものだけが、相手の手のなかに残ってゆく気がする。

「あなたは……ぼくに、愛された人です。そして、これからも、愛されつづける人です」

相手が重ねた手のなかに、自分がすべて収まり、胸のなかへ完全に入りきる。緑に萌《も》える草の原に、大勢の人がいた。草原は左側で森へつながり、右側は砂浜から海へと移りゆく。空は青が濃密な印象で、何ものにも汚されていない原始の空を思わせる。こののびやかな世界のなかで、人々は思い思いにくつろいでいた。僧侶のような短髪の凛々《りり》しい男性、制服姿の女子高生、駆け回る子どもたち、人のよさそうな老人、身を寄せ合う家族連れ、互いをいたわる老夫婦、赤ん坊を抱いた母親、外国人らしい人もいる。年齢も、肌や目の色も違う、実に多様な人々が、同じように笑みをたたえ、会話を楽しんだり、自然を愛《め》でたりしている。

そよ風に葉が揺れる森の大樹の陰に、巡子の両親がいた。そばに立つランニング姿の継郎が、こちらに手を振っている。海では、鷹彦の両親が砂浜に腰を下ろし、波打ち際で遊ぶ五歳くらいの男の子をいとおしげに見つめていた。彼らも巡子に気づいて、手を振ってくる。

この世界では、誰もが分け隔てなく存在している。そして、誰もが、互いを愛していることが……互いに愛されていることが……互いに感謝し合っていることが伝わってくる。

このような世界へ入っていけることが嬉しくて、巡子はもう不安も、ためらいもなく、人々のほうへ踏み出した。すべての人が、彼女に気づき、笑顔で手を振り、迎えてくれる。

そのとき、背後に広がる空と海との境界の、さらに彼方で輝く、先の世界とつながっているらしい光の奥から、激しく泣き上げる赤ん坊の声が聞こえてきた。巡子が去ってきたばかりの世界に、いま新しく生を得た命の、力強いうぶ声が、彼女の耳に、しっかりと届いた。

謝辞

創作に関する雑記帳に、この物語の萌芽となる考えがつづられるようになったのは二〇〇一年秋のことでした。同じ年の暮れに、萌芽は少しまとまった言葉となり、雑記帳に初めて『悼む人』というタイトルがあらわれます。それにつづき、次のようなメモ書きがあります。

「多くの人々の死にふれ、悲しみを背負いすぎて、倒れてしまった人。」

「何もする気にはなれず、ただただ悼んでいる。」

以来七年間、この人物と向き合ってきました。メモにある通り、初めは倒れて動けない状態にいた〈悼む人〉が、時間とともに、からだを起こし、自分の内面と周囲の出来事を見つめ直して、恐る恐る外へ向かって足を踏み出し、やがて思いもよらない悼みの旅へ出ていきました。

この間ずっと支援しつづけてくれたのが、文藝春秋の編集者の方々です。同社から初めて声を掛けていただいたのが、すでに前世紀、一九九六年でした。以来、次やります、いまやっていますと答えつづけて十二年……。二〇〇〇年に別の社から単行本を出していただいたあと、次の単行本は文藝春秋さんでとお約束して取りかかっていたところ、〈悼む人〉が突然自分の前に現れたため、進めていた話を中止し、まさに彼にとりつかれたように一年、二年、三年……と、結果として本作は八年ぶりの単行本となりました。もっと早く発表したかったのですが、自分の能力では〈悼む人〉の存在を確かなかたちで人々へ伝えるには、ここまでの時間が必要だったということでしょう。

担当の方も長い年月の間に入れ替わり、一行も渡せないまま異動された方もいて、心苦しく思っていました。そのなかでも早い時期に担当となり、何度か部署を異動しながら最終的にまたパートナーとしてこの物語に付き添ってくれた荒俣勝利氏は、わたしの要望を最大限に聞き入れ、納得ゆくまで作品に向き合わせてくれました。感謝はもちろん、まずねぎらいの言葉をおくりたい想いです。

いつになれば〈悼む人〉が形になるのか、本人もやきもきしていました。長く抱えた余りに発表に慎重になり過ぎていた面があったかもしれません。その背中を押し、連載へ強く引っ張ってくれたのが、「オール讀物」の当時の編集長・羽鳥好之氏です。彼の英断がなければ発表はさらに遅れていたことも考えられます。現在は出版の責任者となった彼は本作の事実上のプロデューサーと言えます。後述の増田医師とは同級生で、紹介の労をとっていただけたことも大いに助けとなりました。

当初担当者だった伊藤淳子氏は、わたしの求める資料を得るため、多くの人に連絡を取り、多くの場所へ足を運んで、作品の土台を築く仕事を手伝ってくれました。異動後も手紙でわたしを励まし、いまではこの本を多くの読者に届けるべく心を砕いてくれています。「オール讀物」連載時の担当者武田昇氏は、わたしが必要とする資料のほか、彼独自の判断による資料も集めて、大いに助けてくれました。彼がいなければ作品はいまの形に成っていなかったでしょう。彼を引き継いだ秋月透馬氏は、明るく熱情的に作品への賛同を語り、最後まで気を抜かずに物語を書き上げる推進力を授けてくれました。羽鳥氏を継いだ編集長・吉安章氏は、許容量豊かに物語を受け入れ、作品本位で書きやすい環境を整えてくれました。校正者の方々の的確な指摘にはいつも助けられていますが、今回も連載段階から単行本化にいたるまで、複数の校正者の方に多くのご苦労をおかけしました。

ほかにも、いろいろとこの作品に協力してくださった方々がいて、お一人お一人の名前を挙げられないのが残念ですが、あらためて文藝春秋の関係者の皆様には心から感謝申し上げます。

群馬県伊勢崎市の石井病院消化器科・増田淳医師には大変お世話になりました。医療に無知なわたの煩瑣な質問に丹念に答えてくださり、本文を読んで諸々の表現についてもご教示いただきました。医療機器の資料も送ってくださるなど、本当に感恩の念にたえません。同じく医療に関する表現について、丸山七奈恵氏に非常に助けていただきました。また匿名を希望された複数の医療関係者の方々も、わたしの質問に丁寧な回答をくださいました。あわせて、ご助力に深く感謝申し上げます。

二年間におよんだ連載の期間中、挿絵を描いてくださった日置由美子氏にも拝謝の想いでいっぱいです。毎回、作品の核心をとらえた質の高い挿絵によって、物語と読者を結び付けていただいただけでなく、わたし自身も何度となく力づけられました。

連載中、たくさんの方から励みとなるお言葉をいただきましたが、なかでも編集者・松田哲夫氏は常々の感想のみならず、内容に関する貴重なアドバイスもくださいました。また郷里の児童文学者・はたたかし氏は、わたしをデビュー当時から見守ってくださっている恩人のお一人ですが、一九二一年生まれの人生の大先輩にもかかわらず、毎号お読みいただき、お手紙によって貴重なご意見をお寄せくださいました。多くの読者の代表として、お二人に感謝を申し述べる次第です。

すでに〈悼む人〉とともに歩みはじめていた二〇〇五年一月、彫刻家・舟越桂氏のアトリエにお邪魔する機会があり、完成したばかりの新作「スフィンクスの話」を拝見しました。この彫刻は海外へ渡って日本ではもう見られないと聞き、ぶしつけながらカメラに収めさせていただきました。その姿は清新かつ妖しく、寛容なのに気品があり、無垢でいて謎に満ちている。〈悼む人〉の精神的な象徴があらわれているように思い、以来このときの写真を机に置いて執筆をつづけました。そのため装丁もこの素晴らしい彫刻作品で飾らせてもらえたらと切望し、素人の撮影した写真の使用という無理なお願いでしたが、舟越氏および西村画廊さんにはご快諾いただきました。この彫刻作品との巡り合いには運命的なものすら感じています。本当にありがとうございました。そして素人の写真を美しい装丁に仕上げてくださった文藝春秋の関口聖司氏にもご苦労をおかけしました。

この物語にとりかかって七年間、執筆上の必要だけでなく、精神的な面においても余裕がなくなり、休みをとることができなくなりました。その生活に一緒に耐え、支えつづけてくれた家人にはひときわ深い感謝の念を抱いています。わたしの創作が決して個人の営みではないことをご理解いただきたく、内々の話ですが、あえて書き留めます。また、わたしには早世した友人が何人かいます。彼らとの思い出と、ご遺族との交流にも支えられました。

そして、読者へ。あなた方は、わたしの小説への姿勢を信じて、きっと待っていてくださる……。あなた方とのあいだに存在している信頼関係が、先の見えない執筆を根っこのところで支えてくれました。あなた方のような読者を得られて本当に幸せです。

最後に、この物語を書けたこと、書かせてもらえたことが何よりの幸福でした。〈悼む人〉のことを人々に届ける役目が自分でよかったのか、いまなお畏れ多く感じながら、〈悼む人〉の存在を自分に任されたことを誇りに思い、日々、彼と彼の周囲の人物に向き合える喜びを感じていました。この物語を書かせてくれたあらゆる存在、あらゆる意思に、畏敬の念をもって感謝を捧げます。

なお、このあと挙げる参考資料だけでなく、日々現実に亡くなった方々の報道は、さまざまな形でこの作品に影を落としています。静人のように悼むことは、自分にはとてもできませんが、深く感謝をいたすとともに、慎んで方々のご冥福をお祈りいたします。

二〇〇八年十月　　天童荒太

参考資料（順不同）

○文献
『種まく子供たち　小児ガンを体験した七人の物語』（佐藤律子編／ポプラ社）
『ＮＨＫがんサポートキャンペーン　がんを生き抜く実践プログラム』（ＮＨＫがんサポートキャンペーン事務局編／日本放送出版協会）
『退院後のがん患者と家族の支援ガイド』（日本ホスピス・在宅ケア研究会編／プリメド社）
『胃ガンのすべてがわかる本』（矢沢サイエンスオフィス編／学習研究社）
『最新・もっともくわしいガンの本』（矢沢サイエンスオフィス編／学習研究社）
『Ｑ＆Ａ知っておきたい胃がん質問箱１０６』（西條長宏監修／メディカルレビュー社）
『ガン日記　二〇〇四年二月八日ヨリ三月十八日入院マデ』（中野孝次／文藝春秋）
『愛する家族がガンになったら─心をささえてくれる21の言葉』（ガブリエラ・フェッター／シドラ房子訳／講談社）
『生きる者の記録　佐藤健』（佐藤健と取材班／毎日新聞社）
『がんと向き合って』（上野創／朝日文庫）
『末期ガンになったＩＴ社長からの手紙』（藤田憲一／幻冬舎）
『自らがん患者となって　私の胃全摘とその後：がん研究と臨床の明日に想いを致す』（杉村隆／哲学書房）
『胃癌　あなたの癌治療の不安に答える』（平岩正樹／海竜社）

『がん患者学Ⅰ　長期生存患者たちに学ぶ』（柳原和子／中公文庫）
『がん患者学Ⅱ　専門家との対話・闘病の記録』（柳原和子／中公文庫）
『がん患者学Ⅲ　がん生還者たち――病から生まれ出づるもの』（柳原和子／中公文庫）
『がん医療の選び方』（吉原清児／講談社現代新書）
『がんのウソと真実　医者が言いたくて、言えなかったこと』（小野寺時夫／中公新書ラクレ）
『がんを病む人、癒す人　あたたかな医療へ』（比企寿美子／中公新書）
『最新ホスピスQ&A100』（谷荘吉・錦織葆／東京書籍）
『在宅死―豊かな生命の選択』（玉地任子著・編／講談社）
『自宅で死にたい―老人往診3万回の医師が見つめる命』（川人明／祥伝社新書）
『病院で死ぬということ』（山崎章郎／文春文庫）
『在宅で死ぬということ』（押川真喜子／文春文庫）
『自宅で迎える幸せな最期』（押川真喜子／文藝春秋）
『病院で死なないという選択―在宅・ホスピスを選んだ家族たち』（中山あゆみ／集英社新書）
『母を看取るすべての人へ　在宅介護の700日』（森津純子／朝日文庫）
『家で看取るということ―末期がん患者をケアする在宅ホスピスの真実―』（川越厚・川越博美／講談社）
『死の臨床Ⅳ　病院死と在宅死』（日本死の臨床研究会編／人間と歴史社）
『がんの在宅ホスピスケアガイド　ただいま　おかえりなさい』（吉田利康／日本評論社）
『「死学」　安らかな終末を、緩和医療のすすめ』（大津秀一／小学館）
『最新緩和医療学』（恒藤暁／最新医学社）

『がん疼痛治療のレシピ（2007年版）』（的場元弘執筆・監修／春秋社）
『豊かな死を看取る　家族と介護職のための看取りマニュアル』（苛原実監修／メディカル・パブリケーションズ）
『子どもと死について』（エリザベス・キューブラー・ロス／鈴木晶訳／中公文庫）
『死別の悲しみを超えて』（若林一美／岩波現代文庫）
『死とどう向き合うか』（アルフォンス・デーケン／日本放送出版協会）
『家庭の医学』（レベッカ・ブラウン／柴田元幸訳／朝日文庫）
『殺人現場を歩く』（蜂巣敦著・山本真人写真／ミリオン出版）
『犯罪被害者　いま人権を考える』（河原理子／平凡社新書）
『助産師と産む　病院でも、助産院でも、自宅でも』（河合蘭／岩波ブックレット）
『いちばんわかりやすい妊娠と出産』（池川明・井上裕美監修／成美堂出版）
『うん　このあかちゃん　おとうちゃんの出産絵日記』（長谷川義史・おせっかい助産師　村中李衣／クレヨンハウス）
『あの日を忘れない　描かれた東京大空襲』（すみだ郷土文化資料館監修／柏書房）
『史料・太平洋戦争被害調査報告』（中村隆英・宮崎正康編／東京大学出版会）
『日本の空襲十　補巻・資料編』（三省堂）
『TARGET　TOKYO　日本大空襲』（月刊沖縄社）
『米軍資料から読み解く　愛媛の空襲』（今治明徳高等学校矢田分校平和学習実行委員会編／創風社出版）

○映像

『終りよければすべてよし』（羽田澄子演出／二〇〇六年・株式会社自由工房製作／二〇〇七年六月、岩波ホールにて上映）

○展示

『生命のメッセージ展ｉｎ早稲田大学』（主催「生命のメッセージ展」実行委員会、「生命のメッセージ展ｉｎ早稲田大学」実行委員会、早稲田大学人権教育委員会／二〇〇四年十二月、早稲田大学学生会館にて展示）

初出　「オール讀物」二〇〇六年十月号より二〇〇八年九月号まで連載。
右記の作品に加筆修正をいたしました。

著者紹介

一九六〇年、愛媛県生まれ。八六年に『白の家族』で第十三回野性時代新人賞を受賞。九三年には『孤独の歌声』が第六回日本推理サスペンス大賞優秀作となる。また、九六年には『家族狩り』で第九回山本周五郎賞を受賞。二〇〇〇年にはベストセラーとなった『永遠の仔』で第五十三回日本推理作家協会賞を受賞。そのほかの著作に『あふれた愛』、『包帯クラブ』、画文集『あなたが想う本』(舟越桂と共著)、対談集『少年とアフリカ』(坂本龍一と共著)などがある。

悼《いた》む人《ひと》

二〇〇八年十一月三十日　第一刷発行

著者　天童荒太《てんどうあらた》
発行者　庄野音比古
発行所　株式会社　文藝春秋
〒一〇二-八〇〇八
東京都千代田区紀尾井町三-二三
電話　〇三-三二六五-一二一一(代)
印刷所　凸版印刷
製本所　加藤製本

ISBN 978-4-16-327640-3

Printed in Japan

彼女について

よしもとばなな

由美子は、幼なじみのいとこ昇一とともに失われた過去を探す旅に出た。この世を柔らかくあたたかく包む魔法を描く書き下ろし長篇

文藝春秋刊

ちょいな人々

隣の庭木を憎む主婦、脱サラした占い師、いじめられっ子と一緒に復讐する相談員など、ちょっと変でちょっと可哀そうな人達のお話

荻原　浩

文藝春秋刊

少年とアフリカ

音楽と物語、いのちと暴力をめぐる対話

坂本龍一・天童荒太

いま世界に溢れる暴力と無関心、若者たちの孤独。東京に暮らす小説家とニューヨーク在住の音楽家が救いの在処を探す真摯な対話集

文春文庫